三杯茶

Three
Cups of Tea

[美]葛瑞格·摩顿森　大卫·奥利佛·瑞林/著

黄玉华/译　严冬冬/校译

吉林文史出版社

图书在版编目（CIP）数据

三杯茶/（美）摩顿森，（美）瑞林著；黄玉华译，严冬冬校译. —长春：吉林文史出版社，2009.1

书名原文：Three Cups of Tea

ISBN 978 - 7 - 80702 - 715 - 7

I. 三… II. ① 摩… ② 瑞… ③ 黄… III. 长篇小说–美国–现代 IV. I712.45

中国版本图书馆CIP数据核字（2008）第103810号

THREE CUPS OF TEA: ONE MAN'S MISSION TO FIGHT TERRORISM AND BUILD NATIONS…ONE SCHOOL AT A TIME by GREG MORTENSON AND DAVID OLIVER RELIN

Copyright © 2006 BY GREG MORTENSON AND DAVID OLIVER RELIN

This edition arranged with DIANA FINCH LITERARY AGENCY

through BIG APPLE TUTTLE–MORI AGENCY, LABUAN, MALAYSIA.

Simplified Chinese edition copyright:

2009 JILIN LITERATURE & HISTORY PUBLISHING HOUSE

All rights reserved.

中文简体字版权专有权属吉林文史出版社所有

吉林省版权局著作权登记

图字：07—2008—1946号

三杯茶

Three Cups of Tea

作　　者：葛瑞格·摩顿森　大卫·奥利佛·瑞林

译　　者：黄玉华

校　　译：严冬冬

责任编辑：王文亮

责任校对：王文亮

封面设计：TANK

出　　版：吉林文史出版社（长春市人民大街4646号　邮编：130021）

网　　址：www.jlws.com.cn

印　　刷：北京鑫丰华彩印有限公司

开　　本：787×1092毫米　16开

字　　数：300千字

印　　张：16.5

插　　页：16

版　　次：2009年1月第1版

印　　次：2009年9月第4次印刷

书　　号：ISBN 978 - 7 - 80702 - 715 - 7

定　　价：28.00元

目 录

一　失败

天空越暗的時候，你越能看到星辰。

　　　　　　　　　　　　　　　　　　　——波斯俗谚

　　巴基斯坦的喀喇昆仑山脉，绵延一百多公里的区间，耸立着六十多座世界上最高的山峰。它们仗恃无可企及的高度，恣意绽放着荒野的美丽。

　　除了雪豹和瀇羊，这片荒瘠的冰地少有生物穿越。因此，直到 20 世纪来临，世界第二高峰乔戈里峰对外界仍是个传说。顺着乔戈里峰的山势向下，在加舒尔布鲁木峰群四座凹槽状的塔形花岗岩峰和大川哥岩塔群之间看似致命的石刀上，长达 62 公里的巴托罗冰川朝印度河谷上游的方向缓缓流动着。仿佛生怕惊扰了雄伟静立于天地间的岩峰冰层，这冰川仅以每天 10 厘米的速度移动，让人难以察觉它在前进。

　　时间是 1993 年 9 月 2 日。葛瑞格·摩顿森觉得自己走得比冰川也快不了多少。跟他的巴基斯坦高山协作一样，摩顿森穿着处处是补丁的土黄色"夏瓦儿卡米兹"。脚上那双笨重的黑色登山靴似乎正自顾自地把他往冰川下带。两旁是高耸的冰塔林，仿佛千万艘坚冰船队上罗列张扬的船帆。

　　摩顿森以为，他随时都可能追上队友史考特·达斯尼，然后他们一起返回文明世界。他想象达斯尼正坐在前方的大卵石上，开着玩笑抱怨他走得太慢，而没意识到自己已经迷了路：他偏离了冰川的主道，而巴托罗冰川上游的小道宛若迷宫。他原打算向西走到艾斯科里村落，找辆吉普车带他下山，却不知道自己正一路向南，在错综复杂的冰塔林间越绕越远，而再往前就是巴基斯坦和印度士兵相互炮击的火线区域。

　　摩顿森原本不会这么漫不经心。他会格外关注生死攸关的信息——比

1

如，他的攀登装备、帐篷和所有食物都在协作穆札佛的背包里，尽管他也会留意身边惊心动魄的景色，但不会让穆札佛离开自己的视线。

1909 年，当时最伟大的登山家，可能也是那个年代对巍峨山景最具鉴赏力的行家阿布鲁兹公爵，在带领意大利登山队攻顶乔戈里峰未果后，来到了巴托罗冰川。阿布鲁兹被群峰环绕的天地大美所震慑。"走遍世界高山，要找到能与之媲美者难矣。"他在日志中写道，"这是个冰川和峭岭的世界，难以置信的景色，不仅让登山家为之震撼，也会让艺术家为之惊叹。"

当太阳西沉，没入木孜塔格峰锯齿状的花岗岩顶峰，山影也掠过河谷东侧，移向加舒尔布鲁木峰刀刃般的巨大山壁。然而，摩顿森再无心观赏这震慑人心的景色。他饱受惊吓的心被一种从未有过的情绪俘获了——失败。

摩顿森把手伸进"夏瓦儿"口袋，拨弄着小妹克莉丝塔生前常戴的琥珀念珠项链。

老家虽在明尼苏达，但摩顿森生长在非洲坦桑尼亚，父母在那里担任路德教会的传教士及教师。那时才 3 岁的克莉丝塔感染了急性脑膜炎，此后再没康复。比妹妹年长 12 岁的摩顿森，自愿担任她的保护者。虽然克莉丝塔连做简单活动都有困难，每天早上穿衣得花一个小时，并且饱受严重癫痫之苦，摩顿森却极力说服母亲洁琳，让妹妹在生活上学着独立。摩顿森帮克莉丝塔找了份简单的工作、教她认识双子城的公交车路线，好让她可以自由行动。当他知道妹妹开始约会后，还跟她讨论如何避孕的细节，这让他们的母亲很难为情。

后来，无论是在德国担任美军医护人员及排长，在南达科他州攻读护理学位，在印第安纳州的研究所钻研癫痫神经生理，还是在加州柏克莱过着以车为家的登山迷生活，每一年，他都坚持与小妹共处一个月。两人一起游历，参加"印地 500 赛车"、"肯塔基马术大赛"，开车到迪斯尼乐园旅行，参观摩顿森的"私房景点"——优胜美地国家公园著名的花岗岩壁。这一切都给克莉丝塔带来了无穷无尽的欢乐。

为了庆祝克莉丝塔 23 岁的生日，母亲计划带她开始"从明尼苏达到爱荷华州代尔斯维玉米田"的朝圣之旅，那是她百看不厌的电影《梦幻成真》的拍摄地。然而就在生日当天，在即将出发的时候，克莉丝塔因癫痫发作而永远离去了。

克莉丝塔去世后，摩顿森从她不多的遗物中拣了这条念珠项链。项链上甚至还闻得出营火的气味，那是她最后一次到加州看望他时，两人一起升起的营火。他用藏族的经幡包起项链，随身带来巴基斯坦——他决定用对登山者来说最有意义的方式纪念克莉丝塔：攀登这座被许多登山者视为地球上最难攀登的乔戈里山峰，把她的项链留在海拔8611米的峰顶上。

摩顿森从小生长在一个不畏挑战的家庭，这个家庭曾在非洲最高的乞力马扎罗的山坡上建造学校、建造医院。

三个月前，只穿着一双运动凉鞋，连袜子都没穿的摩顿森迈着轻快的步子踏上了冰川。他参加的是一支财力匮乏但勇气十足的登山队，总共十名队员。他们从艾斯科里出发，长途跋涉进入大本营，准备攀登世界第二高峰。在使命召唤的险途中，四十多公斤重的背包对他来说，根本不是问题。现年35岁、体能充沛的他，11岁就登顶乞力马扎罗峰，成功攀爬过五六座喜马拉雅山脉的高峰，现在他信心满满地认为，自己很快就会登上这座被喻为"地球上最大也最凶恶"的乔戈里峰。和喜马拉雅山脊东南方一千多公里远处的珠峰相比，乔戈里峰是座杀人峰——金字塔形的锐利岩峰，陡峭到连冰雪都无法附着在它刀刃般的岩壁上。

真的很接近了，他离顶峰只有六百米的垂直高度。但此时乔戈里峰已隐入身后的薄雾中，项链却还在他的口袋里。为什么会这样？自己不再是从前的自己了？他用衣袖擦去眼泪，诧异自己竟然落泪。在乔戈里峰辛苦攀登的七十八个日日夜夜，他觉得自己越发的虚弱委靡，跟当初那个意气风发的摩顿森简直判若两人。他不知道自己还有没有力气穿越近八十公里的危险地带，回到艾斯科里。

一阵尖锐如猎枪鸣响的乱石碎裂声，把他带回现实世界。眼看着一块三层楼高的巨石加速下落，触地弹跳，摔落到碎石坡上，将他面前的冰岩击得粉碎。

摩顿森试着把惊呆的自己摇醒，回想从上次看见其他人到现在，究竟过了多久。史考特·达斯尼在他前面的山路上已经消失了好几个小时，一个小时或更久之前，他曾听到载着军火往锡亚琴冰川方向去的军骡车队的铃声。那里是巴基斯坦和印度军队长期对峙的高山战区。

他急忙找寻路上可能有的各种记号。但是，这里没有骡粪，没有烟蒂，没有空罐头，也没有赶骡人喂牲口的干草叶。摩顿森意识到自己所走的不是山路，而是冰岩迷宫中一道天然的裂隙。自己是怎么走到这儿的，他努力梳理着思绪，想集中起精神，但空气稀薄的高海拔环境已经让他无法清楚思考了。

摩顿森花了一个小时爬上一道碎石坡，希望从巨石和冰峰之上的制高点上，找到他熟悉的地标——乌尔杜卡斯的大岩岬。那是如筋肉虬结的巨拳一般的岩岬，横插进巴托罗冰川。但爬到坡顶，他发现自己除了筋疲力竭，一无所获。他还不知道，自己方才这一走，已经沿一条破碎的溪谷走出了十几公里，完全偏离了预定的路线。在渐渐昏暗的夕照中，连原本熟悉的远山轮廓，也开始变得模糊又陌生。

高海拔让他完全无法集中精神，惊恐的情绪悄悄滋生。摩顿森强迫自己坐下来评估现状。他那被太阳晒褪色的紫色小背包里，只有一条轻薄的巴基斯坦羊毛军毯，一个空水壶和一条高蛋白营养棒。他的高山羽绒睡袋、所有的保暖衣物、帐篷、炉子、食物，甚至连手电筒和火柴，都在协作的背包里。但他们走散了。

他得在山上过夜，等天亮后再找路下山。虽然气温已经降到零度以下，他想自己还不至于冻死，凭着仅存的神智，他知道在漂移的冰川上摸黑找路更危险，弄不好就会掉进上百米深的巨大裂缝。摩顿森小心翼翼地爬下碎石坡，想找个能休息的地方：要离岩壁够远，他才不会在睡梦中被落石击碎；要够牢，才不至于在半夜裂开，让他掉进冰川深处。

摩顿森找到一块看起来颇为稳固的扁平岩板，赤手把冰雪装进水壶，然后用毯子把自己包起来，强迫自己不去多想孤单悲惨的处境。小臂在前段时间的救援行动中被绳索磨伤，在这种高度下伤口很难愈合，他知道应该撕开结痂的纱布和绷带，把伤口里的脓挤出来，不过这会儿实在没这个力气了。躺在凹凸不平的岩石上，冻得发抖。太阳最后一抹火红的余晖照在东边的山峰上，燃烧闪耀，最后留下黑蓝色的残像。

将近一个世纪前，阿布鲁兹公爵的医生和登山队队记菲利波·迪·菲利皮，曾写下他置身山峰所感到的孤寂。尽管有超过二十位欧洲队友、两百六十位当地协作同行，尽管他们带着折叠椅、银制茶具，还有一队脚夫定期送上欧洲报纸，菲利皮仍然觉得自己被群山的静寂、疏离压得喘不过气来。"深深的静寂在山谷中浮现，"他写道，"以无法言喻的沉重，压抑着我们的灵魂。世上再没有地方像此处一样，让人觉得如此孤寂、如此疏离、如此被大自然全然弃绝，如此无法与她对话。"

也许是因为摩顿森习惯孤独（小时候他是几百个非洲孩童中唯一的美国孩子），又或者是多次攀岩经验让他习以为常，毕竟在优胜美地公园的半穹顶峰，他曾多次在离地面一千多米的岩壁上扎营——此刻，他反而觉得十分自在。如果问他原因，他可能会归结为高原反应造成的迟钝。但是任何见过摩顿森的人，任何看过他后来如何锲而不舍地说服国会议员、原本犹豫的慈善家、阿富汗军阀，直到取得救援经费、捐款，直到取得进入部落领土的许可等等的人，都会了解，这一夜的经历，其实只是他钢铁意志的一个缩影。

夜风吹起，刺骨难挨。他试着看清矗立在身旁不怀好意的群峰，但怎么也无法将它们从一片漆黑中分辨出来。在毯子里焐了一个小时，结冰的高蛋白营养棒终于靠着体温解冻了。混着足够的冰水，他把营养棒吞下去，瑟瑟发抖了半天。在这样的低温下睡着，看来是不可能了。放弃设法入睡的念头，摩顿森对着繁星点点的天空，决定分析一下自己失败的原因。

登山队的领队，唐·马祖尔和强纳森·普瑞特，还有法国登山队员艾登·凡恩，都受过良好的登山训练。他们速度快，动作优雅，天生具备在高海拔地区进行多段技术攀登的体型和能力。一米九二的身高、九十五公斤的体重，身材粗壮的摩顿森在速度上要慢许多。

没有人指挥分配，在攀登过程中，一切缓慢笨重的工作自然落在他和达斯尼身上。一连八次，登山队朝日本峡谷攀登时，摩顿森都承担运输补给任务，背着食物、燃料、氧气瓶上爬到不同的高山营地。日本峡谷跟乔戈里顶峰只有六百米的高差，登山队在这里平整出一片狭小的营地，用来储存所有的高山营地装备，这样当领队决定攻顶时，营地就能保证补给品及时到位。

那一季，在山上的其他登山队都选择了传统路线，也就是从乔戈里峰东南部的阿布鲁兹山脊路线往上爬，只有他们这一支决定从西壁攻顶——一条迂回艰难的路线，到处都需要高难度的技术攀登。沿这条路线攀登，先前只有一次成功纪录，那是十二年前由日本登山者大谷映芳和他的巴基斯坦协作纳兹尔·萨比尔创下的。

摩顿森不仅欣赏这个挑战，而且为自己的登山队选择这条路线而自豪。每一次抵达营地，卸下燃料罐和登山绳索，他都感觉自己更强壮了。他的速度或许有些慢，不过成功登顶已经指日可待。

然而，在山上待了七十多天后，刚攀爬九十六小时完成一趟补给任务，摩顿森和达斯尼回到大本营正准备好好睡一夜。临睡前，他们用望远镜瞄了一眼刚刚暗下来的峰顶，忽然注意到乔戈里峰西侧山脊的高处有灯光闪动。摩顿森和达斯尼意识到这一定是队友在用头灯发信号，应该是他们的法国队友有麻烦了。

"凡恩采用的是'阿尔卑斯式风格'。"摩顿森解释。他用法文重音强调"阿尔卑斯"一词，在登山者中间这个词代表的尊敬和荣耀不言而喻。"随身只带最少的装备，尽可能快速攀登。之前我们还曾帮他脱离困境，因为他走得太快，没有适当的高度来让身体适应和休息。"

刚完成疲累的补给旅程，摩顿森和达斯尼担心他们没办法迅速赶到凡恩的位置进行救援，所以向大本营的另外五支登山队求援，但是没有人愿意帮忙。他们在大本营只休息了两个小时，就背上装备出发。

从海拔 7600 米的四号营地一路赶下山的普瑞特和马祖尔，则是在搏命救人。"凡恩爬上来跟我们会合，想一起攻顶，"马祖尔说，"但当他爬到我们这里的时候，整个人已经垮掉了。等他喘过气来，告诉我们，他听到肺里有咕噜咕噜的声音。"

凡恩得了高山肺水肿——海拔太高引起的肺部积水，如果患者不能被立刻送下山，很快就会死亡。"真的很吓人，"马祖尔说，"粉红色的液体从他口中大量冒出来。我们试着呼救，但是无线电进雪不能用了，我们只好往下走。"

普瑞特和马祖尔两个人轮流搀扶凡恩下山，然后在西侧山脊最陡的几段绳距，用坐式下降法将他运下去。"好像是身上绑了一大袋马铃薯后吊在绳索上。"马祖尔说，"我们还得慢慢来，才不会害死自己。"

当他们问摩顿森是怎么在二十四小时之内日夜兼程，抵达凡恩的位置时，向来不爱张扬的他只是简单回答："相当辛苦。"

"普瑞特和马祖尔是真正的英雄。"他说,"他们放弃了攻顶,只为了救凡恩下山。"

当摩顿森、达斯尼和队友们在靠近一号大本营的岩壁会合时,凡恩数度陷入昏迷,出现高山脑水肿现象,大脑内产生积水。"他已经无法吞咽,而且一直想解开登山鞋的鞋带。"摩顿森说。

平日不登山的时候,摩顿森的工作是在急诊室担任大夜班创伤护士。此刻专业医疗技能派上了用场,他立刻给凡恩注射了一剂降脑压药物,以缓解脑水肿现象。然后,四个早已筋疲力竭的队友开始长达四十八小时的艰苦营救旅程,拖着裹在睡袋里的凡恩从崎岖的岩壁区下撤。

"有时候,英文流利的凡恩,会突然醒来吐出一串含糊不清的法文;在极度困难的路段,出于登山者的自我保护本能,凡恩会突然惊醒似的把保护装备扣进绳索,然后又瘫倒陷入昏迷状态。"摩顿森回忆道。

摩顿森和达斯尼出发七十二个小时后,他们成功护送凡恩撤回了前进营地。达斯尼用无线电呼叫山下的加拿大登山队,再由他们把讯息转至巴基斯坦军中,请求派拉玛高山直升机进行救援。这在当时应该是史上最高的高山救援尝试,但由于天气恶劣,风力过强,军方要求他们将凡恩送到更低的地方。

下命令很简单,然而让四个已经筋疲力竭的队友把人送下山,却是要命的困难。把凡恩绑进睡袋后,队友们穿过艰难崎岖的沙维亚冰川护送他下山,整整六个小时,四个人只能用咕哝含混的语言沟通。

"我们真的累坏了,这远远超出体能的极限,有时候我们甚至得爬。"达斯尼回忆道。

终于,一行人拖着凡恩撤回了大本营。"大本营的所有队员都走了几百米出来迎接我们,给我们英雄般的欢迎!"达斯尼说,"巴基斯坦军用直升机把凡恩送下山后,加拿大队做了一顿大餐,大家都在庆祝。但摩顿森和我来不及享用,甚至来不及上厕所,就一头栽进睡袋,像死人一样。"

整整两天,摩顿森和达斯尼的意识在睡梦和清醒间来回漂浮。风吹过他们的帐篷,带来金属炊具板互相碰撞的叮当怪响。炊具板一共有四十八块,每块上都刻着一位在乔戈里峰不幸遇难的登山者的名字。穿成一串的炊具板挂在"亚特吉尔奇纪念碑"上,而纪念碑是为了悼念1953年丧生的一位美国登山队员。

醒来后,两人看到普瑞特和马祖尔留下的字条,说他们决定返回前进营地,并邀请摩顿森和达斯尼在体力恢复后一起攻顶。但"恢复"对摩顿森和达斯尼来说根本是奢望,补给任务紧接着救援行动,早已将他们所有力气消耗殆尽。

终于走出帐篷的时候,他们发现自己连走路都困难。凡恩活了下来,但是代价很高:这趟艰辛的旅程让他失去了所有的脚趾,救援行动也让摩顿森和达斯尼付出了无法登顶的代价,这本是他们千辛万苦渴望达成的目标。普瑞特和马祖尔在一个星期后向世界宣布他们登顶的消息,荣归祖国。但金属板上刻的名字却增加了——那一季十六位成功登顶的登山者当中,有四位在下撤过程中不幸丧生。

摩顿森很担心自己的名字也被刻在上面,达斯尼也一样,因此他们决定一起徒步跋涉重回文明世界。在山中迷路,勾起了对之前救援过程种种艰辛的回忆,葛瑞格·摩顿森在日出前独自蜷缩在薄羊毛毯内,努力想换个舒服一点的姿势。碍于身长,他没办法平躺下来,否则就会被酷寒的冷风吹到头。在乔戈里峰的日子他掉了十几公斤体重。没有垫子,不管怎么躺,骨头都会压到身躯下的冰冷岩石。一夜辗转反侧。在半睡半醒和冰川深处发出的隆隆声中,他原谅了自己的失败——没能达成纪念克莉丝塔的目标。何况这只是肉体的失败,而不是精神的失败,毕竟每个人都有生理极限。

他,生平第一次,发现了自己的极限。

二 河岸迷途

为何烦恼不可知的未来，

殚精竭虑，心神俱疲？

抛开你的担忧，将关于未来的事留给安拉——他在做计划时可从没请教过你。

——奥马尔·哈雅姆 《鲁拜集》

摩顿森睁开眼睛。

清晨如此平静，他却感觉异常窒息。他艰难地尝试着，终于把双手从紧裹的毛毯中解放出来，然后奋力举过头顶——他的头躺在一块光滑的岩板上，口鼻被一层冰封住了。摩顿森把冰层掰开，深深地、舒服地吸了第一口气，坐起来，开始傻笑。

睡得太久，醒来后完全失去了方向感，他伸了个懒腰，驱赶着浑身的僵硬和麻木，一边环顾周围的环境：群峰色彩纷呈，像是染了糖果的颜色，触目所及皆是绯红、浓紫和嫩蓝。太阳还没有升起，碧空如洗，云淡风轻。

随着血液开始正常循环，他慢慢回想起目前的处境。虽然还不清楚方向，虽然还是一个人，但摩顿森不再担心。清晨，让一切变得不同。

一只在巴托罗冰川上空觅食的大老鹰满怀期待地盘旋着，黑色巨翅在糖果色的山峰上刷出一抹暗影。摩顿森努力用冻僵的手，把毯子塞进小背包，又试着拧开水壶，却怎么都拧不动。他只好仔细收好水壶，提醒自己等手一恢复过来就喝水。大老鹰一见摩顿森还会动，便振翼顺冰川而下，去找其他食物当早餐了。

或许是多少睡了一点的关系，摩顿森觉得自己神清气爽了许多。回头望着一路走下来的河谷，他想只要沿原路往回走几个小时，就能找到正确的下山路线。

摩顿森起身往北走，在砾石上蹒跚前行，遇到极窄的裂缝，才拖着依旧僵麻的双腿跳过去。对这样的进度，他已经很满意了。和着攀爬的节奏，一首儿歌浮现于脑海，那是他小时候边走边哼唱的歌。他用斯瓦希里语唱了起来："耶稣尼瑞非齐扬古，阿卡耶明宾古尼（耶稣是我们最好的朋友，他住在天堂）。"斯瓦希里语是他在非洲时每个星期天做礼拜用的语言，那时从教堂里可以远远望见乞力马扎罗雪峰。这首连做梦时都会哼唱的老歌，让他忽略了此番情境的怪异：一个在巴基斯坦迷路的美国人，用非洲的斯瓦希里语唱着德国的圣歌，而且是在砾石和蓝冰遍布，脚步带起的碎石会在冰缝里下落好几秒，才掉入冰下暗河的地方。这首歌带来了令人怀念的温暖，就像一座灯塔，屹立在记忆中曾被他称做"家"的地方，指引他前行。

两个小时之后，摩顿森费力地拖着身体，沿一条陡峭的坡道爬出了峡沟。当他手脚并用翻过雪檐，站上山顶时，太阳也正好跃出了山谷东侧的岩壁，眼睛几乎被阳光射盲。

加舒尔布鲁木峰、布洛阿特峰、米特雷峰、木孜塔格峰……一重重高耸入云的冰峰，在炫目的朝阳逼射下，全被映成了熊熊燃烧的营火。

摩顿森坐在大石头上，一口气喝光了壶里的水，眼前壮观瑰丽的景色让他目眩神迷。野外摄影师盖伦·罗威尔在 2002 年因飞机坠毁丧生前，曾花了好几年的时间，捕捉巴托罗冰川周围群山的卓绝之美。虽然照片已美得惊人，罗威尔却总觉得跟亲眼所见相比，他的照片全都一无是处。他说这里是地球上最美的地方，堪称"山神的圣殿"。

尽管摩顿森已经在山上待了好几个月，阅过诸多景色，此刻他却心醉于这卓绝美景，仿佛从未见过它们。"从某种意义上来说，我的确是没看过。"他解释道，"整个夏天，这些山对我来说都是攀登的目标，尤其是乔戈里峰——最大的目标。我只想到它们的高度，以及攀登会遇到的技术挑战，直到那天清晨，我第一次真正'看见'那些山峰。太震撼了。"

摩顿森继续往前走。也许是因为山峰太完美了——褐红和土黄的花岗岩绵延构成宽广的岩壁，宛如交响乐的旋律，随山势的攀升而渐渐收敛，最后终结于峰顶拔尖处——所以，尽管身体相当虚弱，再不快点找到食物和保暖衣物，存活几率就会越来越渺茫，他却异常满足。摩顿森将涓涓流下的雪水装进水壶，喝一口下去冰得龇牙咧嘴。他深知，几天不吃不成问题，但一定得喝水。

时近中午，摩顿森隐约听见叮当的铃声，一路西去。是运送物资的驴队！他急忙四处寻找标记道路的石堆界标，可满眼只有散乱的石块。爬过冰川侧碛锐利的边缘，面前赫然出现一道一千五百米高、完全不可能攀越的岩壁，他意识到自己错过了正确路线。摩顿森再度原路返回。这一次他强迫自己专心找路，不再抬头看那些摄人心魄的山峰。三十分钟后，他发现了一根烟蒂，然后是石堆界标。沿着依旧难以辨识的路往下走，铃声越来越清晰，却依然不见驴队的影子。

最后，在两公里开外，冰川中突起的圆石上出现一个人影。摩顿森大声喊叫，但他的声音无法传那么远。不一会儿，人影消失了，接着又出现在距离更近些的圆石上。摩顿森使出吃奶的力气放声大吼，那人陡地回头转向他，然后立刻爬下圆石，消失在他的视野中。摩顿森站在冰川中央，置身于墓碑般林立的圆石间，灰色服装满是尘泥，这样的地点、这样的穿着实在难被发现。

摩顿森已经跑不动了，只能气喘吁吁、冲冲撞撞地走向那人最后一次出现的位置。每隔几分钟他就放声大喊，声音大得每次都把自己吓一跳。终于，那人出现了，站在一道巨大冰缝的对岸，脸上的笑容仿佛比裂缝还宽。那是穆札佛，他身上还背着摩顿森巨大的背包，衬得他身形越发瘦小。他找到冰缝最窄的地方，背着四十多公斤重的背包轻松跃过来。

"吉瑞克先生，吉瑞克先生！"穆札佛大叫着，扔下背包抱住了摩顿森。像许多高山协作一样，他发不准"葛瑞格"的音。"安拉乎艾克拜尔（神是伟大的）！感谢安拉，你还活着！"

摩顿森被他充沛的力气弄得弯腰踉跄，喘不过气来——穆札佛可是比他足足矮一头，年纪却大上二十岁呢。

穆札佛放开摩顿森，开心地拍着他的背。不知是被拍下来的尘土呛到，还是穆札佛的手劲儿太大，摩顿森开始咳嗽，咳到整个身子都弯了下去还是停不下来。

"茶，吉瑞克先生。"穆札佛打量着摩顿森孱弱的身体，想出了办法。

"茶能给你力气！"穆札佛把摩顿森带到一个风吹不到的小洞穴，扯下两把绑在背包上的山艾草，又从褪色的、肥大的冲锋衣口袋里，翻出打火机、小锅和盐，准备煮茶。他在巴托罗冰川做过几百次向导，连这件冲锋衣也是其中一次在路上捡到的，他知道这时候该做什么。

摩顿森第一次见到穆札佛·阿里，是跟达斯尼一起离开乔戈里峰的四个小时后。为了去看达斯尼追求了整个夏天的墨西哥女登山队员，他们徒步去了五公里外的布洛阿特峰大本营。原本只要四十五分钟的路程，他们艰难跋涉了四个小时——他们无法想象，接下来该怎么背着全副装备徒步一百多公里出山。

当时，穆札佛和他的朋友雅古刚为墨西哥登山队做完协作，正准备离开巴托罗冰川回家，两人都没有负重。他们愿意帮摩顿森和达斯尼背包回艾斯科里村，一天只要四美金。两个美国人高兴地同意了，虽然手边剩下的卢比不多，两人仍计划着下山后多给他们一些酬劳。

穆札佛是巴尔蒂族人，他们世代居住在巴尔蒂斯坦——巴基斯坦北部最贫瘠的山区。他们体型瘦小，却耐力惊人，在人烟稀少的高海拔地区具有卓越的生存能力。

意大利登山队成员法斯可·马瑞尼，1958 年成功首登加舒尔布鲁木 IV 峰时，就对巴尔蒂人又爱又怕。他为记录这趟旅程撰写的《喀喇昆仑山：攀登加舒尔布鲁木 IV 峰》一书，读起来一点也不像登顶成功者的回忆录，倒像是阐述巴尔蒂人生活方式的学术论文。

"他们耍花招、爱抱怨，会让人沮丧到受不了的地步。除了身上经常带着恶臭，还有明显的土匪味。"马瑞尼写道，"但撇开他们的粗野不谈，你会发现，他们工作起来非常忠实，精神力超强，体格也很强壮。更重要的是，即使在最困难的情况下，他们也能忍受极大的痛苦和疲惫。这些双腿细瘦的小个子，天天背着四十公斤的重物在山里来去自如，不像外地人什么东西都没带，走山路前还要犹豫再三。"

穆札佛蹲在洞里，用力吹着点燃的山艾草，直到火势稳定。他长得粗犷英俊，但脱落的牙齿和终年日晒造成的干皱皮肤，让他看起来比五十多岁的实际年龄更显苍老。他开始动手准备"白玉茶"，这是巴尔蒂人日常饮食必备的一种咸奶茶。先把绿茶放进已经发黑的锡锅里煮，加上盐、小苏打和羊

12

奶，然后他仔细刮下一块"玛尔"，也就是巴尔蒂人视为至高珍品的陈年臭酥油，再用不太干净的食指搅拌茶和酥油。

摩顿森紧张地看着。刚到巴基斯坦时他就闻过"白玉茶"的气味。那种味道简直"比法国人发明的最可怕的奶酪还要臭"，他总编造各种理由不去喝它。

穆札佛递给他一个冒着热气的大杯子。

摩顿森快吐了，但他的身体需要茶里的盐和温暖，所以他一口气全喝了下去。穆札佛又给他倒了一杯，等他喝完又倒了一满杯。

"金达巴（很好）！很好！吉瑞克先生。"穆札佛在摩顿森喝下第三杯茶后，用力拍着他的肩，窄小的洞穴里扬起一阵烟尘。

早一步出发的达斯尼和雅古已经继续朝艾斯科里前进。接下来的三天里，在离开巴托罗冰川之前，穆札佛再没让摩顿森离开过他的视线。穆札佛对路线无比熟悉，所以他要么牵着摩顿森的手，要么坚持让摩顿森紧跟他的脚步——他那双中国制造的高筒胶鞋里，连双袜子也没有。对信仰极度虔诚的他，甚至在祷告时，仍不忘从麦加的方向回头偷瞄。他必须确认摩顿森还在附近。

摩顿森尽可能紧跟着穆札佛，不断请教他如何用巴尔蒂话表述沿途看到的事物。冰川叫"刚丝一金"；雪崩是"路堵一虏特"。爱斯基摩人的语言对雪有无数种描述，巴尔蒂语对岩石也一样。"布拉克一雷普"是平坦的岩石，可以用来睡觉或煮东西；"克罗克"是楔形的石头，适合封堵石屋墙上的洞；小圆石是"克罗多斯"，可以放到火里加热，然后卷进面团里制作头颅状的"库尔拔"———一种巴尔蒂人每天出门前烤制的硬面包。摩顿森有着极强的语言天赋，很快就学会了巴尔蒂语的基本词汇。

摩顿森小心翼翼地迈步，往下进入一座狭窄的峡谷，这是他三个多月来第一次离开冰雪，踏上泥土地面。峡谷底部是巴托罗冰川的末端舌部，嵌满了黑色的碎石，被大自然雕塑得宛如波音 747 飞机的机首。绵延六十二公里的冰下暗河在这里倾泻而出，仿佛飞机上的涡轮引擎。这个汹涌湍急的喷水口，正是布劳渡河的发源地。五年后，一位瑞典籍皮划艇爱好者和一支纪录片拍摄队伍抵达这里，在同一个地点下水，计划沿布劳渡河划行两百九十公里，经印度河进入阿拉伯海。但就在下水后几分钟，这名皮划艇爱好者被布劳渡河的原始力量冲撞到巨石上，不幸身亡。

一株开着五瓣花朵的粉红野玫瑰让摩顿森停下脚步，他蹲下来仔细端详，这是他几个月来第一次看到花。它象征着摩顿森已经脱离了永恒的寒冬。芦苇和山艾草点缀着河岸，生命的气息并不旺盛，但对摩顿森来说已是生机盎然。这海拔三千多米的秋意中，有着他早已遗忘的生命之重与尘世繁华。

他们彻底离开了危险的巴托罗冰川。穆札佛走在前头，他要赶在摩顿森抵达前搭起帐篷，煮好晚餐。摩顿森偶尔还是会走错路，甚至闯进过牧羊人的夏季牧场，但他总能很快迷途知返。而且这种本领似乎越来越强了。只要沿着河一直走，晚上他就能找到穆札佛燃起的营火。迈开疲惫疼痛的双脚绝非易事，但他别无选择，只能前行。只是停下休息的次数愈来愈多。

离开乔戈里峰后的第七天，在布劳渡河谷南岸的岩架上，摩顿森第一次看到了树。五棵被风吹弯了的白杨树，枝干摇曳着，像是在招手欢迎他。它们排成一列，明显是为人类所植，而非喀喇昆仑山脉的自然力量所为。自然力量只会将岩石和冰雪急速推下山坡，摧毁包括人类在内的所有生物。杨树告诉摩顿森：他已经活着下山了。

对绿树的凝望让他忽略了主路旁的岔路，那里有通往河边的"藏母巴"——一种用牦牛毛绳绑在两岸大圆石上，横跨洪流的"桥"。摩顿森再一次迷路了。本来那座桥可以将他带往距离河北岸十来公里的目的地——艾斯科里村。而现在，他却还在河的南岸，朝那些树走去。

白杨的尽头是一片杏桃林。在这海拔三千多米的山区，采收工作早在九月中旬前就已结束，成堆的熟杏桃堆在数以百计的扁平编篮里，火红的颜色把树上的叶子映得通红。

几个妇女跪在篮子旁，忙着切开果肉取出种籽，以便日后取出里面的果仁肉。她们一看到摩顿森，马上就用披巾遮住脸跑到树后，让大树挡在她们和"安格瑞兹"（陌生白人）之间。孩子们则没有这种顾忌。摩顿森走进一大片金黄色的农田，正用镰刀收割的妇女从荞麦和大麦间偷偷盯着他，一群孩子则像彗星尾巴一样跟在他身后，摸摸他的夏瓦儿，在他空荡荡的手腕上寻找手表的踪迹，然后轮流牵着他的手。

这也是摩顿森几个月来第一次注意到自己的外表，头发又长又乱，像个脏兮兮的怪物。"当时我离上一次洗澡已经超过三个月了。"他弯下身，想

14

试着和孩子一样高，不过孩子们似乎一点也不觉得他有什么可怕的。他的夏瓦儿卡米兹和他们的一样又脏又破，而且天气很冷了，大部分孩子却仍光着脚。

摩顿森在一英里外就"闻"到了科尔飞村庄——桧木燃烧的气味和常年不洗澡的人类体味，那是继荒瘠高山景象之后的另一种震撼。他以为自己就快抵达艾斯科里了。当他走到"正式的"村口——一扇立在马铃薯田边、用白杨木搭建的简单拱门时，身后的小孩已经排成了长队。

他昂首张望，希望看到穆札佛在村口等他，但站在拱门另一边的，却是一位陌生的瘦小老人。老人戴着一顶当地人称为"塔比"的羊毛筒帽，帽子颜色和胡子简直一样，五官线条鲜明得像是从峡谷壁刻走出来的。这位老人是哈吉·阿里，他是科尔飞的"努尔马得哈尔"，也就是村长。

"色俩目（平安）。"哈吉边说着，边伸手和摩顿森握手。他以巴尔蒂人特有的殷勤友善，一路陪着摩顿森穿过拱门，领他到一旁的小溪，示意他洗手洗脸，然后带他回家。

科尔飞盘踞在布劳渡河之上两百多米高的岩架上，像攀岩用的吊帐一样嵌在悬崖侧壁，看起来摇摇欲坠。三层楼高的正方形石屋一间连着一间，没有任何装饰，若不是屋顶堆放着杏桃、洋葱和小麦，很难区分哪里是房屋，哪里是岩壁。

哈吉·阿里把摩顿森带进一幢看起来不比其他屋子高贵多少的房舍，用力拍着一堆寝具，灰尘弥漫了屋子正中央最大的房间"巴尔的"。他把垫子铺在靠近壁炉的最佳位置，将摩顿森安顿在那儿，开始煮茶。阿里家族里的二十位男性成员鱼贯而入，依次坐在壁炉旁。煮茶时无人交谈，只有刷刷的脚步声和放置跪垫的声音。茶壶下燃烧的牦牛粪散发出刺鼻的烟味，幸好很快从天花板的大天窗散了出去。摩顿森仰头看见，天窗上闪着几十双眼睛，宛若星辰熠熠发光，那是先前跟随他的孩子，单纯的眼中透着好奇，因为过去从没有外国人到过科尔飞。

哈吉的手在刺绣背心的口袋里忙碌着，把散发着腐臭味的羱羊肉棒和又呛又辣的深绿色嚼烟（当地人叫做"纳斯瓦"）搓在一起。调味完成后，他递给摩顿森一块。摩顿森勉强一口吞下，满屋观众都满意地笑了起来。

哈吉又递给他一杯酥油茶，摩顿森喝下时几乎有点享受了。现在的摩顿

15

森已经跨过门坎成为朋友了。

　　族长往前靠，把长着浓密胡须的脸直探到摩顿森面前说："奇咱哩?"那是一句外地人一定要懂的巴尔蒂话，意思是"怎么回事"。

　　操着不甚熟练的巴尔蒂话，再加上比比画画，摩顿森告诉那些全神贯注盯着他的人们：他是个美国人，来攀登乔戈里峰（这引起听众一阵赞赏般的窃窃私语），他生病了，身体虚弱，历经艰难来到艾斯科里，想找一辆吉普车去离这里约八小时路程的巴尔蒂斯坦首府斯卡都。

　　先前漫长劳累的行程，加上绞尽脑汁的说明，用尽了他最后的气力。现在，温暖的炉火、柔软的垫子、陌生人的友善和关心，还有一路上拼命压制的筋疲力竭终于淹没了他，他倒在了舒适的睡垫上。

　　"没特艾斯科里（不是艾斯科里），"哈吉笑着说，他指指脚旁的地面，"科尔飞。"

　　哈吉的话让摩顿森像弹簧一样挺起了身体。他从没听说过科尔飞。尽管他读过所有喀喇昆仑山脉地图，甚至仔细研究过其中的几十张，但他确信从未看到过这个地方。他强打精神，解释自己必须赶到艾斯科里去见一位叫穆札佛的人，一个身上扛着他所有财产的人。

　　哈吉有力的手紧抓着客人的肩膀，把他按回枕头上，又把略懂西方语言的儿子塔瓦哈叫来做翻译。"今天走到艾斯科里……不去……大问题，半天多……辛苦路。"除了没有胡子，塔瓦哈简直是他父亲的翻版。"印沙安拉（如果安拉愿意），明天哈吉·阿里……派人去找穆札佛。现在你睡觉。"

　　天色渐暗，哈吉站了起来，挥手赶屋顶上的孩子回家，壁炉旁的人群也渐渐散去。虽然焦虑满怀，对再次迷路感到十分沮丧，心中满怀孤独无助的感伤，摩顿森最后还是放弃和这些思绪抗争，任自己沉沉睡去。

三　"进步与完美"

　　"告诉我，如果能为你们村子做一件事，那会是什么？"

　　"尊敬的先生，你们在力量和耐力上实在不能教给我们什么，我们也不羡慕你们不安的灵魂——也许我们还比你们快乐些。在你们拥有的所有事物当中，我们最渴慕的就是让孩子上学。"

——埃德蒙·希拉里爵士

和夏尔巴人乌尔奇恩的对话，节录自《云端上的校舍》

　　有人给他盖上一床厚厚的被子。摩顿森舒服地蜷在被窝里，奢侈地享受着温暖。从春天以来，他这还是头一回睡在室内。借着壁炉昏暗的炭火，他看到了好几个正在睡觉的身影。鼾声来自房间的各个角落，此起彼伏地响，他翻个身，也加入了合奏。

　　再次醒来时，房间里只剩下他一个人，天花板上的方窗透着蓝色的天光。哈吉的妻子莎奇娜见他醒了，给他端来一杯"拉西"（酸奶）、一块刚烤好的"恰巴帝"（薄煎饼）和一杯甜茶。她是第一位接近摩顿森的巴尔蒂女性。摩顿森觉得莎奇娜有着他见过的最和蔼可亲的面容——皱纹的线条表明，笑纹长年在她嘴角和眼角驻扎，而且持续延伸，直到占满整个脸庞。她把长发精心编成藏族妇女传统的辫子发式，头戴镶有珠饰、贝壳和古钱的羊毛帽"乌尔得瓦"。莎奇娜站在一旁，等待摩顿森品尝早餐。

　　他咬下一口热腾腾的"恰巴帝"，然后把它浸到"拉西"里，狼吞虎咽扫光眼前的食物。再将甜茶一饮下肚。莎奇娜满意地笑了，又给他端了一份。如果当时摩顿森知道，糖对巴尔蒂人来说是多么稀少珍贵，当地人是多么节省用糖，他一定会拒绝第二杯甜茶。

莎奇娜离开后，摩顿森开始打量房间，陈设简单得几乎可以用"贫困"来形容：墙上贴着一张褪色的瑞士农舍海报，上头有青青的牧草地和野花；除此之外的家当，从煮得泛黑的炊具到几经修补的油灯，都是因为实用才存在的。摩顿森盖的厚棉被是用上好的枣红丝绒做的，还缀着小镜子；其他人盖的则是羊毛薄被，上头只随便缀着现成的零碎布料。哈吉·阿里一家显然把最好的东西让给他这个外人用了。

下午稍晚时，摩顿森听到有人大声喊话。他混在看热闹的村民们中间，慢步走到俯瞰布劳渡河的峭壁上。河上方大约六十米处有根钢索吊着一个箱子，一个人坐在箱子里，正努力把自己拉过河。与沿着河往上走然后再过桥相比，这种过河方式能节省大半天时间，但如果失手坠落，代价就是必死无疑。

箱子来到峡谷中央时，摩顿森认出那人正是穆札佛。他窝在窄小的缆车里，身下是摩顿森再熟悉不过的巨大背包。所谓的"缆车"不过是个用碎木片拼成的小箱子。

这一次摩顿森对穆札佛的"拍背"礼早有准备，他忍住了，没有咳嗽。穆札佛退了两步，上下打量着他，眼睛潮湿了，举手朝天喊着："安拉乎艾克拜尔！"然后用力抖动双手，仿佛真主赐下的珍馐已经在他脚边堆起。

他们到哈吉家中享用"毕安够"烤鸡大餐。烤鸡肉又硬又老，就像饲养这些家禽的巴尔蒂人一样结实。用餐过程中摩顿森才知道，穆札佛的名气已经响遍喀喇昆仑山脉。三十多年来，他是这一地区最好的高山向导之一，见多识广，成就显赫。这其中包括跟着美国登山队在1960年首登加舒尔布鲁木峰。但让摩顿森印象最深刻的是他的谦虚，他们同行期间，穆札佛对自己的这些成就只字未提。

摩顿森郑重地交给穆札佛三千卢比，这远比他承诺的要多，并且答应等自己完全康复后，一定去拜访他的村庄。当时他完全没料到，接下来的十年，穆札佛将一直停留在他的生命中，用那双带他避开雪崩与断崖的坚定臂膀，引导他穿越人生中的一道道艰难险阻。

摩顿森和穆札佛再次上路，与达斯尼会合，然后搭上吉普车，开始前往斯卡都的漫长旅程。饱餐一顿，在一家叫做"乔戈里"的汽车旅馆酣睡一晚，享受平凡生活的快乐后，摩顿森却觉得有一种力量牵引着他，要他回到喀喇昆仑山脉。他觉得自己在科尔飞找到了最珍贵的东西，于是不久后又搭车返回了科尔飞。

住在哈吉家时，摩顿森养成了一个习惯。每天早晚他都会在科尔飞周围散步，身边跟着一群孩子，抢着牵他的手。这个沙漠绿洲般的小山村让他体会到在岩石遍布的荒凉山区求生的艰难。尤其是全凭人力挖出的上百条渠道，这些沟渠将融化的雪水导引到田地和果园，令他惊叹不已。

走出巴托罗冰川、脱离险境，摩顿森才意识到自己能活下来有多么不容易，他已经变得无比虚弱，几乎没办法沿着蜿蜒的山路走到河边。当他终于来到河边，脱下衣服准备在冷冰冰的河水里洗个澡时，差点被自己的外表吓坏了。"手臂简直细得像根牙签，根本不像我自己的手。"他回忆道。

气喘吁吁地回到村里，他觉得自己就像村中的老人一样孱弱。那些瘦弱不堪的老人们在杏桃树下一坐就是好几个小时，抽着水烟筒，吃着杏仁。每天结束一两个小时的散步后，摩顿森就会筋疲力尽地回到哈吉家的被窝里，然后开始仰望天空。

村长把这一切都看在眼里。一天，他下令把村里珍贵的"邱可拉巴"（大山羊）宰了。四十个人合力将山羊瘦骨间的碎肉都剔了下来，然后又用石头把羊骨敲碎，刮出骨髓。看到村人吃羊肉时狼吞虎咽的样子，摩顿森体会到这顿大餐对他们来说是多么弥足珍贵，他们一直生活在饥饿中。

来科尔飞之初，他以为自己闯进了香格里拉之类的人间仙境。许多路过此地的西方游客都会有种浪漫情怀，认为巴尔蒂人的这种生活，比遥远的发达国家更加淳朴美好。早期的西方游客，为这儿取了个浪漫的名字："杏色西藏。"

"巴尔蒂人真有享受生活的天赋。"1958年，马瑞尼造访艾斯科里后，赞叹之下写道，"老人们坐在阳光下抽着图画般的水烟管，中年人则在桑树荫下操作着原始织布机，带着一种生命经验历练出来的沉稳。还有两个孩子面对面坐着，温柔细心地为彼此清理身上的虱子。"

"我们感受到全然满足、永恒安详的氛围。"他又写道，"这一切不禁让人疑惑：难道生活在无知中，不知道有柏油路、汽车、电话和电视的存在，不是件更美好的事情吗？活在对外界一无所知的情况下，不就如同生活在极

19

乐之中?"

马瑞尼造访艾斯科里三十五年后,巴尔蒂人依旧忍受着传统闭塞的生活。才在村中待了几天,摩顿森就开始明白,科尔飞绝非西方人想象中的伊甸园。村里每户人家中,至少有一位成员患甲状腺肿或白内障;马瑞尼所羡慕的孩子们的姜黄发色,其实是恶性营养不良的结果。每天,村长的儿子塔瓦哈从村里的清真寺晚祷回来后,摩顿森会和他一起散步,交谈中摩顿森得知,离科尔飞最近的医院远在斯卡都,至少得走上一个星期的路才能到。因此,村里有三分之一的新生儿活不到一岁的生日。

塔瓦哈告诉摩顿森,七年前,他的妻子萝奇雅就是在生下唯一的女儿嘉涵时难产过世。那床让摩顿森深感荣幸的镶镜丝绸被,就是萝奇雅的嫁妆。

摩顿森不知怎样才能报答这家人的恩惠,但自己至少要有所表示。他开始把手头的东西送人。户外水壶和手电筒之类实用的小东西,对夏天经常长途跋涉放牧的巴尔蒂人来说很宝贵,所以他给了阿里家族;给莎奇娜的礼物是露营炉,它可以用容易找到的煤油当燃料;他把酒红色的抓绒衣披在塔瓦哈身上,强迫他收下,即使这件衣服的尺寸太大了;送给哈吉的是挪威制的海利汉斯防寒夹克,这件夹克曾帮他在乔戈里峰的低温下保持暖和。

但他最有价值的礼物,其实是登山药箱里的药品,以及担任护士时接受的急救训练。

随着体力日渐恢复,摩顿森在陡峭山路上走的时间也越来越长,以便尽力满足村民日益增加的医疗需求。他用抗生素药膏治疗村民的开放性溃疡,将感染的伤口切开,然后挤出脓汁。他所到的每户人家,屋内深处都有双恳求的眼睛望着他。多年来,巴尔蒂老人们应对各种病痛的方法,就是默默忍受。即使摩顿森能做的有限,他还是尽量帮村民们接好断骨,用止痛药或抗生素帮他们多少减轻些痛苦。

摩顿森的名声慢慢传开,科尔飞周遭的村落也开始有病人派亲友来请"葛瑞格医生"——后来整个巴基斯坦北部都这样称呼他——虽然他解释了很多次,自己只是护士,不是医生。

在科尔飞时,摩顿森常觉得小妹克莉丝塔就在身边,尤其是和村里孩子相处的时候。"在他们的生活中,得到每一件事物都要经过挣扎。"摩顿森说，"他们让我想起克莉丝塔。就连最最简单的事物，克莉丝塔都必须努力挣扎才能获得。还有她的坚忍，不管生命丢给她什么样的考验，她都会安然接受。"他决定尽量多为他们做点事情，也许回到伊斯兰堡的时候，他可以用最后剩下的钱买些课本或教材送给学校。

睡前躺在炉火旁，摩顿森告诉哈吉，他想参观科尔飞的学校，却看见阴霾掠过老人刀刻般的脸。拗不过摩顿森的坚持，村长终于同意第二天一早带他去看学校。

用过熟悉的早餐"恰巴帝"与茶后，哈吉带摩顿森走上一条陡峭的山路，来到布劳渡河上方两百多米一处开阔的岩石平台上。景色美极了，布劳渡河上游的巨峰耸立在科尔飞灰色的岩壁上方，直插苍穹。但最让摩顿森惊叹的不是风景，而是八十二个孩子——七十八名男孩和四名勇敢的女孩，正跪在户外霜冻的土地上。

哈吉回避着摩顿森的目光，解释村里之所以没有学校，是因为政府无法提供老师，而雇用老师得付上每天一美元的代价。村里没有能力负担这些钱，只好和毗邻的曼琼村合请一位老师，老师一个星期到科尔飞教三天书。其他时间，孩子们就自己复习老师布置的功课。

摩顿森看着孩子们，心紧紧揪着。他们立正站好，认真地唱起了巴基斯坦的国歌，准备开始今天的"上课日"。"祝福这神圣之地，丰饶之国，坚忍的象征，巴基斯坦国土……"他们用甜美的童音稚拙地唱着，呼出的气息在寒冷的空气中弥漫成白雾。摩顿森抱起塔瓦哈 7 岁的女儿嘉涵，听她唱完"愿这民族、领土、国家在永存的光辉中闪耀"。

唱完国歌，孩子们坐成一个圆圈，开始抄写乘法表。大部分孩子都带了小木棍来上课，用它在泥土上抄抄写写。比较幸运的孩子，像嘉涵，则是带着一块石板，用沾了泥水的棍子在石板上写字。"你能想象在美国，一个小学四年级的班级，没有老师，会自己坐在那里安静做功课吗？我觉得心都碎了。他们热切渴望学习，不管这一切对他们来说有多困难。这让我想起克莉丝塔，我知道我必须为他们做些什么。"

但是能做什么呢？钱已所剩无几，即使住最便宜的旅馆，也只够他坐吉普车到伊斯兰堡，然后搭飞机回家。

在加州，他能期待的只有零星的护理工作，他的家产更是少到可以全部

21

塞进车子后备箱，至于那辆费油的酒红色别克汽车，可以说是他在加州唯一的"房产"。尽管如此，摩顿森仍相信，总会有办法的。

站在俯瞰河谷的岩石平台上，在哈吉身旁，他可以清楚地看见那些高峰，那些让他飞越半个地球来考验自己的高峰。爬上乔戈里峰，把克莉丝塔的项链放在峰顶，对他来说已不再重要；他可以用一种更有意义的方式纪念妹妹。摩顿森把手放在哈吉肩上——自从他们共饮第一杯茶后，老人常这样手扶他的肩膀——说道："我要给你们盖一所学校。"

他完全想不到，这句话彻底改变了自己的人生。他所踏上的路途，也远比离开乔戈里峰的漫漫征途更为曲折艰辛。

"我会盖一所学校。"摩顿森说，"我保证。"

四　个人储藏室

伟大总是建立在这样的基础上：能够像个最普通的人一样露面、说话与行动。

———哈菲兹（Shams – ud – din Muhammed Hafiz）

储藏室里的气味儿闻起来像在非洲。站在两米宽三米长的房间边缘，听着圣巴勃罗大道高峰时段的车流，摩顿森心中涌起一种只有坐了四十八个小时飞机才会产生的时空错置感。在离开伊斯兰堡的飞机上，他充满了信心，计划着几十种募款建学校的方法。但回到加州柏克莱后，他却完全无法适应。艳阳高照下，置身于悠闲漫步、打算再来杯意大利浓咖啡的富裕大学生中间，摩顿森觉得自己正渐渐消失。对哈吉·阿里的承诺，像在漫长转机旅程中，边打瞌睡边看完的电影，醒来后剧情已忘了大半。

时差、文化冲击，这些让人感觉时空错乱的魔鬼，已经袭击过摩顿森太多次了。这就是为什么他必须到这儿来，正如过去每次登山归来一样——回到柏克莱第 114 号个人储藏室。这个充满霉味的空间是他回归原点的地方。

他掉入浓郁的黑暗中，在头顶摸索着电灯的拉绳。灯亮了，眼前是堆在墙边、布满灰尘的登山书籍，还有父亲留给他的非洲大象黑檀木雕；吉吉压在页缘翻卷的老相簿上头，这咖啡色的猴子玩偶曾经是摩顿森最亲密的伙伴，勾起他那渐渐被感官经验湮没的记忆。

摩顿森拿起这个儿时的玩具，发现非洲木棉已经从它胸部的裂缝中漏了出来。他把头埋在吉吉身上，深吸了一口气，仿佛又回到坦桑尼亚那栋空心砖的大房子，他在绿荫蔽日的胡椒树下嬉戏。

和父亲一样，葛瑞格·摩顿森出生在明尼苏达。1958 年，父母带着 3

个月大的他开始他们生命中最大的冒险——前往坦桑尼亚，去非洲最高的乞力马扎罗山脚下传教。

父亲厄文·摩顿森出身于充满关爱的路德教派家庭，与幽默作家葛瑞森·寇勒在《渥布冈湖》里写的那位沉默的男人一样，厄文也认同沉默是金。

身高超过一米九十的厄文，天生有着运动家的体格，婴儿时期就已经是个壮硕宝宝，绰号"登普西"，也就是当时驰名美国的重量级拳王。自此这个绰号取代了厄文的真名。登普西在家中最小，排行第七。经济大萧条时期他的家庭濒临破产，靠着与生俱来的运动细胞——他当选为州橄榄球代表队的四分卫，担任州篮球代表队的后卫，得以离开皮克特湖边的家乡小镇，步上通往广阔世界的康庄大道。登普西靠着橄榄球奖学金进入明尼苏达大学，一边照料着自己在球场上冲锋陷阵造成的冲撞淤伤，一边攻读大学学位。

他的妻子洁琳也是运动员出身。她在跟家人从爱荷华搬到明尼苏达后，很快就为登普西神魂颠倒。登普西在堪萨斯州服役时休假三天，两人闪电结婚。"登普西热爱旅行。"洁琳说，"他很想看看比明尼苏达更大的世界。我怀葛瑞格的时候，有一天他回到家，兴奋地说：'坦桑尼亚需要老师，我们去非洲吧！'我根本不可能拒绝。所以我们就去了。人在年轻的时候真是不知天高地厚。"

除了知道坦桑尼亚位于肯尼亚和卢旺达之间，他们对那里一无所知。在摩西，路德教会把摩顿森一家安顿在一幢曾属于希腊枪贩，后来被政府没收的大房子里。就像人们常说的"傻人有傻福"一样，一时冲动来到非洲的这家人，立刻深深爱上了这个在1961年独立的国家。

"年纪越大，我越感激拥有那样的童年。那是天堂。"葛瑞格说。

和那栋被如茵绿草包围的大房子相比，葛瑞格觉得院子里高大的胡椒树更像是他真正的家。"那棵树是安定的象征。"他说，"黄昏时，住在树上的几百只蝙蝠成群飞出觅食。雨后，胡椒的味道弥漫整个院子，香极了！"

登普西和妻子洁琳都不会强迫别人信教，所以他们家越来越像是当地人的社区中心。登普西在院子里设了一个垒球场，胡椒树的大树干做球档；他还组建了坦桑尼亚第一个高中篮球校队联盟。但登普西和洁琳真正的生活重心不是这些。

登普西把自己完全奉献给他生命中最伟大的成就——募款兴建乞力马扎罗基督教医学中心，也是全坦桑尼亚第一所教学医院。洁琳则投身于摩西国际学校的教育工作。这所学校就像一座文化大熔炉，将移居当地的各国小孩集中在一起。"就像个小联合国，学生来自二十八个不同的国家，在犹太人的光明节、基督教的圣诞节、印度的排灯节等各国节日都会举行庆典。"葛瑞格就读于这所学校，快乐地徜徉于各国语言文化之海。国籍差异在他看来微不足道，所以当小朋友们因为国籍不同而打架时，他总是很难过。有一段时间印度和巴基斯坦的关系相当紧张，印巴籍的学生会在下课时玩战争游戏，假装拿机关枪扫射或做出将俘虏斩首的动作，这是童年经历中最让葛瑞格痛苦的。

"葛瑞格讨厌跟我们上教会。"洁琳还记得，"因为每一位非洲老太太都想摸他的金发。"除了这一点，葛瑞格是在没有种族意识的童年中长大的。

11岁那年，葛瑞格爬上了他生命中的第一座高山。"打从6岁起，我就老盯着乞力马扎罗山的山顶看，央求父亲带我到那儿去。"终于，有一天葛瑞格得偿所愿。"我走到喘不过气，一路呕吐着爬上山。我恨死了当时的感觉，但当我在晨曦中站上山顶，俯视着脚下广袤的非洲平原时，我知道自己注定会爱上登山。"葛瑞格说。

洁琳一共生了三个女儿，凯芮、桑雅以及在葛瑞格12岁时出生的克莉丝塔。家中其他三个孩子很快就长得跟父母一样健壮，克莉丝塔却一直纤弱瘦小。她和家里其他成员看起来迥然不同。一周岁时注射天花疫苗，她产生了严重的过敏反应。"她的整只手臂发黑。"洁琳说。她认为那次注射的牛痘病毒可能导致了克莉丝塔后来的脑疾。3岁时，克莉丝塔感染了严重的脑膜炎，之后再也没能恢复健康。快8岁时，她开始出现经常性的抽搐，医生诊断为癫痫。即使在癫痫没发作的时候，克莉丝塔也同样承受着痛苦，"她很快就学会了认字，但那对她来说只是一堆声音，她完全不知道那些声音所代表的意思。"

成长中的葛瑞格是克莉丝塔的守护者，他不让她受任何人的嘲笑。"克莉丝塔是我们兄妹中最棒的。"他说，"她从容优雅地面对自己的缺陷。比如，她早上得花很长的时间才能穿好衣服，为了尽可能不耽误大家上学，她会在前一晚把衣服准备好。她相当体贴，善解人意，这一点，很像我们的父亲。"

葛瑞格满十四岁那年，父亲那所拥有六百四十个床位的教学医院终于峻工，坦桑尼亚总统在落成剪彩时出席并致辞。为了庆祝医院落成，登普西在院子里举办烤肉派对，买了成桶的甜酒，又将院子里的灌木丛砍光，以容纳五百位当地客人和外宾，还在胡椒树下搭了个舞台。登普西穿着黑色的坦桑尼亚传统服装上台致辞。

他表情平静，用斯瓦希里语说："十年后，乞力马扎罗基督教医院的每个部门主管都将是坦桑尼亚人。这是你们的国家，这是你们的医院！"

"我可以感受到在场非洲人的快乐和骄傲。"葛瑞格回忆道，"他们原本以为我父亲会说：'看看我们帮你们做了什么！'但是他却说'看看你们为自己做了什么'！"

结果正如他所言。他盖的医院至今依然存在，是坦桑尼亚最好的教学医院；而且在医院建好十年后，所有部门主管都是非洲人。我觉得很骄傲，这个有着博大胸襟的男人是我父亲。他让我，让我们所有人认识到：只要你相信自己，就能做成任何事情。

当学校和医院都建好，步入正轨后，摩顿森一家在坦桑尼亚的工作也告一段落。有个诱人的工作在耶路撒冷等着登普西——在橄榄山上为巴勒斯坦难民建一间医院——不过登普西和洁琳决定，该让孩子回去体验美国生活了。

要回到久未谋面的祖国，葛瑞格和妹妹们既兴奋又紧张。葛瑞格翻出家里的百科全书，找到每个州的介绍，一边想象，一边做着回国的准备。过去十四年来，在美国的亲友一直给他们寄明尼苏达双城队的剪报。葛瑞格把这些都收藏在房间里，晚上睡前拿出来一读再读。那是他渴望了解的另一种文化。

第一天到美国高中上学，葛瑞格看到圣保罗中学里有很多黑人同学，不禁大大松了一口气，好像摩西离他并不那么遥远。

消息很快在学校里流传开来：那个15岁大块头的害羞男生是从非洲来的。下课时，一个高大魁梧、脖子上挂着凯迪拉克链坠的篮球队员把葛瑞格逼到饮水机旁，一群叫嚣的狐群狗党也围了上来。"你不是非洲人！"他鄙夷地说，然后那群同伙开始拳如雨下地痛殴葛瑞格。葛瑞格本能地用手护住头，不清楚自己做错了什么。当他们终于停手后，葛瑞格把手放下来，双唇颤抖着。带头的男孩突然对着他的眼睛就是一拳，另一个拿起垃圾桶倒扣在他头上。葛瑞格站在那里，头上顶着发臭的垃圾桶，听着他们的狂笑在走廊里慢慢远去。

总体来说，葛瑞格对美国文化适应得很快。他成绩优秀，尤其是数学、音乐和科学，当然，还有他遗传自双亲的运动才能。

但另一方面，他还是与美国生活脱节。"葛瑞格这辈子从来没准时过。"他母亲说，"从小开始，他就一直按照非洲时间作息。"

在非洲的工作给了这家人丰厚的报偿——但并不包括金钱。所以家里付不起私立大学高昂的学费。

"我是靠《退伍军人法》在退伍后领补助上大学的。"父亲说。于是葛瑞格在高三那年前往圣保罗军人招募中心，签下两年的职业军人协议。

"越战才结束不久，"葛瑞格说，"我竟然去当兵，同学们都很惊讶。不过我们实在太穷了。"

高中毕业第四天，他前往密苏里州的立奥拿伍堡军事基地，接受新兵训练。当大多数同学在上大学前的暑假睡意正浓时，葛瑞格在当兵第一天，清晨五点就被中士吓醒了——他粗鲁地端着寝室里的行军床，大吼："赶快起床！"

"我不能被这个人吓倒。"第二天清晨五点钟，葛瑞格已经穿好军服，坐在床上跟士官长帕克斯问好了。

"他大骂我没有按规定睡足八小时，罚我做四十个俯卧撑，然后要我步行到司令部，给了我一个袖徽，让我戴着回寝室。'这是摩顿森，他是你们的新排长！'中士说，'他比你们这群混账军阶高，所以照他说的做！'"

摩顿森为人谦和，指挥效率并不算高，但他的表现仍旧相当抢眼。橄榄球校队和田径队的训练让他体能优异，军中的基本训练对他来说根本不算什么，甚至不如越战后美军委靡的士气让他记忆深刻。摩顿森和第33装甲师一起被派驻德国，行前接受医护训练，成为一名医护兵。这也开启了他这辈子对医护的兴趣。

"刚入伍时很天真，不过军队生活能让你一夜长大。"摩顿森说，"很多人在越战后都染上毒瘾。有些人因注射过量挂掉了，然后我们就得去收尸。"在一个寒冬的清晨，他们去给一位中士收尸——因为是同性恋他被人痛殴，丢在满是冰雪的壕沟里。

派驻在东西德边界附近的班贝格时，摩顿森练就了随时可以入睡的本领，这让他的余生受益匪浅。这得感谢军队里不规律的作息，他们必须在任何地方入睡，也必须瞬间恢复清醒。"我从来没对任何人开过枪。"摩顿森说，"当时柏林墙还没倒，我们花了很多时间在 M16 步枪瞄准镜里观察东德卫兵的动静。"放哨时，如果发现东德狙击手射杀企图逃亡的民众，卫兵被授权可对狙击手开枪。"这种状况偶有发生，不过从没在我站岗时发生。感谢上帝。"

摩顿森在德国认识的大多数白人士兵，都会在周末"找女人、喝得烂醉、或是嗑药"，所以他宁愿跟黑人士兵一起搭免费军机，去罗马、伦敦或是阿姆斯特丹逛逛瞧瞧。那是摩顿森头一回自助旅行，他发现旅行和旅伴都棒得不得了。"我在军中最好的朋友都是黑人。那是离开坦桑尼亚后我第一次不再觉得孤单。"

继"迟到"后，摩顿森养成了第二个最难改变的习惯——再也没办法把车往前开进停车场：即使已经退伍多年，摩顿森仍是倒车入库，无论在巴基斯坦，还是在家。按照军中灌输的观念，这样，他的脸才能永远面向前方，万一车子着火可以迅速逃生。

摩顿森申请了退伍军人奖学金，选择到学生族群更多元化的南达科他大学读书。

母亲当时也是学生，正在攻读她的教育博士学位，父亲则找了一份待遇很差的无聊差事，长时间在明尼苏达的一间地下室处理债权人和债务人的法律问题。葛瑞格半工半读，在学校自助餐厅洗盘子，在达科他医院担任夜班护理员。每个月，他都偷偷把部分收入寄给父亲。

1981 年 4 月，葛瑞格在南达科他州的第二年，父亲被诊断出癌症，那时他才四十八岁。葛瑞格在大学主修化学和护理，得知父亲的癌细胞已经扩散到淋巴结和肝脏，他清楚自己很快就会失去父亲。于是他每个月两次驱车六小时回家陪护父亲，每次都发现父亲的病情恶化。

他提出暂时休学全力照顾父亲，但登普西却喊："你敢！"葛瑞格只能持续隔周一次的探望。天气好的时候，葛瑞格把父亲带到户外，坐在躺椅上晒太阳。像在坦桑尼亚时照料绿茵庭院一样，登普西一直把罗斯维尔家中的花园照顾得好好的。现在，他也要儿子把杂草及时清理掉。

深夜，葛瑞格在床上辗转反侧时，总会听到父亲打字的声音。他正忍着病痛，安排自己葬礼的程序，母亲则坐在沙发上打盹，一直等到打字机停止，她再陪丈夫回房休息。

9月，葛瑞格最后一次探视父亲时，他已经住进圣保罗的中途医院，无法下床。"我第二天一大早要考试，但我不想离开他。"摩顿森回忆道，"病魔让他十分痛苦，但只要我在他身边时，他却总把手放在我肩上安慰我。最后我不得不离开时，他跟我说：'办好了，一切都办好了。每件事都处理好了。'他一点也不害怕死亡。"

像在摩西时筹划盛大的派对，为他们的非洲旅程画上成功的句号一样，对于自己结束世间旅程的仪式，登普西仔细规划了所有程序，包括最后一首圣诗。第二天清晨，他安详离世。

在罗斯维尔的"和平王子"路德教会，许多人参加了这场登普西生前亲自筹划，名为"返家之乐"的追思礼拜。葛瑞格用斯瓦希里语追忆他的"爸爸、卡卡、努都古"（父亲、兄弟、朋友）。

父亲过世后，葛瑞格开始担心会失去克莉丝塔，她的癫痫发作得越来越频繁了。葛瑞格决定在家居住一年，陪伴他最小的妹妹。他帮克莉丝塔找了份组装四号点滴袋的工作，并陪她在圣保罗坐了几十趟公交车，直到她学会自己坐车。克莉丝塔对哥哥的女友非常感兴趣，还问他一些羞于向母亲询问的性知识。葛瑞格知道克莉丝塔开始约会时，还以护士身份为她上了一堂性教育课。

1986年，摩顿森开始修习印第安纳大学的神经生理学课程。他天真地以为只要努力学习，就能找到治愈妹妹疾病的方法。但医学研究的进展速度对这位28岁的年轻人来说，实在太缓慢；而且他越了解癫痫，越明白治愈的可能性微乎其微，就越失望。

他坐在实验室里，埋头苦读厚厚的教科书，却发现自己的心事、精力无处宣泄。

摩顿森感觉到心里有股难以按捺的骚动。现在他有祖母的酒红色老别克车，给它取名"青春传奇"，还存了几千美金。他很想去过一种不同的生活，一种奔向户外的生活，就像他在坦桑尼亚的生活一般。加州不错，于是他把行李扔进"青春传奇"，上路了。像当年父亲去非洲时那样上路了。

他要去攀岩。

和大多数他曾认真钻研的事物一样，摩顿森在攀岩技术方面的学习直线上升。在加州的头几年，他不是在南加州接受一整个礼拜的攀岩训练，就是在尼泊尔担任登山领队，攀登海拔超过六千米的高山峻岭。对摩顿森来说，历经母亲严谨管教的童年，以及从军、读大学、念研究所之后，此时的自由攀登充满惊喜。他开始在旧金山湾区的急诊室担任创伤护士赚钱，然后值众人避之不及的大夜班和假日班，以换取登山所需的休假。

摩顿森醉心于攀登活动。在旧金山湾区爱默维尔，一所由旧仓库改造的攀岩馆里，他日复一日练习攀岩技巧。他还随队攀登过贝克尔山、安娜普尔娜Ⅳ峰、巴伦哲峰等喜马拉雅山区的高峰。不登山的时候，他就跑马拉松，进行有规律的运动训练。

"从1989到1992年间，我的生活里只有登山。"摩顿森说。学习登山知识对他的吸引力，几乎和攀登本身一样强烈。他累积了百科全书般的登山知识，翻遍湾区的二手书局，寻找19世纪的登山探险故事。"那些日子，我的枕边无时无刻不放着一本《登山圣经》。"

克莉丝塔每年都来探访他，他总是努力让妹妹了解自己对登山的热爱，还开车带她到优胜美地。

1992年7月23号，摩顿森和当时的女友安娜正在攀登内华达山脉东边的思尔山。登顶成功后，他们在冰川附近露营过夜。第二天清晨四点半，两人开始往山下走。摩顿森突然一脚踩空，整个人往前翻了个跟斗，然后开始沿陡坡滑坠，下滑速度越来越快，身体几次弹起一米多高又重重摔下。沉重的背包把他的左肩拉得脱了臼，肱骨也折断了。滑坠了两百五十米的垂直高差，他才勉强靠没摔断的右手用冰镐制动住。

历经昏昏沉沉的二十四个小时，摩顿森跌跌撞撞忍痛下山。走出山口后，安娜开车把他载到加州毕夏最近的急诊室。摩顿森从医院打电话给母亲，告诉她自己没事，却听到了比摔伤更让他痛楚的噩耗：克莉丝塔走了。

30

就在摩顿森在思尔山滑坠的那一刻，母亲打开克莉丝塔的房门，准备叫醒她去爱荷华州的代尔斯维玉米田旅行——为了庆祝她 23 岁的生日，母女俩计划前往克莉丝塔最喜欢的电影《梦幻成真》的拍摄地旅行。

"当我打开房门时，她整个人趴在地上，好像是刚上完洗手间要爬回床上一样。"洁琳说，"全身发紫。"

摩顿森手臂吊着石膏，在明尼苏达与父亲告别的那所教堂里，参加了克莉丝塔的葬礼。舅舅连恩多尔林牧师对着满场啜泣的追悼者致辞时，将《梦幻成真》中最著名的台词稍作修改："我们亲爱的克莉丝塔将会醒来，问身旁的人：'这里是爱荷华吗？'然后他们回答：'不，这里是天堂。'"

妹妹的葬礼结束后，摩顿森返回加州，他像个游魂一样，日子过得浑浑噩噩。是唐·马祖尔的一通电话把他从魂不守舍中解救出来。摩顿森听说过马祖尔的丰功伟绩，他是个成功的登山家，正在筹组队伍准备攀登乔戈里峰。这是登山者的终极试炼。他需要一位懂高山医护的搭档。"你有没有兴趣？"马祖尔在电话里问。

摩顿森也这样问自己。或许这是一条路，一条让自己回归正轨的路，同时也是纪念妹妹的最好方式。他会爬上最令人敬畏的山顶，然后将这次攀登献给克莉丝塔。他必须从这个悲剧中寻找到意义。

一辆十八轮大货车从外头的圣巴勃罗大道上隆隆驶过，将小小的储藏室震得晃动起来。摩顿森温柔地把脸庞从吉吉身上移开，回到现实。他走出储藏室，从"青春传奇"车厢中取出他的登山装备。

他把安全带、绳索、冰爪、铁锁、岩塞和上升器都整理好，挂回五年来它们只短暂待过的位置。这些曾随他跨越大陆攀越巅峰的设备，这些曾被人类视为无懈可击的工具，如今看来却如此软弱无力。怎样才能募到足够的款项呢？他该如何说服美国民众关心远在世界彼端、在寒风里用棍子在泥土上写字的孩子？

他再次拉动灯绳，储藏室里瞬间漆黑一团。摩顿森锁上门之前，一抹加州的阳光射了进来，从吉吉磨损的塑料眼睛中，折射出些微亮光。

五 五百八十封信，一张支票

> 让悲伤的渴望深藏心中，
> 永不放弃，永怀希望，
> 安拉说："破碎者是我所爱。"
> 任你破碎的心，悲伤吧！
>
> ——阿比尔海尔 《无名小卒，无名小卒之子》

打字机对葛瑞格·摩顿森的手来说实在太小了。他老是一次敲到两个键，只好撕掉信纸从头开始，这样成本就更高了。这台 IBM 古董打字机一小时一美元的租金看似合理，但耗了五个小时，他只完成了四封信。

除了打字机用起来不舒服之外，主要问题在于摩顿森不知道如何下笔。"亲爱的奥普拉·温芙瑞女士，"他用食指指尖敲着打字键，开始打第五封信，"我是您的忠实观众。您对需要帮助者的真心关怀，让我深受感动。我写这封信是想告诉您，在巴基斯坦有个小村庄叫科尔飞，我想在那里筹建一所小学。您知道吗？在美丽的喜马拉雅山区，许多孩子根本没有学校可去。"

接下来就是他一直感到为难的地方。他不知道是否该直截了当谈到"捐钱"，还是只说请求协助。如果要请对方捐款，是不是该提一个确定的数字？

"我计划建一座有五间教室，可以容纳五个年级一百个学生的学校。"摩顿森用食指敲着打字键，"当我在巴基斯坦攀登世界第二高峰乔戈里峰时（我没登到山顶就是了），我请教过当地专家，如果使用当地材料和工匠，用一万两千美元应该就能把学校建好。"

然后就是最困难的部分，他应该请求对方捐出全部的费用吗？"您所捐献的任何金额都是最美好的祝福。"摩顿森决定这么写，不过他的手指头不争气，把"blessing"（祝福）敲成了"bledding"，只好把信撕掉重写。

　　等摩顿森回到急诊室值夜班时，装进信封、贴上邮票的，总共只有六封信。一封寄给著名的脱口秀节目主持人奥普拉，另外给四家大电视台的新闻主播一人一封，包括 CNN 电视台的新闻主播伯纳德·萧，因为他觉得 CNN 的规模已经不比其他电视巨头差了。还有一封是临时起意写给演员苏珊·萨兰登的，因为她随和可亲，热衷于慈善。

　　摩顿森驾驶着"青春传奇"，用食指控制方向盘，在下班高峰的车流中穿行。这台车才是适合他那双大手的机器。他停下车，伸长手臂从车窗另一边把信塞进邮筒。

　　一整天下来，这样的成绩不算好，但总归是希望的起点。摩顿森告诉自己，之后的进度会快些，而事实上他的确得加快速度才行，因为他定下了"寄出五百封信"的目标。开着"青春传奇"加入向西的旧金山湾桥车流，他觉得有点飘飘然，仿佛自己点燃了一根引线，即将引爆一堆好消息。

　　在急诊室里，大夜班的时间或者在血肉模糊的刀伤和流血的脓疮中快速消逝；或者，到了下半夜，如果没有危及生命的紧急事件，时间就以慢得无法察觉的方式爬向清晨。后一种情况下，摩顿森要么在吊床上闭目养神，要么和汤姆·佛汉医生聊天。高高瘦瘦、戴着眼镜、一脸严肃的佛汉是胸内科医师，也是登山家，他曾攀登南美安第斯山脉的阿空加瓜峰，那是亚欧大陆之外最高的山峰。不过他们两人真正投缘的地方在于，佛汉 1982 年曾担任攀登加舒尔布鲁木 II 峰的美国登山队的随行医师。

　　佛汉明白，能挑战乔戈里峰这样的杀人峰且达到接近顶峰的高度，已经是一项很了不起的成就。有空聊天时，两人总会谈到巴托罗冰川的壮丽和荒凉，一致认为那是地球上最壮观的地方。摩顿森也会向佛汉请教高山肺水肿方面的问题，这种海拔快速上升造成的肺积水现象，曾夺走无数登山者的生命。

　　"摩顿森动作迅速，人又冷静，非常适合急诊室的工作。"佛汉回忆道，"但是跟他谈医学时，他的心却并未专注于此。当时他给我的印象是，他在蛰伏等待，有朝一日他会回到巴基斯坦，他一直在等待那一天的到来。"

摩顿森的心的确是留在两万公里之外的高山村落里，但他的眼睛却没办法从一位名叫玛琳娜·维拉德的麻醉科住院医师身上移开。每当遇到她，他总是被电得神魂颠倒。"玛琳娜是个美人胚子，"摩顿森说，"她也是个登山者。她从不化妆，乌黑的秀发、丰满的嘴唇，令我无法直视。每次必须和她一起工作时，我都陷入极大的煎熬中，不知道该约她出去，还是躲着她以保持清醒。"

募集资金期间，为了省钱，他决定不租公寓。反正他有间私人储藏室，而且"青春传奇"的后座和沙发一样大，比起巴托罗冰川上的帐篷，这已经算是不错的安身之所了。他保留了攀岩馆的会员资格，一方面可以有个地方冲澡，另一方面还能每天练习攀岩，维持体能。每天入夜后，摩顿森驾着"青春传奇"在柏克莱低地的仓库间穿梭，希望找个够暗、够安静的地方好好睡一觉。

白天不上班的时候，摩顿森一封一封地敲了几百封募捐信，然后寄给每一位参议员。他甚至会在公立图书馆泡上一整天，翻找过去从来不翻阅的流行文化杂志，抄下电影明星和流行歌手的名字，然后加进他放在密封塑料袋里的名单——那是他从一本介绍美国百名大富豪的书里抄下来的。

"我真的不知道自己在做什么，"摩顿森回忆道，"我只是把那些看起来很有影响力、很受欢迎或是很重要的人物列成清单，然后写信给他们。那时候我36岁了，连电脑都不会用，可以想见我多么没头绪。"

有一天摩顿森又去克里西娜影印店，意外地发现门是锁着的，只好走到最近的另一家影印店——夏图克路上的拉瑟照相馆，想租台打字机用。

"我告诉他，我们没有打字机。"拉瑟照相馆的老板卡西瓦·萨耶回忆说，"'现在已经是1993年了，你为什么不搞台电脑呢?'然后他跟我说他不会用电脑。"

摩顿森很快就发现萨耶是巴基斯坦人，而且来自中旁遮普省的一个小村庄巴哈瓦尔布尔。萨耶得知摩顿森租打字机的原因后，让他坐到一台麦金塔台式机前，手把手地教他，直到新朋友摩顿森成为电脑高手。

"我所住的巴基斯坦村庄就没有学校，所以我理解摩顿森努力想做的事情有多重要。"萨耶说，"他的动机很伟大，帮助他是我的责任。"

计算机的复制粘贴功能让摩顿森大开眼界，因为只要一天的时间，就能把原来花好几个月才能打好的三百封信写完。他在萨耶的指导下努力工作，直到完成预定的五百封信的目标。然后他再接再厉，和萨耶一起绞尽脑汁又补列了几十位名人名单，最后共寄出五百八十封募款信。

"很有意思，"摩顿森说，"一个从巴基斯坦来的人帮助我跨越障碍，好让我帮助巴基斯坦的孩子接受教育。"

信寄出以后，摩顿森在休假时回到萨耶的店，运用他刚学到的电脑技巧，写了十六份基金会赞助申请书，好为科尔飞的学校筹款。不写信的时候，摩顿森和萨耶就谈女人。"在我们的生命中，那是一段凄美的时光。"萨耶说，"我们常讨论寂寞和爱情。"萨耶的母亲在喀拉蚩帮他挑选了一位女子，两人订了婚，萨耶正努力存钱准备婚礼，好把她接到美国来。

摩顿森吐露了自己迷恋玛琳娜的秘密，萨耶就替他出主意，帮他想各种约她出去的点子。"听我的话，"萨耶劝他，"你年纪不小了，也需要建立家庭，还等什么？"

摩顿森发现自己每次想开口约玛琳娜出去的时候，舌头就会打结。不过当医学中心空闲的时候，他开始给她讲喀喇昆仑山脉的事情，还有他的建校计划。摩顿森尽量不去想她美丽的眼睛，沉浸在回忆与叙述中。然而每当他从救援凡恩的经历、巴托罗冰川的迷路惊魂或是在科尔飞受哈吉照顾的日子中回过神，一抬头，总会发现玛琳娜的眼睛熠熠发亮。终于，在摩顿森讲了两个月的故事后，玛琳娜结束了他的煎熬，主动开口约他出去。

从巴基斯坦回来，摩顿森就过着苦行僧般的节俭生活。大多时候他的早餐都是到麦克阿瑟大道上一家柬埔寨人开的甜甜圈快餐店，点一份九十九美分的特餐、一杯咖啡和一块煎饼。早餐后他通常会一直撑到晚上，直到上班前才去市中心的墨西哥餐馆吃份三美元的卷饼充饥。

他们第一次约会时，摩顿森开车载玛琳娜到苏沙利多的一家水上海鲜餐厅，咬牙点了一瓶昂贵的白酒。他忘情地投入玛琳娜的生活，奋不顾身地栽了进去。玛琳娜在前次婚姻中生有两个女儿，5岁的布莱姬和3岁的戴娜。摩顿森很快就爱上了这两个孩子，就像爱她们的母亲一样。

两个女孩待在她们父亲家时，他会和玛琳娜开车到优胜美地，睡在"青春传奇"里，然后整个周末都在攀登大教堂岩之类的岩峰。孩子们在家时，摩顿森就会带她们去柏克莱山的印第安巨岩，欣赏令人窒息的自然之美，并且教她们基本的攀岩技巧。

"我突然觉得自己好像有了家庭，"摩顿森说，"我发现这是我真正想要的。如果盖学校募款的事情能更顺利，我会更加满足快乐。"

洁琳·摩顿森一直待在位于威斯康辛雷河市的新家中，获得博士学位后，她被聘为西城小学的校长。她邀请儿子前来，为学校的六百个孩子做一场幻灯片介绍。

"我费尽心力解释，才能让成年人明白我为什么要帮助巴基斯坦的学生，"摩顿森说，"但是孩子们马上就懂了。看到照片时，他们感到难以置信：巴基斯坦的孩子竟然坐在户外刺骨的寒风中，没有老师教，却努力学习。他们马上决定做点什么。"

回到柏克莱后一个月，摩顿森收到母亲寄来的一封信。她在信中告诉他，学生们自动发起了"捐一分钱给巴基斯坦"的活动，成堆的一分钱硬币装满了两个40加仑的垃圾桶。他们总共募集了62345枚硬币。将母亲寄来的623美元45美分支票存进银行时，摩顿森觉得幸运之神终于眷顾了他。"孩子们迈出了帮助建校的第一步。"摩顿森说，"他们用的是社会认为最没价值的'一分钱'。但在巴基斯坦，这些'星星之火'却可以燎原。"

其他方面的进展则相当缓慢。寄出第一批五百八十封信后六个月，他终于收到了第一封、也是唯一的一封回信。汤姆·布洛考和摩顿森一样是南达科他大学的毕业生，两人都参加过学校橄榄球队，甚至师从过同一位教练。布洛考寄了一张一百美金的支票，以及一张祝他好运的短笺。然而接下来陆续从各大基金会寄来的回函，粉碎了摩顿森的希望：他寄出的十六份赞助申请计划书全被拒绝了。

摩顿森把布洛考的信拿给汤姆·佛汉医生看，承认自己的募款成果很不好。佛汉长期在美国喜马拉雅基金会工作，他说服摩顿森试试向这个组织寻求帮助。佛汉写了篇短文报道摩顿森攀登乔戈里峰的经历，还有他为科尔飞的孩子盖学校所做的努力，这篇短文被刊登在基金会的全国新闻通讯刊物上，在文章里，他向基金会的会员们——美国登山界的精英——描述了埃德蒙·希拉里爵士对尼泊尔的捐赠。

1954 年，希拉里爵士与夏尔巴人丹增·诺尔盖完成世界首度攀登珠峰的壮举后，他为自己设定了一个比攀登珠峰还要困难的任务——为贫困的夏尔巴社区兴建学校，以报答他的高山协作伙伴在这趟壮举中的贡献。

希拉里爵士在 1964 年的著作《云端上的校舍》中，谈到了他在尼泊尔的人道主义工作，并以远见卓识提醒读者，世界上最贫穷和最偏远的地区——库布和科尔飞这样的地方——需要他们的援助。

"尽管过程缓慢而痛苦，但我们看见全世界正在接受这个事实：富有及科技发达的国家有责任去帮助贫困落后的国家。"他写道，"这不只是为了慈善，更是因为唯有通过这样的方式，我们才有希望见到符合全人类福祉的长治久安。"

然而从某方面来说，希拉里爵士的道路比摩顿森要容易得多。征服了地球最高峰后，希拉里成了全世界最著名的人物之一，当他和企业界接触，请他们捐款盖学校时，这些企业家争相支持他的"喜马拉雅建校登山队"。例如，《世界百科全书》就曾签约担任主要赞助商，在 1963 年捐给希拉里五万两千美元；而销售"希拉里爵士"牌帐篷及睡袋的西尔斯·罗巴克公司，不但赞助相关装备，还专门组建摄影组拍摄希拉里爵士的工作纪录片。希拉里卖出影片的欧洲版权及新闻采访权，并获得登山书籍的版权预付款后，资金迅速累积起来，在他尚未到达尼泊尔之前就已到位。

反观摩顿森，不仅攀登乔戈里峰失败，而且一文不名。而且为了不太依赖玛琳娜，以免破坏两个人的关系，他大部分时间还是睡在"青春传奇"上，也因此变成警察盘查的对象。他们会用手电筒把他照醒，逼得他不得不睡眼惺忪地开着车，在柏克莱地区兜着圈子，寻找清晨前警察们找不到的停车地点。

不久摩顿森就觉得，他和玛琳娜之间开始出现一道关于金钱认识的鸿沟。登山旅行中睡在"青春传奇"上，对她来说逐渐失去吸引力。一个乍暖还寒的下午，两人正在前往优胜美地的路上，她建议奢侈一下，去住建筑历史悠久的阿瓦尼饭店，那是美国从大萧条时期保留至今的珍贵的西部乡村建筑。但在阿瓦尼住一个周末，几乎要花掉到目前为止为学校募得的所有钱，摩顿森断然拒绝了。那个在潮湿的车内度过的周末，弥漫着一触即发、剑拔弩张的紧张气氛。

一个浓雾清冷的旧金山夏日，摩顿森抵达医院准备上班时，佛汉医生给了他一张撕下的处方笺。"这个人在喜马拉雅基金会通讯上看到了关于你的报道，于是就打电话给我。"佛汉说，"他是个登山家，好像还是什么科学家。实话说，听起来他不太容易应付。他问我你是不是那种会浪费捐款的毒虫。不过我想他应该很有钱，不妨打个电话给他。"

摩顿森看着那张纸，在一个西雅图的电话号码旁写着"吉恩·霍尔尼博士"。他谢过佛汉，把纸条塞进口袋，走进了急诊室。

第二天摩顿森去了柏克莱公立图书馆，查询霍尔尼博士的相关信息。他意外地找到了几百份资料，大多是新闻剪报中有关半导体工业的报道。

霍尔尼是美籍瑞士物理学家，拥有剑桥大学学位。他和一群加州的科学家自称为"叛逆八天才"，因为他们一起逃离了以脾气暴躁闻名的诺贝尔奖得主威廉·肖克利的实验室。后来霍尔尼发明了一种电路，促成了日后硅芯片的诞生。某天冲澡时，他想出了将信息塞进电路的方法——看着水从手中流过，他领悟到硅晶应该也可以用类似的方式一层一层加到电路上，大大增加表面积和容量。他将这种方法称为"平面处理"，并且申请了专利。

霍尔尼的坏脾气跟他的聪明才智一样突出，每隔几年他就会换新工作，一再和不同的商业伙伴起冲突。在他卓越的职业道路上，他所创立的五六个公司在他离开后，最终都成为了产业的龙头，如仙童半导体、泰利代因、英特尔，等等。霍尔尼打电话找摩顿森时，他已年届七十，个人资产有好几亿美金。

霍尔尼同时也是一位登山家。年轻的时候，他曾尝试攀登珠峰，攀登的足迹遍布五大洲。他的体力和他的心智一样坚毅强悍。有一回在山上，他靠在睡袋里塞报纸，撑过寒夜活了下来。下山后，他给《华尔街日报》的编辑写了封信，称赞它是"有史以来最保暖的报纸"。

霍尔尼对自己曾驻足过的喀喇昆仑山脉有着特殊的感情。他曾跟朋友说起，他对震慑人心的山景和巴尔蒂挑夫艰辛的生活感到震撼。

摩顿森把十元美金都换成二十五美分的硬币，然后用图书馆的付费电话打到霍尔尼位于西雅图的家里。

"您好，我是葛瑞格·摩顿森，汤姆·佛汉给了我您的电话。我打这个电话是因为——"

"我知道你要干吗。"一个带着法国口音的声音粗鲁地打断了他。"如果我给了你盖学校的钱,你不会跑到什么墨西哥的海滩吸大麻、和女朋友胡搞吧?"

"我……"

"你说什么?"

"不会,先生,当然不会。我只想让那些孩子接受教育。"他说"教育"这个英文单词时,带着中西部人诚恳的口音。"在喀喇昆仑山脉,他们真的需要我们帮助,那里相当艰苦。"

"我知道,"霍尔尼说,"1974 年我去过那里,在去巴托罗的途中。"

"您到那儿是去旅行,还是……"

"好吧,你的学校究竟要花多少钱?"霍尔尼不耐烦地粗声问道。

"我和建筑师以及斯卡都的承包商碰过面,估算过所有材料的费用。"摩顿森说,"我想盖五个房间,四间当教室,一间当做公共教室给……"

"给我个数字!"霍尔尼打断他。

"一万两千美元。"摩顿森很紧张,"不过不管您捐多少……"

"就这么一点儿?"霍尔尼怀疑地问,"你没胡扯吧?一万两千美元真够盖一所学校?"

"是的,先生,"摩顿森回答,他听到自己的心在突突地跳,"我很确定。"

"你的地址?"霍尔尼逼问道。

"嗯,该怎么说呢……"

一个星期后,摩顿森打开了他的邮局信箱,里面躺着一个信封,装着霍尔尼寄给喜马拉雅基金会并指名给摩顿森的一万两千美元支票,以及一张短笺:"别搞砸,祝好。吉恩·霍尔尼。"

"初版书先搬!"摩顿森花了好几年时间,在柏克莱黑橡书局搜集数百年来出版的登山书籍。这些书总共六大箱,再加上父亲从坦桑尼亚带回来的善本书,买主花了不到六百美元就全部带走了。

等待霍尔尼的支票兑现期间，摩顿森变卖了所有家产。变卖所得用来支付机票钱还有他在巴基斯坦的旅费。他告诉玛琳娜，自己将走完这条在他们相遇前就选择的路，直到他兑现对科尔飞孩子们的承诺。摩顿森保证，在那之后他会做全职工作，找个真正的住所，不再过那么随性的生活，一切都会不一样。

摩顿森把登山装备拿到圣巴勃罗大道的"荒野交易"二手装备店。过去几年，他绝大部分的收入都花在那个地方。从储藏室开车过去只要四分钟，他却觉得如同开车横跨美国大陆一样难忘，"我觉得自己正在渐渐驶离加州生活。"离开"荒野交易"时，他的口袋里多了将近一千五百美元。

乘飞机离开的那天清晨，摩顿森开车去送玛琳娜上班，然后是最困难的割舍：在奥克兰一间中古车店里，他将"青春传奇"倒进车库，卖了五百美元。这辆费油的老车曾经忠实地载他从美国中西部来到加州，让他正式成为一名攀登者；当他在募款的泥潭中挣扎，期盼找出头绪时，这辆车曾是他的安身之所；如今，这辆车换来的钱即将把他送到地球的另一端。他拍拍"青春传奇"的酒红色车盖，把钱塞进皮夹，然后背着大包走向等候的出租车，准备开始生命的下一个篇章。

六 在拉瓦尔品第的屋顶上

祈祷比睡眠更美好。

——伊斯兰教宣礼辞

他汗流浃背地醒来，身体紧紧护着那些钱。一万两千八百美元全部换成容易点数的绿色百元钞，塞在破旧的绿色尼龙袋里。其中一万两千元要用来盖学校，八百元是他未来几个月的生活费。这个房间简陋到没有地方藏袋子，他只好把它贴身放在衣服里。离开旧金山后，做任何事情以前他都会条件反射性地拍拍袋子，确定钱还在那儿。

摩顿森跳下摇晃的吊床，踩在潮湿的水泥地板上，拉开窗帘，一小片天空被近旁的绿瓦清真寺从中隔开，晕染着破晓或黄昏时才有的紫色光影。他揉揉脸，试图揉掉脸上的睡意，一边想着，一定是黄昏了，他是凌晨抵达伊斯兰堡的，所以肯定睡了一整天。

飞越了半个地球，他买特价机票的代价是一趟五十六小时的旅程：从旧金山到亚特兰大，再经法兰克福到阿布扎比再到迪拜，然后终于抵达疯狂闷热的伊斯兰堡机场。现在他所在的地方是伊斯兰堡绿意盎然而又热闹的双子城——房租便宜的拉瓦尔品第。科亚班饭店经理向他保证让他住在"最最便宜"的房间里。

现在每一分钱都很重要。每一块钱的浪费都等同于学校的砖瓦和教材的流失。一晚八十卢比的房租，大约相当于两美元，让摩顿森一直觉得不安。这个不到三米见方、用玻璃在饭店屋顶上隔出来的小房间，怎么看都像是花园里的工具储藏室而不是客房。他穿上长裤，把热得黏在胸前的夏瓦儿理好，打开了房门。傍晚并没有凉爽多少，但至少可以通通风。

饭店侍者阿布都·夏穿着脏兮兮的淡蓝色夏瓦儿卡米兹蹲在地上,用那只没有白内障的眼睛崇敬地望着摩顿森。"愿平安降临于你,先生,葛瑞格先生。"那口气好像他一下午都在等摩顿森起床。

因为饭店正在扩建,摩顿森身旁堆着一包包水泥。他坐在生锈的折叠椅上,用杯子接着阿布都送来的缺口茶壶里的甜稠奶茶,努力理清思绪拟订计划。

一年前他也住在科亚班,仔细筹备登山活动的各种细节,每一天每一分钟都在忙碌:从打包行李、整理面粉袋和冻干食品,到申请登山许可证、安排机票,再到雇佣高山协作和骡队。

"葛瑞格先生,"阿布都仿佛看穿了他的思绪,"我能请教您为什么回来吗?"

"我回来盖一所学校,如果安拉愿意。"摩顿森回答。

"在拉瓦尔品第吗,葛瑞格先生?"

摩顿森喝着茶,开始向阿布都讲述他攀登乔戈里峰失败、在冰川上迷路的经过,以及科尔飞村民如何照顾他这个迷途中的陌生人。

跪坐在地上,阿布都一边吸着牙,一边抓着大肚子思索着。"您是有钱人吗?"他怀疑地打量着摩顿森磨平的跑鞋和土色的破旧夏瓦儿。

"不是。"摩顿森回答。他不知道该怎么用语言表达过去一年来的笨拙努力。"有很多美国人,甚至包括孩子,都捐了钱帮我盖学校。"他掏出藏在长衫下的绿色尼龙袋,把钱拿给阿布都看。"如果我够节省的话,这些钱刚刚够盖一所学校。"

阿布都一脸坚决地站起身。"在安拉慈悲的光辉升起之前,明天我们一定要多杀价,我们必须好好杀价。"他边说边端着茶具离开了。

坐在折叠椅上,摩顿森听见清真寺的扩音器里发出试音时的电路杂音,杂音惊起花园里罗望子树上的一群麻雀,树冠形的鸟群轰的一声飞起,接着飞越了屋顶。

分布在拉瓦尔品第各处的伊斯兰教寺院传出宣礼员的喊声,为渐渐昏暗的暮色增添了一丝神秘气氛。一年前,摩顿森也曾走到这个屋顶上,聆听黄昏时拉瓦尔品第的声音,现在,他独自站在屋顶上,宣礼员仿佛在直接对他吟诵;他们古老的声音带着几百年来对信仰和责任的提醒,那分明是对自己的召唤。摩顿森立时将过去一年时时纠缠的怀疑扫到一边。明天就该开始行动了。

四点三十分,清真寺打开了扩音器,里面传出宣礼员清喉咙的声音,准备唤醒睡梦中的拉瓦尔品第进行晨祷。阿布都的敲门声和宣礼员的广播声同时响起。摩顿森打开房门,发现阿布都已经端着茶盘站在门口。

"外头有一辆出租车正等着呢,不过先喝茶,葛瑞格先生。"

"出租车?"摩顿森揉着眼问。

"去买水泥。"阿布都回答,好像在跟反应慢的学生解释加减乘除一样。"你要盖学校怎么可能不用水泥呢?"

"对,不能,喔,当然不能。"摩顿森大笑,一边大口喝茶,好让自己赶快醒过来。

日出时,他们坐车沿曾被称做"大干线"的公路往西前进。阿富汗和印度的边界经常关闭,所以这条从阿富汗首都喀布尔蜿蜒两千六百公里到达印度加尔各答的国际公路,最近被降格为"国家高速公路一号"。他们的黄色小铃木汽车好像完全没有悬吊系统,车子以一百公里的时速颠过路上的坑坑洼洼时,卡在窄小后座里的摩顿森得随时提防下巴突然撞到膝盖。

清晨六点,当他们抵达塔克西拉时,天气已经很热了。

公元前326年,亚历山大大帝曾派军驻扎于此,捍卫帝国最东边的这片领土。塔克西拉位于东西通商路线(日后的"大干线")的汇集点,正好把古丝绸之路分为两段,因而成为古老文化的枢纽。这里有各样古代建筑遗址,不仅曾是佛教第三大寺所在地,也是佛教往北传入山区的根据地。时至今日,塔克西拉的古老清真寺都已重新修缮粉刷,佛教圣殿却早已斑驳破碎成零散岩板。喜玛拉雅山麓那些满布泥灰的荒地,如今已变成了工业新城,上空弥漫着永不消散的烟云。

摩顿森很想直接走进第一家水泥工厂开始杀价,但阿布都又像教导小学生一样告诉他:"葛瑞格先生,我们得先喝茶,了解水泥的事。"

摩顿森坐在狭小的板凳上,努力保持着平衡,一边吹凉他的第五杯绿茶,一边试着猜测阿布都和茶馆里两位老人之间的对话,老人的白胡子都被尼古丁染黄了。他们似乎聊得相当起劲儿,摩顿森确定那是有关水泥的事。

"接下来呢?"在桌上留了几张脏脏的卢比纸钞后,摩顿森开口问,"哪

43

一家工厂？费克多？福基？阿司卡力？"

"你听不出他们没办法给我们意见吗？"阿布都解释说，"他们建议我们去另一家茶馆，那个老板的亲戚以前是做水泥生意的。"

又去了两家茶馆并喝了无数杯绿茶后，他们终于得到了答案，这时天已接近中午时分。福基的水泥有着真材实料的好名声，因没有杂质而不会变质，所以在喜马拉雅严酷的气候下也不至于碎裂。摩顿森估计学校需要这样的水泥，所以打算订购一百包。他正准备好好杀一番价，却惊讶地发现阿布都走进水泥工厂的办公室，客客气气订了水泥，拿了写明一星期内会把一百包水泥送到科亚班饭店的收据，就要他付给对方一百美元的订金。

"不是要杀价吗？"摩顿森把收据折起收好，疑惑地问。

阿布都再一次对他的学生表现出耐心。他在闷热的出租车上点燃了气味浓重的檀德牌香烟，然后伸手将烟雾和摩顿森的担心一并挥去："杀价？水泥不行。水泥生意是……"他搜寻着恰当的词语，试着让这位反应迟缓的美国学生明白，"……黑手党。明天在拉加市场很多贝司，很多杀价。"

摩顿森把下巴埋在膝盖中间，出租车朝拉瓦尔品第的方向驶去。

回到科亚班饭店，摩顿森在淋浴间把土色夏瓦儿从头上脱下时，听到"哧啦"一阵撕裂声。他把上衣翻过来仔细检查，发现中间从肩膀到腰的位置全扯开了。在细细的水流下他尽可能把一路上沾的尘泥冲洗掉，穿回仅有的这一套巴基斯坦服装。这件夏瓦儿一路忠心的跟着他往返乔戈里峰，是该换件新的了。

阿布都在摩顿森回房的路上拦住他，指着衣服撕裂处，提议去找位裁缝。

他们离开科亚班所在的绿洲，走进拉瓦尔品第城里。街上十几辆马拉的出租车随时准备出发，马儿们在尘土飞扬的闷热天气下流汗踯躅，一位染了胡子的老者正在使劲讨价还价。

摩顿森抬起头，第一次发现在克什米尔路和阿达姆吉路拥挤的十字路口旁，立着一块色彩鲜艳的广告牌。"请光顾阿扎达医生。"广告板用英文写道。广告词旁边画着一具粗糙但有力的骷髅，小头骨上没有生命的眼睛还发着光，配着阿扎达医生的签名做保证："绝无副作用！"

裁缝师没做广告。他的小店挤在海德路旁水泥蜂巢般的店家之间，建筑物看起来像破旧多年，还在绝望地等着后续完工。虽然蹲在两米宽的简陋店面里，面前堆放着一台电扇、几卷布料，还有一个制衣用的塑料模特，裁缝曼佐尔却透出一股威严，严肃的黑色镜框和修剪整齐的白胡子，让他在量摩顿森的胸宽时，浑身都散发着学者气质。他惊讶地看着测量结果，又量了一次，然后把数字记在本子上。

　　"先生，曼佐尔想要道歉。"阿布都解释，"您的衣服需要六米布料，我们这里的人只用四米，所以他必须多收您五十卢比。我想他说的是实话。"

　　摩顿森表示理解，并且要求做两套夏瓦儿卡米兹。阿布都站上裁缝师的工作平台，抽出一卷类似知更鸟蛋的漂亮蓝色布料，以及另一卷淡草绿的。摩顿森想象着巴尔蒂的尘土，坚持两套衣服都用一样的土棕色。"这样沾了泥巴也看不出来。"他告诉失望的阿布都。

　　"先生，葛瑞格先生，"阿布都请求着，"您当个干净绅士比较好，这样很多人才会尊敬您。"

　　摩顿森再次想起科尔飞的景象：村民们在石头和泥土盖成的地下室里捱过寒冬，跟他们饲养的牲畜挤在一起，围在烧着牦牛粪便的炉火旁，身上穿着仅有的一套破旧衣服。

　　"土色就很好了。"他说。

　　曼佐尔收下摩顿森的订金时，宣礼员的广播声穿透了水泥蜂巢里的店铺。裁缝师立刻把钱放在一边，展开褪色的粉红色跪毯，利落地铺好。

　　"你可以教我祈祷吗？"摩顿森脱口而出。

　　"你是穆斯林吗？"

　　"我尊敬伊斯兰教。"摩顿森回答，阿布都在一旁露出赞同的表情。

　　"到这儿来。"曼佐尔高兴地说，招手要摩顿森来到他站的凌乱台子上——旁边是一个插满针的无头塑料模特。

　　摩顿森努力挤进裁缝师旁狭窄的空间，结果一不小心碰到模特，假人像对他不满一样整个儿倒在他身上。

　　摩顿森认真地模仿着裁缝师的动作，不过身子只弯到一半就弯不下去了。他察觉到自己破掉的上衣裂缝正不雅地继续开裂，电风扇把他裸露的脊背吹得凉飕飕的。

"还可以吗?"他问。

裁缝师锐利的目光透过厚厚的镜片打量着他。"下次来拿你的夏瓦儿卡米兹时再试一遍,"他说着,一边把跪毯紧紧卷好,"或许会有些进步。"

摩顿森的玻璃房吸收了一整天太阳的热能,晚上简直热得让人受不了,至于白天,楼下的肉铺更是不断传来剁羊骨关节的菜刀声。而当他试着入睡时,床底的水管总会发出神秘的汩汩声。高挂在天花板上的是一根明晃晃的日光灯管,这灯残忍地彻夜亮着。摩顿森在房间里里外外都找过,却找不到日光灯的开关。天快亮的时候,摩顿森躲在浸透了汗水、根本挡不住光的床单底下,忽然想到一个办法。他站上吊床,摇晃着保持平衡,然后小心地摸到接头处,把灯管旋松。在一片黑暗之中,他幸福地睡着了,直到阿布都用力的敲门声响起。

日出时拉加市场呈现出的"有秩序的混乱",总是令摩顿森兴奋不已。阿布都虽然只有左眼能用,却能拉着摩顿森的手利落地穿过一个个移动的迷宫,包括歪头扛着电线捆的挑夫,以及趁麻布盖着的冰块融化前赶着送货的骡车。

大广场周围的店家贩卖拆建房屋用的各种工具。有八家连在一起的店面,贩卖大同小异的大锤;另外有一打店面似乎只卖钉子,各种尺寸的钉子在棺材大小的展示槽里闪闪发光。在漫长的募款之后,看着建造学校的各种真实零件在身旁陈列,摩顿森兴奋不已。说不定里边的某根钉子就是科尔飞学校完工时的最后一根钉子。

摩顿森提醒自己别乐昏头,一定要全力杀价。他胳膊底下夹着报纸包起的鞋盒,里面是十张百元大钞换成的卢比。

他们先从一家木材行开始。虽然左右两侧的店家看起来也差不多,阿布都却坚持他的选择。"这个人是个好穆斯林。"他解释说。

摩顿森被带进一条长长的狭窄走道,穿过一排胡乱靠在墙上摇摇欲坠的梁木,他被安置在一堆厚地毯上,坐在老板阿里身旁。阿里身上那件淡紫色夏瓦儿干净无瑕,在这充满尘土和喧嚣的环境里,简直就是个奇迹。摩顿森第一次意识到自己穿的夏瓦儿又破又脏,还好阿布都把破掉的地方缝了起来。阿里先为茶还没煮好而道歉,然后派孩子买了三瓶没冰的橘子汽水。

建筑师劳夫的办公室就在科亚班饭店大厅的一个小隔间里,摩顿森花了两张卷皱的百元美钞，请他画了一张五间教室排成 L 型的学校设计图。在设计图空白处，劳夫仔细列出了建造这所占地不到两百平方米的学校所需的建材，其中木材的成本最高。摩顿森打开设计图，把建筑师写的小字念出来："长 28.12 米，厚 5.1 厘米，高 10.2 厘米。54 片宽 1.2 米长 2.4 米的夹板。"建筑师给这一部分定的预算是两千五百美元。摩顿森把图交给阿布都。

摩顿森用吸管喝着温热的橘子汽水时，阿布都在一旁逐项读着设计图上的木料规格，阿里则熟练地拨打着放在大腿上的算盘。不久，阿里将头上歪扭的白色礼拜帽扶正，捋了捋长胡子，终于说出了数字，阿布都整张脸一下子绿了。原本盘腿而坐的他猛然跳起，用力拍着额头，仿佛被人开枪打中了一样，并且开始高声哭叫咒骂起来。虽然靠着卓越的语言天分，摩顿森已能听得懂大部分日常用的乌尔都语，但阿布都所用的那些复杂的咒骂和悲叹，他还是头一次听到。终于，当阿布都押着阿里比出手枪的手势时，摩顿森听懂了他是在逼问阿里究竟是穆斯林还是异教徒。

"这位给你机会买你木材的绅士，是一位哈姆达德，一位表现扎卡特（慈善行为）的圣人！"阿布都骂道，"一个真正的穆斯林会马上把握这个机会帮助穷困的孩子，而不是企图榨取他们的钱！"

在阿布都气愤咒骂时，阿里却一直不为所动，惬意地啜饮橘子汽水，好整以暇地等着阿布都骂完。

就在他打算费点力气回应阿布都的指责时，装在细致骨瓷茶杯里的茶送来了。三个人不约而同地把糖加进芳香的绿茶里搅拌着，接下去的几分钟，房间里只有茶匙轻磕杯子的声音。

阿里品了一口茶，点头表示满意，然后朝着走道下了些指令。依旧满脸怒气的阿布都再次盘腿坐下，把茶放在一旁连喝都没喝。阿里的儿子，一个嘴上才冒出短须的少年，拿了两块木料切片的样本过来，把它们像书夹一样立在摩顿森茶杯旁的地毯上。

仿佛品尝陈年佳酿一般，阿里把茶含在口中润了润，然后咽进喉咙，开始了专业的讲解。他指指摩顿森右边那块木料——木料表面布满深色的结疤和油污，两端裁切得极不平整，像豪猪一样有许多尖刺，然后拿起木料，像是看望远镜一般，透过虫蛀的洞看着摩顿森，"本地加工，"他用英文说，然后又指指另一块木料，"英国加工。"那块木料没有任何结疤，切口是平整规则的长方形。阿里把它递到摩顿森面前，用另一只手扇着风，让他闻木料原产地——加汉谷原始森林的气味。

阿里的儿子又带了两块夹板过来。这次他把夹板放在煤堆上，然后脱下凉鞋踩在夹板上。体重不到四十五公斤的他站上第一片夹板，板子立刻弯曲变形，发出刺耳的声响。他又站上了第二片夹板，板子只稍微凹陷了几厘米。阿里要男孩在上面上下跳跃，夹板依然坚实牢固。

"三合板。"阿里朝第一块夹板努了努嘴，对摩顿森说。

"四合板。"他骄傲地看着他儿子在上面蹦蹦跳跳的那块木板。

然后他改说乌尔都语，摩顿森虽无法听懂但也能猜出意思。很明显地，他是说："你可以用很便宜的价钱买木料，但要看木料怎么样。其他没道德的商人可能会卖偷工减料的东西，你尽管去买，用那些材料盖学校！顶多撑一年，想想一个可爱的7岁男孩某天在背诵《古兰经》时，地板出现可怕的裂痕，他的动脉会被劣质不可靠的材料割伤。你要判一个7岁的孩子死刑，让他慢慢流血致死吗？就因为想省钱不肯买好木料。"

这夸张的表演继续进行着。摩顿森喝完第二杯茶，在满是灰尘的地毯堆上玩弄着手指。阿布都三次起身走向大门作势离开，让阿里跟着降了三次价。过了一个多小时，摩顿森的耐心已经到了极限。还有好几十场类似的交易要谈，还要在后天把材料运往巴尔蒂斯坦，他没有时间再耗下去了。摩顿森把空壶推翻，起身做手势要阿布都一起离开。

"巴齐，巴齐（坐，坐）！"阿里抓着摩顿森的袖子说。"你赢了，他已经把我的价钱砍了！"

摩顿森看看阿布都。"是的，他说的是实话，葛瑞格先生，你只要付八万七千卢比。"阿布都说。摩顿森在脑子里快速换算着：两千三百美元。

"我告诉过你，"阿布都说，"他是个好穆斯林。现在我们可以签约了。"阿里又叫了一壶茶，摩顿森稳住情绪，又坐了下来。

经过两整天的讨价还价，第二天傍晚，肚子快被茶水撑破的摩顿森和阿布都终于在泥泞中走回科亚班，后面跟着一匹小马拉着的二轮货车，小马看起来比他们还要疲惫。摩顿森的夏瓦儿口袋里塞满了各种材料收据，有铁锤、锯子、钉子、盖屋顶的马口铁波浪板、能支撑学生体重的木料等等的收据。这些材料将在明天破晓前送到他们租的卡车上，然后再花三天时间运抵高原。

阿布都曾提议坐出租车回饭店，但摩顿森坚持省钱，因为每次付订金时，鞋盒里卢比惊人的骤减速度吓到了他。满街都是没装消声器的摩利士黑色出租车，两人努力穿梭在车阵和闷热的尾气间，不到四公里的路走了一个多小时。

回到饭店后，摩顿森连夏瓦儿都懒得脱，就把一桶一桶的水往头上倒，勉强冲掉一整天奔波所沾染的尘土，然后赶到裁缝店去拿做好的衣服，以防曼佐尔早早关门去做星期五的晚祷。

摩顿森到店里时，曼佐尔正在用煤炭加热的熨斗熨他的夏瓦儿，一边跟着外头的音乐哼着乌尔都语流行歌。音乐从走道另一头鞋店的收音机传出来，在建筑物间回响着，间或伴随着几家店面打烊时拉下铁门的吱嘎声。

摩顿森套上带着熨斗余温的燕麦色干净上衣，衣服仍有点皱，勉强遮住重要部位，然后又穿上宽松的新裤子，系上"阿扎尔棒得"（腰绳），打个紧结，转身让曼佐尔看是否合身。

"巴哈特喀拉不（太可怕了）!"他扑向摩顿森，抓住吊在这个大块头裤子上的"阿扎尔棒得"，把它塞进宽腰带底下。"这样穿是禁止的!"曼佐尔告诉他。

曼佐尔用衣角擦了擦眼镜，看着重新绑好的长裤，仔细检查摩顿森的全套服装。"现在你看起来像半个巴基斯坦人了。"他说，"我们要不要再试着祈祷一次?"

曼佐尔把店门关上，领着摩顿森走出来。黄昏的太阳即将西沉，顺便带走了一部分闷热。摩顿森和裁缝手牵手走向清真寺。

在路的两旁，男人们三三两两走着，路边的店铺纷纷打烊关门。

当他的祈祷声跟周围的祈祷声汇合在一起，他突然意识到：在巴基斯坦待的日子里，只有这一刻，没人把他看成外人。

又一天结束了，不知前方会有什么样的转变在等着他。

七　艰难的回家路

这片严酷又美丽的土地，
白雪覆盖的岩峰林立，冷冽澄澈的溪水奔流，
浓密的柏树、杜松与榉木共存。
你眼前所见的一切皆是我生命的一部分，
我无法与此地或与你分离，
因为我们只有同一种心跳。

——《格萨尔王传》

黎明时分，阿布都的敲门声响起时，摩顿森已经睁着眼睛躺了好几个小时了，对学校事务的担忧让他无法安然入睡。起身打开门，眼前的情景让他丈二金刚摸不着头脑：独眼老人正捧着一双擦得干净发亮的鞋，等着他试穿。

那是他的网球鞋。显然阿布都是趁摩顿森睡觉的时候，花了好几个小时缝补、刷洗、擦亮他那双又破又旧的耐克球鞋，试着把它们变得尊贵些，让即将开始漫长艰辛旅程的主人能骄傲地系上鞋带。阿布都银白的胡子在为鞋子补色时被指甲花染料染成了深橘色，宛若一簇跳动的火焰。

摩顿森喝完茶后，用冷水和最后一小块藏雪牌香皂简单冲洗了一番。他整个星期都小心分配着使用香皂，到今天刚好用完。阿布都背起了装着他随身物品的背包，摩顿森没有争抢——他知道如果试图把背包拿回来，一定会引起阿布都的激烈反对——然后他依依不舍地跟楼顶那间"禁闭室"道别。

看着自己脚上锃亮的鞋，以及阿布都看到他仪容光鲜的开心模样，摩顿森同意雇辆出租车前往拉加市场。殖民时期的黑色摩利士汽车在沉睡的街道

上缓缓前行，这是大英帝国势力残留在拉瓦尔品第的遗迹。

虽然市场还没开门，路上只有微弱的灯光，他们还是轻而易举地找到了卡车。20世纪40年代，当巴基斯坦还是英属印度的一部分时，军用运输卡车都是这样的贝德福德卡车。和这个国家大多数的贝德福德卡车一样，眼前这辆车绝大部分可更换的零件早已被当地生产的替代品换过了五六次，和原来的模样相去甚远。原本的橄榄绿车漆对这台喀喇昆仑高速公路之王来说实在太单调了，如今已换成了镜子和菱形金属花纹的装饰雕琢；未装饰的地方，则淹没在戏剧性的迪斯科喷漆作品中——某一家贝德福德汽车修理厂的杰作。

摩顿森付钱给司机后，就在这辆沉睡的巨兽旁兜着圈儿寻找卡车工人，急着开始一天的工作。一阵响亮的鼾声引得他趴到卡车底下探头查看，发现有三个人躺在车底的吊床上，其中两人的鼾声正此起彼伏地合奏着。

广场彼端的清真寺传来刺耳的广播声，音量并没因为是清晨而有任何折扣。宣礼员的声音比摩顿森早一步把工人们叫了起来。当他们哼哼唧唧地从吊床上滚下来，放肆地吐痰并点燃今天的第一根烟时，摩顿森和阿布都已经跪好准备祈祷了。

对摩顿森来说，阿布都和大部分穆斯林一样，身体内好像有个定位罗盘，永远能准确地对着麦加圣城。虽然他们面对的是木材行深锁的大门，而且手边没有水，阿布都还是卷起裤脚和袖子，照着仪式进行。摩顿森尽量忽视周围的环境，跟阿布都一起祈祷。阿布都用挑剔的目光把他打量了一番，满意地点了点头。"那么，"摩顿森说，"我看起来像不像巴基斯坦人？"

阿布都拍掉他额头上因为伏地顶礼而沾染的灰尘。"不像巴基斯坦人，"他说，"不过如果说是波斯尼亚人，我相信。"

穿着另一套一尘不染的夏瓦儿，阿里打开了店门。摩顿森向他问好，然后打开在市场买的小本子开始计算。贝德福德卡车装满所有材料时，他已经花掉了超过三分之二的总预算，剩下的三千多美元要支付工人的工资，雇吉普车运送建材到科尔飞，还得在学校盖好前支撑他的生活。

阿里家的五六位成员都来帮忙，在司机和卡车工人的指导下把木料装上车。摩顿森一边数着插放在车床前的夹板，一边确认每一块究竟是不是牢固的四层板。一座整齐的夹板"森林"很快就长了出来，摩顿森心满意足地看着。

太阳升起时，气温已经远远超过摄氏三十八度。店家纷纷打开铁门准备营业，市场里响起一阵铿铿锵锵的开门交响乐。各种建材陆续穿过人群运到卡车上：有扛在挑夫头上的、人力车拉着的、摩托吉普载着的、驴车拖着的，还有一百包水泥是由另一辆贝德福德卡车运来的。

车上相当闷热，但阿布都一直守在工人旁边，喊出每一件送到的材料的名称，好让摩顿森在清单上打勾。摩顿森看着两人讨价还价买来的四十二项材料，愈看愈满意——它们整齐地堆放在卡车上，斧头紧贴着泥水匠的抹刀，一起塞进铁铲中间，井然有序。

到了下午，贝德福德卡车旁边挤满了闻讯而来的人，他们听说有个穿着褐色夏瓦儿的大块头美国人，带了满满一卡车的物资，要去帮穆斯林小孩盖学校。挑夫们得穿过五层人墙才能把货送进来。摩顿森四十八厘米的大脚吸引了众多讶异的目光，众人啧啧称奇。围观者窃窃私语，纷纷猜测他的国籍；大多数人都认为这个身材高大、脏兮兮的男人极有可能来自波斯尼亚或车臣。当摩顿森用他进步神速的乌尔都语打断围观者的猜测，告诉大家他是美国人时，众人看着那件贴在他沾满油污的皮肤上、汗湿染尘的夏瓦儿，有几个异口同声地说：不信。

忙碌中，两样最宝贵的工具——木匠的水平仪和铅垂线——不见了。摩顿森很确定东西已经送来，但是在堆满东西的卡车上却怎么也找不到。阿布都带头寻找，把一袋袋水泥搬到一旁，终于在车台最底下找到了它们。他把这两样工具用布卷起来，慎重地指示司机把它们仔细放在驾驶室里，一路护送到斯卡都。

晚上还没到，摩顿森已经把堆成一座六七米高小山的四十二项材料全部勾齐。卡车工人赶在天黑前把货捆紧，然后将粗麻布盖过车顶，在车子两侧用粗绳绑紧。

摩顿森爬下车和阿布都告别时，人们蜂拥而上，送给他香烟和打算捐给学校的卢比纸钞。急着离开的司机已经发动了引擎，黑色的柴油油烟从卡车双排气管喷出。虽然周围如此嘈杂混乱，阿布都却在人群中安静肃立，进行着"都阿"，为摩顿森的旅程祈福。他闭上眼睛，把手移向摩顿森的脸，整个人沉浸在安拉的圣灵之中。他抚着自己染成橘红色的胡子，热切祈求摩顿森一路平安，祷告声淹没在喇叭的轰鸣中。

阿布都张开眼睛，握住摩顿森那双脏污的大手。他仔细端详着这位大个子朋友，注意到自己昨夜擦亮的那双鞋已经蹭上了油污，昨天才做好的新夏瓦儿下场也一样。"我想不是波斯尼亚人，葛瑞格先生。"他拍拍摩顿森的背，"现在，你完全是个巴基斯坦人了。"

摩顿森爬上卡车顶，朝筋疲力竭地站在人群边缘的阿布都点头致意。司机挂挡准备上路。"安拉乎艾克拜尔！"人们同声高呼起来，"安拉乎艾克拜尔！"摩顿森高举着胜利的手势挥舞道别，直到朋友火焰般的橘红色胡子隐没在汹涌的人潮中。

卡车一路咆哮西行。虽然司机穆罕默德一直叫摩顿森坐进驾驶室，但他还是坚持坐在车顶，享受这神气的时光。拉瓦尔品第车厂里的艺术家们在卡车顶上焊接了一个漂亮座位，像一顶时髦的帽子一样高踞在驾驶室上方。跨坐在材料上的摩顿森用麻布和干草帮自己堆了个舒服的窝。陪伴他的，是好几箱穆罕默德准备带到山区去卖的雪白鸡，以及从驾驶室窗户传出的旁遮普语流行歌曲。

离开拉瓦尔品第稠密的市集后，干燥褐黄的乡野豁然展开，间或点缀着几片油绿，远方是喜马拉雅山麓的丘陵地带，隔着傍晚的热气尘烟向他们招手。每当贝德福德的喇叭狂响时，小车们就纷纷闪到路边，识相地把路让给这头巨兽。

摩顿森的心情就跟他们经过的烟草田一样平静，那片熠熠生辉的绿，仿佛被风吹拂的热带海洋。历经一整个星期的讨价还价、锱铢必较之后，他觉得终于可以放松下来了。"卡车上面又凉快又通风。"摩顿森回忆道，"从抵达拉瓦尔品第的第一天起，从来没这么凉快过。我觉得自己像个坐在宝座上的国王，我感觉自己已经成功了，仿佛正坐在我的学校上头。我把需要的所有东西都带来了，而且完全控制在预算内，就连吉恩·霍尔尼博士都挑不出任何毛病。我当时憧憬着，不出几个星期，学校就会盖好，然后我就可以回家、想想自己接下来的人生。我好像从来没有那么满足过。"

突然间穆罕默德紧急刹车，把车停到路旁，摩顿森用力抓着鸡笼才没从车顶摔出去。他弯下身用乌尔都语问:"为什么突然停车?"

穆罕默德指指烟草田边缘处的一间白色小清真寺,人潮正往那儿涌去。关掉音乐后,宁静的空气中传来宣礼员清楚的呼喊声。他没想到一路上急着赶路的司机,竟会虔诚到停下车来做晚祷。他知道,在这个地方,有太多事情是他理解不了的。他告诉自己,至少这样有机会在车旁找地方练习祈祷。

天黑后,灌下一杯浓绿茶,吃了三盘从路边摊上买的黄豆咖喱,摩顿森躺回车顶的小窝,望着丝绒般天空中的点点繁星。

在拉瓦尔品第往西三十公里处的塔克西拉,他们离开巴基斯坦的干道开始往北转进山区。几百年前,塔克西拉是佛教和伊斯兰教冲撞争雄的宗教中心;但对摩顿森在车轮上摇摇晃晃的"学校"而言,这个地区几百万年前发生的板块冲撞,才是更值得关心的事情。

在这里,平原与高山相遇,古丝绸之路转为险峻,道路变得无法预测。伊莎贝拉·伯特是英国维多利亚时代的女探险家,她在 1876 年的旅行中,记录了从印度亚板块平原进入巴基斯坦的艰险旅程。"渴望到达高原的旅行者无法搭乘马车或推车前往。"她写道,"大部分的路必须徒步行走。如果旅行者在乎他的马,就必须在崎岖不平而且陡峭的下坡路段下马行走,而且这种路段还不少。"

"'路',"她继续写道,"是花了极大的力气和代价建造的,因为大自然强迫筑路者照着她的引领,沿着她所刻画的狭隘溪谷、沟壑、山峡与深渊来建造道路。有时'路'只是悬在怒吼洪流上的岩架,而且长达好几公里。当两个车队要会车时,其中一个车队的牲口必须挤在山边让路,而他们立足的地方通常很危险。有一次与一个车队交会时,我仆人的马就被一匹载着货的驴子挤落断崖,淹死了。"

贝德福德卡车蜿蜒攀爬的这条喀喇昆仑公路,是伯特一行人所经山路的高价改良版。早在 1958 年,刚刚独立、急着和中国建立运输联结的巴基斯坦,就开始了这项人类历史上最艰难的高原道路建造工程。喀喇昆仑公路基本上是从崎岖的印度河峡谷里硬生生辟出来的,四百公里长的筑路工程牺牲了四百名工人。建造这条"高速公路"时,工程师进行重机工作前,必须先将推土机整个拆开,用驴队将零部件载上山,然后在山上重新将推土机组装起来。巴基斯坦军队曾试图用苏式 MI－17 直升机将推土机送上山，但在首次飞行任务中，直升机就因强风和峡谷过窄，擦撞到崖壁后坠毁，机上九位成员全部丧生。

1968 年，中国提出建造一条通往中亚的通途，中方负责监造策划并提供经费，完成这条从中国喀什到伊斯兰堡、长达一千三百公里的国际公路。经过十多年的艰苦努力，动员了人数足够组成一支军队的筑路工人，这条名为"友谊公路"的道路终于在 1978 年宣告完工。

随着海拔上升，空气中开始飘来一丝初冬的寒意，摩顿森拿了一条羊毛毯裹住肩膀和头。他头一次开始担心，自己能不能在寒季来临前把学校盖好。很快他摇摇头，决定不要庸人自扰，把头靠在干草堆上，在卡车有规律的震动中睡着了。

第一抹日光出现时，距离他头顶不到两米的鸡笼里，一只公鸡毫不留情地高声啼叫起来。摩顿森睡得全身发麻，又冷又想上厕所。他弯身到车窗旁想让司机停车，却看见司机旁边那位壮得像熊的副驾驶正把头伸出车窗往下看，他顺势望去——下方四五百米深的峡谷底部，咖啡色的河水正在乱石丛中汹涌奔流。摩顿森转头往上看，河岸两侧都是笔直耸立、高差达数千米的花岗岩壁。

贝德福德卡车在一段极陡的坡路上奋力攀爬，穆罕默德手忙脚乱地来回换挡，最后甚至硬是用蛮力猛切到一挡，车子还是力不从心地往后滑退。摩顿森趴在车顶边缘往下看，发现卡车后轮离峡谷边缘不到一米远，在穆罕默德拼命踩油门时，后轮扒起的碎石一直落向深谷。只要车轮离崖边太近，副驾驶尖锐的口哨声就会响起，然后车轮便又反向回转起来。

摩顿森不想打扰穆罕默德，回到车顶的座位里。之前他来攀登乔戈里峰时，一心只想着登顶，完全没注意到这段沿印度河而上的道路；回程的路上，他又专心于思考为学校募款的各种计划。这回，再次来到荒凉险峻的山区，看着贝德福德在这条"高速公路"上以二十来公里的时速挣扎前进，他对于将巴尔蒂斯坦与外界隔绝起来的高山深谷，有了全新的体验和了解。

峡谷开口大到能在边缘处容纳一个小村落时，他们下车吃了顿早餐，内容包括"恰巴帝"以及加了奶和糖的红茶"度巴地"。穆罕默德比前一晚更加坚持，非要摩顿森坐到驾驶室里，他只好勉强答应。

摩顿森坐在穆罕默德和两位副驾驶中间。和巨大的卡车相比，穆罕默德显得格外瘦小，勉强够得到油门踏板。大熊副驾驶一口接一口吸着大麻水烟，对着另一位乳臭未干的小副驾驶猛吐烟雾。

这辆贝德福德的内部装饰不逊于外观，也相当狂野：闪烁的红灯泡，克什米尔的木雕，宝莱坞明星的三维照片，一堆亮晶晶的银色铃铛，还有一束只要穆罕默德刹车太急就会戳到摩顿森脸上的塑料花。"我觉得自己好像坐在一间慢慢往前滚动的妓院上头。"摩顿森说，"移动速度之慢，简直像是毛毛虫在爬。"

在最陡峭的路段，副驾驶们就跳下车在后轮位置放上大石头，等贝德福德蹒跚移动几厘米后，再将石头搬到新的后轮位置。他们就这样辛苦单调地重复着，直至抵达平路。这期间，虽然偶尔会有超过他们往上开的吉普车，或是迎面轰鸣而来的巴士，但大部分时间路上只有他们孑然前行。

太阳早早就遁入陡峻的岩壁，消失了，傍晚时分，深谷底部漆黑难辨。车子在黑魆魆的弯路上蜿蜒行驶，穆罕默德忽然紧踩刹车。原来他们差点撞上前面的巴士，而巴士前方则排起了几百辆车——吉普、巴士、贝德福德卡车——全都卡在一座水泥桥前。摩顿森和穆罕默德一起爬下卡车一探究竟。

他们走到桥边，发现路障显然不是喀喇昆仑公路常有的落石或雪崩，而是守卫在桥边的二十多个缠黑头巾、蓄着络腮胡的粗犷男子。他们的火箭炮和苏制冲锋枪随意地对着一群巴基斯坦士兵，所幸士兵的武器还很明智地放在皮套里。

"不妙。"穆罕默德挤出一个生硬的英文词汇。

一位黑头巾男子把火箭炮放低，招手要摩顿森过去。赶了两天路的脏臭加上头上包着羊毛毯，摩顿森很确定自己看起来不像外国人。

"你从哪儿来的？"那人用英文问，"美国人？"他举高手中的瓦斯灯研究摩顿森的脸型。

摩顿森看到那人疯狂的蓝眼睛，眼眶周围还涂着黑色颜料"苏马"，这些人属于军事武装"塔利班"组织，自打1994年起，他们就大批涌入巴基斯坦边境。

"是的，美国人。"摩顿森小心翼翼地回答。

"美国，第一个。"问话者把手上的火箭炮放下，点了根当地的檀德牌香烟递给摩顿森。摩顿森平常并不抽烟，但他觉得这时应该接受人家的好意，就吸了几口。穆罕默德走过来，一边为打断他们致歉，一边暗示性地用手肘轻碰摩顿森，把他带回卡车那里，整个过程中，穆罕默德的眼神始终都没有和那个人接触。

穆罕默德在车尾用小火煮着茶，打算在此过夜。他把从其他司机那里听来的小道消息讲了出来。这些人已经把桥封锁一整天了，有一小队士兵刚被卡车载到三十五公里外的帕坦军事基地去请示，之后再决定桥是否要重新开放。

摩顿森有限的乌尔都语，以及穆罕默德有些自相矛盾的解释，让他无法确定自己是否听懂了司机的意思。但他至少可以确定，他们所在的村庄叫"达苏"，位于巴基斯坦西北边境最荒凉的科希斯坦区。科希斯坦向来以盗匪闻名，"名义上"隶属于伊斯兰堡，实际上却我行我素，从来不受中央政府控制。"9·11"事件后，在美国政府试图摧毁塔利班政权的战争中，此处偏远又崎岖的山谷，成为塔利班及基地组织支持者的最佳藏匿之所。恐怖分子熟知此处地形，可以轻易从荒凉的山野间逃匿。

持枪守桥的那些人住在附近山上的村落，他们宣称有个从遥远的伊斯兰堡来的政府承包商，带着几百万卢比，说要把山上的狩猎小径拓宽成林业道路，以便山上的居民贩卖林木。但是，那个承包商没有改善道路状况就卷款逃走了，所以他们要封锁喀喇昆仑公路，直到逮住那个家伙，然后把他在这座桥上吊死以平民愤。

喝完茶，吃完摩顿森拿出来的饼干，大伙儿决定去睡觉。尽管穆罕默德劝摩顿森睡在安全的驾驶室，但他还是决定爬上车顶的小窝。从那里，他可以看到桥上的情况，瓦斯灯下是毛发浓密、说着帕施图语的科希斯坦激进派。而那些从平地来谈判的巴基斯坦士兵说乌尔都语，外表斯文，头戴蓝色贝雷帽，弹药带紧系在纤瘦的腰上，看起来像是另一个种族。

他仰头躺在干草堆上，思绪纷乱，终于放弃了入睡的念头，打算熬到天亮。忽然一声枪响，摩顿森惊坐了起来，首先映入眼帘的是鸡笼里一双困惑的粉红色公鸡眼，接着他看到站在桥上的科希斯坦人正举着 AK-47 步枪朝天射击。

摩顿森感觉贝德福德卡车突然动了起来，双排气管用力吐着气。他俯身到司机座位旁的窗边。"好！"穆罕默德微笑着对他说，一边踩着油门。"开枪是因为高兴，安拉祝福！"他挂上了挡。

一群蒙面的妇女从村口和巷道内涌出来，匆忙跑回各自的车上，她们应该是在前一晚的漫长等待中，下车藏在隐秘处的女性乘客。

挤在长长的车流里慢慢攀爬，漫天尘烟中，卡车通过了达苏桥。摩顿森看到昨晚请他抽烟的科希斯坦人和他的同僚高举着拳头，拿着自动步枪乱射。即使在军队的靶场内，摩顿森也从没见过如此密集的火力。桥墩那头的士兵没有出来阻止，想必这种行为是他们默许的。

继续往上爬，峡谷的岩壁遮住了天空，只剩下一条白色的冒着热气的狭缝。卡车沿着南伽峰西侧绕行。南伽峰是世界第九高峰，海拔8125米，位于喜马拉雅山脉西麓。这座高峰完全笼罩了印度河峡谷深处的人们——不知是不是盯着山太久产生错觉，摩顿森觉得山峰似乎正从东边逼近。为了验证自己的想法，摩顿森把目光转向了河面：无数溪流带着南伽峰冰川的融雪，跃下沟壑，爬过长满苔藓的卵石，流入印度河，给原本泥泞污浊的河面带来了一圈圈的高山清蓝。

快到巴基斯坦北部人口最多的城市吉尔吉特时，他们离开喀喇昆仑公路，沿印度河往东朝着斯卡都前进。若是顺着喀喇昆仑公路继续走，他们将会到达海拔4730米的红其拉甫山口，进入中国。

虽然空气渐渐清冷，摩顿森却被一种熟悉的情绪温暖着——海拔超过六千米、多到无法命名的群峰之间，有着一条他熟悉的河道，那就是巴尔蒂斯坦的入口。喀喇昆仑山脉西部宛如月球表面般的岩砾区，是地球上最危险的地方之一，但对摩顿森而言，却如同回家一般亲切。

峡谷深处遍布尘土的阴暗，以及高挂空中、掠过花岗岩峰顶的太阳，比起柏克莱那些粉彩灰泥装饰的房屋更像是摩顿森的自然栖所。这一段时间他在美国的插曲，包括和玛琳娜渐行渐远的关系，为学校募款的挣扎与努力，以及在医院值夜班的紊乱睡眠，这一刻像是渐渐淡去的梦。而这里的岩架和峭壁则稳稳支撑着他，让他飞过绝望。

二十年前，一位名叫戴芙拉·墨菲的护士听从远山的呼唤，开始了登山之旅。她有着和伊莎贝拉·伯特同样的勇气和无畏精神，完全无视前辈探险家的建议——巴基斯坦在雪季时无法通行。严冬时节，墨菲骑在马背上和她5岁的女儿横跨喀喇昆仑山脉。

在记录这段旅程的《那里的印度河正年轻》一书中，原本文采出众的墨菲在描述这段经历时完全词穷，只能语焉不详地挤出下列文字："所有用来描述高山景色的形容词没一个合适，事实上，连'景色'这个词都显得可笑而不恰当。'壮观'或'雄伟'也无法诠释那种身临其境的感觉。那一里又一里无尽的、绵延交错的，更幽暗、更荒凉、更深沉的深谷，没有一片叶子、一根草或一丛树提醒你植物王国的存在，只有碧绿色的印度河偶尔泛出一点闪亮的白沫，为这片灰黄的悬崖和单调的陡岩峭壁，加入些微灵动的色彩。"

墨菲在马背上沿印度河缓慢行进时，曾猜测假如今后这里改建成公路，搭车旅行仍会遇到令人恐怖的情况。"在此，司机必须将一切托付给命运，"她写道，"要不然，永远无法鼓起足够的勇气驾着负荷过重、平衡很差、机械设计又不完美的吉普车在这样的路上开上几小时。只要一个小小失误，就可能连人带车飞冲到几百米下方的印度河里命丧黄泉。这条河在让人惊栗的山岩中间挤出了唯一的路，车除了跟着它走别无选择。除非是亲身经历，否则绝对无法想象印度河峡谷令人叹为观止的壮观与雄伟，穿越这条路最明智的选择就是：步行。"

在负荷过重、平衡很差、所幸机械设计良好的贝德福德卡车上，摩顿森和小山般的学校建材一起，摇摇晃晃如同风中之烛。每当卡车碾过松散的落石堆时，就会紧临深谷边缘，几百米之下是粉身碎骨的巴士外壳，安息在铁锈中。沿途的里程路标旁，可以看到白色的"英烈纪念碑"，纪念那些在岩壁上奋战时不幸丧生的"前线工作组织"筑路工人。还有成千上万的巴基斯坦士兵，自从部队被允许经此上山支援对印战争以来，他们为改善这条通往斯卡都的公路做出了巨大贡献。但由于落石和雪崩、路面年久失修、空间狭小等原因，每年都会发生几十起车辆跌入深渊的事故。

十多年后，在所谓的后"9·11"时期，摩顿森常被美国人问及，他在当地是否面临恐怖分子的威胁。"如果我死在巴基斯坦，那应该是因为交通意外，而不是炸弹或子弹。"他总是这样告诉他们，"在那里，真正危险的是山路。"

摩顿森还没搞清楚方向，光线已经迥然不同了。傍晚时分，伴随着持续刺耳的刹车声，他们开过一段长长的下坡路，天空亮了起来。幽闭的深谷岩壁豁然开朗又重新关闭，迅速朝后退去，成为环绕斯卡都河谷、终年白雪覆盖的巨峰群。等到穆罕默德在山底的平坦路段加速前进时，印度河已经舒展开来，成为湖泊般宽广的泥泞河流，蜿蜒前行。谷底铺满了大小不同、形态各异的沙丘，在落日的余晖中泛着黄褐色的光。

斯卡都外围的杏桃树和胡桃果园，宣告了这段辛苦旅程的完结。坐在学校建材上头进入斯卡都，摩顿森朝头戴白色羊毛帽的当地人挥手致意，忙着农收的人们也露齿微笑，向他挥手。孩子们追着贝德福德卡车奔跑，对着坐在车上的外国人大嚷大叫。这是他从开始坐下来写那五百八十封信时，就一直梦想的荣归。此刻，摩顿森确信，他的故事很快就会到达圆满的结局。

八　被布劳渡河击败

信任安拉，但拴紧你的骆驼。
　　　　　——斯卡都空军第五中队基地入口处的手写标语

　　摩顿森还来不及低头，一根白杨树枝已经打在他的脸上，接着第二根树枝扯掉了他头上的毯子，挂在贝德福德卡车的尾部。他赶紧躺平躲避。路旁的每棵树干都用布包着，防止饥饿的山羊袭击。斯卡都在"树林隧道"的尽头隐约出现。

　　一架绿色的军用拉玛直升机缓缓飞过贝德福德卡车，应该是正从巴托罗冰川返回斯卡都的空军第五中队基地，直升机上有个麻布裹着的人形，紧捆在起落撬上的轮床上。此情此景让摩顿森想起了凡恩，他就是这样被送下山的，但至少他活了下来。

　　卡尔波丘，又称"斯卡都岩"，这座凌空三百米处的堡垒遗迹，仍然在城市上方坚守着岗位。贝德福德卡车在卡尔波丘下方的集市放慢了速度，让一群绵羊通过。忙碌的街道两旁挤满了摊位，货品有足球、廉价的中国毛衣、整齐堆成金字塔形的舶来品——包括阿华田和果珍饮料。与空旷孤寂的印度河峡谷相比，这条街国际化得让人难以置信。

　　远离沙尘的吹袭，广大的河谷显得相当富饶。这里是严酷幽暗峡谷之后的慰藉，也是从卡吉尔到中亚的商队休息站。但是自从边界封锁之后，斯卡都就遭到冷落，孤立在巴尔蒂斯坦的荒野边缘。直到喀喇昆仑高山探险运动兴起，这个地方才重获新生，成为攀登装备商店的聚集地。

　　穆罕默德把车停到路边，仍然没法让五六辆等着的吉普车先通过。他靠在车窗边，在愤怒刺耳的喇叭声中，大声问摩顿森该往哪里去。摩顿森爬下他的宝座，努力挤进驾驶室里。

去哪里呢？到科尔飞还要走八个小时的山路，而且不可能用电话通知村里人，他已经前来履行承诺。常嘎吉，上回帮他们安排攀登乔戈里峰事宜的登山经纪人兼旅行社老板，似乎是把这些材料运进布劳渡河谷的最佳人选。卡车停在常嘎吉家铺满白色洗石子的整洁的大院前，摩顿森敲响了绿色的大木门。

穆罕默德·阿里·常嘎吉亲自开门。他穿着一套浆得雪白的夏瓦儿，好彰显他不需要沾染尘俗杂事的尊贵身份。在巴尔蒂人中间，他的身材算是高大的，再配上修剪整齐的胡子、高挺的鼻子、褐色眼睛外围那一圈惊人的蓝，整体形象让人过目难忘。在巴尔蒂语中，"常嘎吉"的意思是"成吉思汗家族之人"，如果作为俚语，那它就是"绝情与残忍"的意思。"常嘎吉是个彻头彻尾的生意人。"摩顿森说，"只是，我当时并不知情。"

"葛瑞格医生。"常嘎吉给了摩顿森一个长长的拥抱，"你来这里做什么？登山季节已经结束了。"

"我把学校带来了！"摩顿森开心地说，满心期待着恭维的话。从乔戈里峰下山后，他曾经和常嘎吉讨论过他的计划，常嘎吉还帮他估算过盖学校需要的费用，但此时常嘎吉却仿佛对此一无所知。"我在拉瓦尔品第买齐了盖学校需要的所有材料，现在已经运来了。"

常嘎吉还是一副困惑的表情。"这个时间要盖什么都太晚了，而且你为什么不在斯卡都买材料呢？"摩顿森并不知道斯卡都也能买到这些材料，正讷讷不能言时，急促的喇叭声打断了他们的谈话。穆罕默德急着卸货，想马上返回拉瓦尔品第。工人们开始卸货，常嘎吉惊讶地看着眼前堆积如山的物资。

"你可以把这些都放在我的办公室里。"常嘎吉说，"然后我们可以一边喝茶，一边讨论该怎么处理你的学校。"他上下打量了摩顿森一阵，皱起眉头看着他满是油渍的夏瓦儿、脏兮兮的脸和打结的头发。"我看你还是先洗个澡吧。"

大熊副驾驶把保存完好的铅垂线和水平仪交给了摩顿森。工人们搬着水泥和四层夹板一趟趟经过常嘎吉身边，常嘎吉也变得越来越热心。摩顿森拆开旅馆主人给的全新藏雪牌香皂包装纸，用热水和香皂刷洗掉四天旅途的风尘。当看到仆人雅古烧热水用的日本高山炉具时，摩顿森忽然意识到，那很可能是从某个登山队里偷来的。

摩顿森焦虑起来，想马上盘点所有物资，但常嘎吉坚持待会儿再处理这些事。伴随着宣礼员的呼声，常嘎吉领着摩顿森来到他的办公室，仆人们正在吊床上摊开一个没用过几次的美国土拨鼠牌羽绒睡袋，吊床就挂在书桌和墙上的世界地图之间。

"现在休息吧。"常嘎吉以不容争辩的语气说，"晚祷后我再来看你。"

摩顿森被隔壁房间里高分贝的说话声吵醒了。他站起身，看见阳光满屋，想必自己已经酣睡了一晚。在隔壁房间里，一位个子不大但肌肉健壮的巴尔蒂人盘坐在地上，满脸怒容，旁边还放着一杯冷掉的茶，摩顿森认出那是跟他们一起上过乔戈里峰的厨师阿格玛路。只见阿格玛路忽然起身，朝常嘎吉脚边吐了一口唾沫——这是巴尔蒂人表达侮辱、轻蔑的严重的方式。几乎是在同时，他看到了站在门口的摩顿森。

"吉瑞克医生！"他的脸整个亮了起来，如同山岩在太阳下发出的亮光。他开心地跑向摩顿森，给了他一个巴尔蒂式的拥抱。摩顿森一边喝茶，一边吃了六片白吐司，还配上令常嘎吉深感自豪的澳洲越橘果酱（虽然他对果酱的来源避而不谈），终于明白一场关于他的拔河正在进行。他带来学校建材的消息已经传遍了斯卡都，曾帮他煮过好几个月豆子菜汤"达尔"和"恰巴帝"的阿格玛路正是来要人的。

"吉瑞克医生，您曾经答应过要来拜访我的村庄。"阿格玛路说道，他和许多高山协作一样，也发不准"葛瑞格"的音。摩顿森心想，这倒是实情。"有一辆吉普车在外面等着载我们到可安村。"阿格玛路继续说，"我们现在走吧。"

"明天，或者后天吧。"摩顿森说。他扫视着常嘎吉的房子，价值超过七千美元的一卡车建材昨晚才运到这里，现在连一根钉子都看不到，不在这间房里，不在隔壁，也不在窗外一目了然的院子里。他不禁担心起来。

"但是我们整个村子都在等您。"阿格玛路说，"我们已经把特别晚餐都准备好了。"对摩顿森来说，浪费巴尔蒂人辛苦挣来的一顿晚餐，那种罪恶感让他无法承受。常嘎吉跟着他走到阿格玛路雇来的吉普车前，也不在乎是否在受邀之列，就一屁股坐进后座。

在斯卡都东边，柏油路消失不见，乡村土路取而代之。"可安离这里多远？"摩顿森问道。锈红色的丰田陆地巡洋舰在不比轮胎宽多少的路上蹦蹦跳跳。他们正沿着印度河边狭窄蜿蜒的山路驶向一条岩架。

"非常远。"常嘎吉皱起了眉头。

"非常近。"阿格玛路反驳着，"只要三到七个小时。"

摩顿森靠回驾驶座旁的"贵宾席"，开始大笑，他早该想到在巴基斯坦走上一趟路要花的时间。他能感受到后座那两人之间的关系如箭在弦，紧张得快赶上了丰田车的悬吊系统。前方，透过布满蜘蛛网般裂痕的挡风玻璃，摩顿森可以看到海拔五千米以上的喀喇昆仑山麓全景，碧空无瑕，群山鹤立，断裂的岩石与褐色的山峰融合成难以名状的雄美，他心中涌起无法言喻的快乐。

沿印度河某条支流行驶了好几个小时之后，他们转向南边通往印度的方向，接着继续沿什约克河往胡歇艾河谷前行。冷冽的蓝色雪水流过自断崖落下的巨石，发出震天的轰响。

车子往上爬的时候，被一块块马铃薯与小麦梯田环绕的雄伟山壁，看上去像是硕大无朋的城堡上的雉堞。未及傍晚，胡歇艾河谷逐渐变窄成为隘口，周围一片雾气迷蒙，前方路途模糊难辨。在乔戈里峰大本营的几个月里，摩顿森曾趁等待暴风雪过去的时间，仔细研究过喀喇昆仑山的地形图。他知道，前方就是世界上最可怕的山峰之一，海拔超过七千八百米的玛夏布洛姆峰。

与喀喇昆仑中央山脉的大多数高峰不同，从南边的克什米尔方向看玛夏布洛姆峰的轮廓清晰可见，所以在1856年进行测绘时，英国皇家工程师蒙哥马利将这座矗立在雪地中的巨大灰白岩峰称为"K1"，也就是喀喇昆仑山脉一号峰，因为这是第一座从远处即可正确勘测的高峰。位于K1东北方二十公里的，是比它更高但较难目测的邻峰乔戈里峰，因为"发现"的时间较晚而被命名为"K2"。摩顿森凝望着美国登山家乔治·贝尔、威廉·安索德、尼克·克林区以及他们的巴基斯坦搭档杰欧得·阿格塔上尉在1960年首度成功登顶时，曾经身处的那一片白茫茫，期待着玛夏布洛姆峰的尖顶能穿出云层；但山峰反而把它的披风穿得更紧了，只有高悬的冰川上反射的一点点阳光，从云雾中穿透出来。

吉普车停在一座"藏母巴"（桥）旁边，摩顿森下了车。桥在什约克河上摇摆不定，他对这种用牦牛毛编成的绳桥一直不放心，因为桥是为比他体重轻一半的巴尔蒂人量身制造的。阿格玛路和常嘎吉也跟上来，桥晃得更厉害了。摩顿森挣扎着站稳脚步，紧紧抓住扶把，像高空走钢丝一样在单股绳索上移动着四十八厘米的大脚，再往下一百五十米就是湍急汹涌的河水。被河水溅湿的"藏母巴"湿滑难行，摩顿森完全专注于脚下，直到快走到对岸，才注意到有一大群人正在桥头欢迎他。

一位穿着登山冲锋裤和印着"爬得更高"字样的短袖衬衫，留着胡子的瘦小巴尔蒂人，拉着摩顿森踏上了可安村的坚实土地。这个人名叫将宗帕，摩顿森攀登乔戈里峰时，他在物资充沛的荷兰登山队担任高山协作队长。他最神奇的能力是，每当阿格玛路做好午餐时，他总能刚好蹓跶到大本营来。摩顿森很喜欢将宗帕讲那些夸张的冒险故事，总是要他一讲再讲数十次带登山队攀登巴托罗冰川的经过。相当西化的将宗帕跟摩顿森握手致意，接着就引他穿过可安村泥板屋间的狭窄巷弄，在经过堆满垃圾的灌溉渠道时，还对摩顿森施以援手。

将宗帕走在二三十人的队伍前列，为大块头的外国朋友领路，后面还跟着两只眼神悲戚的山羊。一行人转进一栋考究的白色水洗石屋舍，爬上原木阶梯，朝着香气四溢的厨房走去。

摩顿森坐在主人示意的坐垫上，可安的村民们也挤进了小房间，围成一圈坐在褪色的花卉地毯上。从摩顿森坐的位置可以清楚看到邻近房舍的屋顶，以及更远处陡峭的石峡，那是可安的饮用和灌溉水源。

将宗帕的儿子在人圈中间铺开一张粉红色的塑料桌布，然后端上炸鸡肉、甘蓝生菜色拉、煮羊肺和羊脑，放在摩顿森脚边。直到摩顿森抉起第一块鸡肉，主人才开始说话，"我要谢谢吉瑞克先生的光临，感谢他为可安村带来了一所学校。"将宗帕说。

"给可安村的学校？"摩顿森哑声说道，差点被鸡肉呛着。

"是的，一所学校，您答应过的。"将宗帕说着，同时环顾周遭围坐的人们，仿佛在向陪审团做总结一样。"一所登山学校。"

摩顿森一边审视每个人的脸，一边迅速在记忆中搜索着，希望能找出些蛛丝马迹，证明这一切只是个精心设计的玩笑，但可安村民的脸却和窗外的山岩一样冷峻。他回忆着在乔戈里峰几个月的时光，他的确和将宗帕讨论过，为巴尔蒂协作提供一些专业攀登技能培训，因为他们经常连最基本的登山救援技术都没有，将宗帕也常常谈到巴尔蒂协作和挑夫的高受伤率和低工资。摩顿森清楚记得将宗帕曾经描述过可安村，也邀请他来访，但他很确定他们从没谈过学校的事，更别说任何承诺了。

"吉瑞克先生，别听将宗帕的！他是个疯子。"阿格玛路说。摩顿森听了如释重负。"他说登山学校，"阿格玛路用力地摇着头继续说道，"可安需要的是一般的学校，给可安的孩子，不是给他盖大房子用的——这才是你该做的。"摩顿森刚放松的心情又紧绷起来。

常嘎吉坐在摩顿森左边，斜靠在圆鼓鼓的垫子上，仔细用指甲挑着鸡腿肉吃，脸上带着浅浅的微笑。摩顿森试着捕捉常嘎吉的眼神，希望他能开口结束这团混乱，但是一场巴尔蒂语的激烈争吵已经展开，形成了分别支持阿格玛路和将宗帕的两派人马，妇女们则纷纷爬上邻舍的屋顶，希望能听清楚争执的内容。

"我从来没做过任何承诺。"摩顿森试着解释，先是用英文，发现没人听，又用巴尔蒂语说了一遍，但根本没人理会他的存在。摩顿森只好继续听，尽可能努力了解他们争吵的内容。在两人的争执中，他不断听到阿格玛路说将宗帕贪婪，而面对这些指责，将宗帕则是一再重复摩顿森曾经答应过他。

一个多小时后，阿格玛路突然站了起来，拉住摩顿森的手，仿佛把摩顿森带回他家就可以决定结果一样，领着仍在叫嚣的队伍走下原木阶梯，跨过一条泥泞的沟渠，来到自家的阶梯。人群以同样的方式坐在这间较小的屋子里，阿格玛路十多岁的儿子端出了另外一顿晚餐，放在摩顿森面前。这次的甘蓝色拉盘多了圈山花装饰，炖羊肉上面漂浮着的是发亮的羊肾，除此之外，这顿晚宴和将宗帕家里那顿大餐几乎没有区别。

阿格玛路的儿子舀起一颗羊肾——他认为最美味的佳肴——盛到一碗饭上，端给摩顿森，害羞地微笑着退到一旁。摩顿森把羊肾拨到一边，只吃着拌肉汁的白饭，不过没人注意他，仿佛他又成了隐形人。可安的人吃起饭来和吵架一样专注，之前的激烈争执和愤怒情绪荡然无存，似乎和眼前的鸡肉羊骨一样，被完全嚼碎消化掉了。

漫长的争吵进入了第四个小时，摩顿森的眼睛已经被满屋的香气熏肿了。他爬到阿格玛路家的屋顶，背着风头靠在一捆刚刚收割的荞麦束上。东边的山脊上，月亮正缓缓升起，倾泻着大片的银光。山风吹散了玛夏布洛姆峰顶的云雾，银白的月光把山脊棱线刻画得异常清晰。他良久凝视着如刀一样锐利的峰脊，心里十分清楚，再过去一点就是乔戈里峰金字塔状的巨大山影。摩顿森心想，作为一个登山者来到巴基斯坦，是多么简单的一件事啊！一切都简单清晰：锁定目标，组织一群人，准备好装备，你就可以开始登山之旅，而结果无外乎成功或者失败。

底下房间里的烟味、燃烧的牦牛粪烟雾都从屋顶上的方形大洞排出来，把摩顿森的屋顶小巢熏得臭不可抑，再加上村民们愈演愈烈的争执，他万分沮丧。从背包里拿出一件薄外套，他躺回荞麦堆上，把衣服当成毯子盖在胸前。接近满月的月亮已经离开了山脊，在崖壁的最高处照耀着，就像一颗即将陨落、随时可能压碎可安村的巨石。

"尽管掉下来吧。"摩顿森心想，倦然睡去。

清晨，玛夏布洛姆峰南侧再度被云雾遮住，摩顿森双腿僵硬地爬下屋顶，发现常嘎吉正在喝奶茶。他坚持要常嘎吉在另一回合的饭局和争执开始前，把他们带回斯卡都。将宗帕和阿格玛路都坐进了吉普车，不肯放弃任何可能胜利的机会。

返回斯卡都的路上，常嘎吉脸上一直挂着高深莫测的微笑。摩顿森咒骂自己浪费了这么多时间。他们回到斯卡都时，冬天的寒意渐浓，仿佛也在提醒摩顿森"暖和天气就快结束，没有时间盖学校了"。低垂的乌云渐渐遮蔽了周遭的群山，细雨眷恋不去地飘浮在空气中，大雨酣畅淋漓的爽快季节早已过去。

虽然吉普车盖上了塑料布，但车子到达常嘎吉的屋舍时，摩顿森的夏瓦儿卡米兹已经湿透了。"先这样吧，"常嘎吉看着摩顿森满身泥泞的土色夏瓦儿，"我让雅古烧些热水。"

"一切开始之前，先让我们搞清楚几件事。"摩顿森无法遏制心中的怒火，"第一，我那些盖学校用的物资呢？怎么都看不到了？"

常嘎吉赐福似的站立着，"我把它们搬到另一个办公室了。"

"搬走了？"

"是的……搬走了。搬到比较安全的地方。"常嘎吉的声音带着委屈和勉强，仿佛遭了天大的冤枉。

"这里有什么不好？"摩顿森问。

"这附近有很多盗匪。"常嘎吉回答。

"我现在要看到所有的东西。"摩顿森站起来，逼近常嘎吉。常嘎吉闭上眼睛，十指交缠，两只大拇指绞绕着，像是希望摩顿森从眼前消失一样。最后他慢慢睁开眼。

"太晚了，我的助理已经带钥匙回家了。"常嘎吉说，"而我现在必须要清洗准备晚祷。不过我向你保证，明天你会百分之百满意。然后我们一起，把这些叫嚣的村民搁到一边去，开始施行你的计划。"

天一亮摩顿森就醒了，他披着常嘎吉的睡袋，走到露水打湿的街上。城镇周围，海拔五千米以上的山峰全隐在压低的云层里。没有了山峰的映衬，斯卡都肮脏破乱的市集，又矮又窄的泥造煤砖房舍，让人觉得说不出的丑陋。在加州时，摩顿森总把斯卡都描绘成神秘高山王国金碧辉煌的首都，里面住着善良淳朴的人们。此时站在细雨中，他开始怀疑自己是不是一直在欺骗自己，是不是因为在乔戈里峰劫后余生的兴奋，没有对这个地方、这里的人做出理智的判断？

摩顿森甩了甩头，似乎想甩掉重重疑虑，但却挥之不去。科尔飞离这里只有112公里，却让他觉得咫尺天涯。他会找到那些建材，然后设法到科尔飞去。已经走了这么远，他必须相信这一切是有意义的。他选择了那个位于布劳渡河上方的荒芜地区，因为那里有他相信和为之努力的意义。在放弃希望之前，他得到那儿去。

早餐时，常嘎吉表现得异常热心，一直亲自帮摩顿森倒茶，并且不断保证，吉普车一到他们就出发。绿色的丰田吉普车到达之前，将宗帕和阿格玛路也从前一晚过夜的卡车司机休息室走了出来。一行人在沉默中上路。

他们向西穿过沙丘，没有沙子的地方，田边放着一袋袋刚采收的马铃薯，堆得几乎跟人一样高，起初摩顿森还以为那是在细雨中无声等待的人。风转强了，吹开云团，摩顿森瞥见头顶上方闪现的雪原，觉得心情好了些。

68

离开斯卡都一个半小时后，车子转进一段有明显车痕的山路，朝着野柳树荫下的房屋群前进。那些土石盖成的大房子看起来相当舒适。这里是库阿尔都，常嘎吉的家乡。常嘎吉带着和房子完全不相称的一行人穿过羊圈，用穿着凉鞋的脚推开羊群，走上村里最大房舍的二楼。

　　在起居室里，他们靠着的不是平常那种布满灰尘的花草坐垫，而是紫绿相间的登山专用自动充气垫。墙上挂着几十张常嘎吉的加框照片，他永远是一身雪白，与身旁脏兮兮的登山队员们形成强烈的对比。摩顿森看到了自己，照片中的摩顿森开心地将手搭在常嘎吉的肩膀上。他无法相信那张照片是一年前拍的，照片中的自己好像另外一个人，比现在的他要年轻十岁。厨房里的妇女在看似登山用的炉具上炸着东西。

　　常嘎吉走进另一个房间，在夏瓦儿上套了件灰色水手领的克什米尔毛衣，然后又回到起居室。五位有着蓬乱胡子、头戴棕色羊毛帽的老者走进了房间，热情地跟摩顿森握手，然后才在露营睡垫上找到位置坐下。接着又有五十位库阿尔都村民进来，围着塑料桌布挤坐在一起。

　　常嘎吉指示仆人们上菜，菜色多到摩顿森必须挪脚让出空间来才摆得下。三只烤鸡，装饰成圆花状的小红萝卜和甘蓝，点缀着坚果和葡萄干的一大盘的菜饭，裹粉炸的花椰菜饼，还有正在一大碗辣椒马铃薯炖肉里漂浮着的肉，看起来像是牦牛的精华部位。摩顿森在巴基斯坦从来没见过这么多食物。那股一路上被他拼命压下去的恐惧，此时又一股脑儿升起，他几乎可以闻到冲进喉咙里的胃酸。

　　"我们到这里做什么，常嘎吉？"他问，"我的材料呢？"

　　常嘎吉挟了牦牛肉放在一碗丰盛的菜饭上，递到摩顿森面前，然后才开口回答："这些是我们村里的长者。"他边说边向五位干瘪的老人点头致意。"我可以向你保证，在库阿尔都不会有争执。他们已经同意在冬天之前，把你的学校盖在我们村子里。"

　　摩顿森二话不说站了起来，一脚跨过食物。他知道这样拒绝他们的热情招待有多无礼，也知道用这种方式拒绝老者是多么不可原谅，更严重的是，他还用不洁的脚跨过他们的食物。但他没有办法，他必须到屋外去透透气。

　　他一直往前跑，直到把库阿尔都远远甩在身后，气喘吁吁地冲上一条陡峭的牧羊人小径。高海拔让他严重气喘，胸口似乎正在撕裂，但是他逼着自己继续跑，直到天旋地转为止。在一块俯瞰库阿尔都的空地上，他终于倒了下来，拼命喘息着。自克莉丝塔过世后他就没哭过，但这一刻，他独自伏在寒风凛冽的牧草地上，把脸埋在手心里，拼命擦拭着止不住的泪水。

他终于抬起头时，看到十几个孩子从一棵桑葚树后头远远盯着他。这些到山上放牧的孩子们，看到一个奇怪的"安格瑞兹"坐在地上哭，就好奇地把羊儿们抛在脑后，任它们在山上到处乱跑。摩顿森站了起来，用衣服擦擦脸，走向孩子们。

他蹲跪在年纪最大的孩子身旁。"你……是……什么？"孩子害羞地问道，然后伸出了手，马上被摩顿森的大手握住。

"我是葛瑞格，我是好人。"他回答。

"我是葛瑞格，我是好人。"孩子们异口同声地用英文重复。

"不是，我是葛瑞格，你叫什么名字？"他又试了一次。

"不是，我是葛瑞格，你叫什么名字？"孩子们边重复，边咯咯笑了起来。

摩顿森换成巴尔蒂语。"民它可波葛瑞格，恩嘎亚美利坚因（我是葛瑞格，我从美国来）。其瑞民它可波因（你叫什么名字）？"

孩子们高兴地拍起手来，终于能听懂"安格瑞兹"说什么了。

孩子们一个个自我介绍，摩顿森也一一和他们握手；女孩们在和外国人握手前，还特别小心地用头巾把手包起来。然后他站了起来，背靠在桑葚树上，开始给孩子们上课。"安格瑞兹，"他用英文说，然后指着自己，"外国人。"

"外国人。"孩子们齐声喊着。摩顿森指着自己的鼻子、头发、耳朵、眼睛和嘴巴，孩子们复诵着每一个陌生的音节，然后又是一阵笑声。

半个小时后，常嘎吉终于找到摩顿森时，他正跪在孩子堆中，用桑葚树枝在地上画着九九乘法表。

"葛瑞格医生，回来，进屋吧！喝些茶，我们有很多事情要谈。"常嘎吉请求着。

"在你把我带到科尔飞以前，我和你没话谈。"摩顿森说，眼神一直停在孩子们身上。

"科尔飞很远，而且很脏。你喜欢这些孩子，为什么不在这里盖学校呢?"

"不对,"摩顿森用手掌擦掉一个认真的 9 岁女孩的答案,然后写下正确答案,"6 × 6 = 36。"

"葛瑞格,先生,求求你。"

"科尔飞,"摩顿森说,"在到那里之前我和你没什么好说的。"

河在他们的右手边,在房子般大小的巨石间奔涌着。丰田车一路在褐色的急流边浮沉,仿佛随时都会被吞没,一点儿也不像是沿着布劳渡河北岸的"路"行驶。

阿格玛路和将宗帕终于放弃了,决定不再一路追到布劳渡河谷,而是匆忙与摩顿森道别,坐上另一辆返回斯卡都的吉普车。坐丰田车到科尔飞需要八个小时,摩顿森有充裕的时间思考。后座的常嘎吉摊开四肢,靠在一袋印度巴斯马帝米上,用白色的羊毛帽盖住眼睛,在颠簸的车子里打起了瞌睡——或者至少看上去像是在打瞌睡。

摩顿森感到有点对不住阿格玛路,他不过是希望村里的孩子有一所学校而已。但将宗帕和常嘎吉耍心计、不诚实,让他很愤怒,这愤怒完全遮盖了他对阿格玛路的感激之情,把他所有的情绪都染成了沮丧的黑褐色,就像身旁的河水一样。

也许他对这些人太严厉了:他们之间的经济环境相差太悬殊了。一个连全职工作都没有、晚上睡在储藏室里的美国人,对这群身处全世界最贫穷的国家、最贫穷的地区的人们而言,有没有可能就像一块闪闪发亮的美钞招牌?他下定决心,如果这回科尔飞的村民也为这些财富争来夺去,他会更有耐性,听完所有人的话,把每一顿必要的饭都吃过,然后再坚持帮助孩子们盖一间学校,而不是独肥村长哈吉或任何一个人。

他们抵达科尔飞对岸时,天已经暗下来好几个小时了。摩顿森跳下车,眺望着遥远的彼岸,看不清楚对面是不是有人。在常嘎吉的指示下,司机打开大灯,又按起了喇叭。摩顿森走到灯光下,开始朝着黑暗挥手,直到河南边传来一阵叫喊声。司机把车转向,让灯光能照过河岸。他们看到峡谷上的缆绳吊着东摇西晃的箱子,里头坐着一个人,正用力拉着自己朝他们的方向过来。

摩顿森认出那是哈吉的儿子塔瓦哈，他跳下缆车，整个人冲向摩顿森，紧抓着他的手腕用力捏着，然后把头压在他胸前，整个人闻起来都是浓烈的烟味儿和汗臭味儿。塔瓦哈终于松开了手，他看着摩顿森，高兴地笑着。"我父亲，哈吉·阿里说，安拉有一天会送你回来，哈吉·阿里知道的，先生。"

塔瓦哈帮忙把摩顿森挤进缆车里。"那不过是个箱子，"摩顿森回忆道，"就像用几根钉子钉在一起的水果箱，你得抓着油腻的缆绳把自己往前拉，努力不去想它发出的叽叽嘎嘎声，不去想最明显不过的事实——如果箱子破了，你就会掉下去；如果你掉下去，就死定了。"

摩顿森在一百米高的缆车上缓缓把自己往前拉，箱子在刺骨的寒风中摇来晃去，他能感觉到下方飞溅上来的水雾。下方几十米深处，漆黑一片，他却可以听到布劳渡河猛力冲蚀巨石的声音。在吉普车大灯的映照下，他看到在彼岸远处上方的悬崖上，几百个身影正列队欢迎他，好像整个科尔飞的人都来了。最右边，也正是悬崖的最高处，有一个他绝不会认错的身影，双腿跨开站着，仿佛花岗岩雕出来的一般，蓄着大胡子的头颅像颗大卵石般协调地安置在宽肩膀上。那是哈吉·阿里，他正仔细看着摩顿森笨拙地把自己送过河。

哈吉·阿里的孙女嘉涵清楚地记得那个夜晚。"很多登山者都对布劳渡的人做过承诺，但等他们回到自己的家乡，就都把承诺忘了。祖父跟我们说过好多次，摩顿森医生和他们不一样，他会回来。但是我们很惊讶，他这么快就回来了。又看到他我很惊讶，他的身子长长的，与布劳渡的所有人都不一样。他真的很……很神奇。"

在嘉涵和其他村民的注视下，哈吉大声赞美安拉将他的客人平安带回来，然后拥抱摩顿森"长长的身子"。摩顿森惊讶地发现，在他记忆中高大的科尔飞村长，身高竟然只到他的胸部。

在哈吉家中央大厅的炉火旁，摩顿森曾经历过失败、迷途和筋疲力竭，此刻，他觉得像回到家一样。过去一年里，努力写赞助申请书与募款信，辛苦寻找各种方法回到这儿的时候，他一直思念着这些村民。而此刻，他真的回到了他们中间。他急着想把学校的事告诉哈吉，但还得遵守主客的礼仪。

莎奇娜从屋里出来，为摩顿森送上饼干和酥油茶。甜饼干是她特别照着古老的食谱做的，放在有缺口的盘子里。摩顿森把饼干掰开，拿了一小片，然后把盘子传了下去，让其他人分享。

等到摩顿森喝了口酥油茶后，哈吉才拍了一下他的膝盖，露出牙齿笑着说："奇咱哩?"和摩顿森一年前来到他家时间的话一模一样，意思是"怎么回事?"但摩顿森这回既没迷路也没耗尽体力，他努力了一整年回到这里，是为了告诉他们一个消息，一个他急着要告诉他们的消息。

"我带来了盖学校的所有材料!"他用巴尔蒂语说出了这句练习过好多次的话，"所有木料、水泥和工具，现在都在斯卡都。"他看着正把饼干蘸进茶里的常嘎吉，兴奋得脸都红了。他对常嘎吉的愤怒已经消失，这个人虽然带他多绕了一些路，但毕竟还是把他带到了这儿。"我回来实践我的承诺，"摩顿森直视哈吉的眼睛说，"而且我希望尽快开始动工，如果安拉愿意。"

哈吉·阿里把手插进背心口袋里，若有所思地玩弄着瓠羊肉棒。"葛瑞格医生，"他用巴尔蒂语说，"在最慈悲的安拉祝福下，你回到了科尔飞。我一直相信你会回来，也说过好多次，多得像那经常吹遍布劳渡河谷的风一样。因此，当你在美国的时候，我们也一直在讨论学校的事。我们非常想给科尔飞盖学校，"哈吉·阿里两眼紧紧盯着摩顿森，"但是瓠羊爬上乔戈里峰之前，必须要先渡过布劳渡河。因此，在盖学校之前，我们必须先造一座桥。"

"藏母巴?"摩顿森重复着，希望这只是个可怕的误会。"一座桥?"他用英文又说了一遍，想确定自己没听错。

"是的，一座大桥，石头的那种。"塔瓦哈说，"这样我们才能把学校扛到科尔飞村子里。"

摩顿森喝了一口茶，却时时咽不下去，他在思考。

他又喝了一口茶。

九　人民在说话

我的同胞，为什么自由不在美丽女子的美丽双眸中？

它们像子弹般射穿男人，它们像利剑般必然砍伐。

——世界上已知最古老佛教石雕上的涂鸦，

位于巴尔蒂斯坦沙帕拉河谷

　　旧金山国际机场，到处都是紧抓着孩子、神经紧绷的母亲。圣诞节将至，成千上万赶着搭机的疲惫旅客蜂拥而至，希望能及时回家与家人共度佳节。但航站楼的微弱广播一次又一次宣布班机延误的消息，机场大厅室闷的空气里弥漫着明显的焦虑和恐慌。

　　摩顿森走到行李转盘，等待他那破旧的背包从成堆的行李箱中出现。把背包甩到肩上，脸上挂着入境旅客特有的微微笑容，摩顿森开始跟刚下飞机时一样，用期待的眼神扫视人群，希望能看到玛琳娜。但无论他怎么寻觅，都看不到玛琳娜乌黑的秀发。

　　四天前他们通过一次电话。他在拉瓦尔品第的电信局，通过充满回音和噪声的电话线跟她对话。摩顿森听她说要来接机，但还没来得及重复航班信息，他预定的六分钟电话就被切断了，担心花钱，所以他也没再打电话。此时他又在付费电话亭拨了玛琳娜的电话，不过回应他的是自动录音。"嗨，亲爱的，"他清楚地听到了自己声音里的欢喜，"是我，葛瑞格，圣诞快乐。你好吗？我很想你。我顺利到旧金山机场了，会搭湾区捷运到你那里——"

　　"葛瑞格，"她接起了电话。"嗨。"

　　"嗨，你好吗？"他说，"你听起来有点……"

　　"听我说，"她说，"我们必须好好谈谈，你离开后，事情发生了一些变

74

化。我们能谈谈吗?"

"当然。"他感到腋下的汗水正刺得皮肤发痛,上次冲澡已经是三天前的事了。"我现在就回家。"他挂上了电话。

他很害怕在学校计划毫无进展的情况下返家。但在漫长的越洋旅程中,只要一想到玛琳娜、布莱兹和戴娜,所有的恐惧就减轻了。他想,飞离了失败,至少还可以飞回所爱的人身边。

他先坐巴士到最近的湾区捷运站,再搭捷运到旧金山市中心转搭去往外日落区的街车。他反复想着玛琳娜的话,一路忐忑不安,揣测着她话里暗藏的讯息。他知道,除了从拉瓦尔品第打的那个电话之外,他已经有好几个月没有跟她联络过,但她应该能理解,为了把建学校的费用控制在预算内,他不能总是花钱打国际长途电话。他会努力弥补的,他打算用柏克莱银行里仅剩的一点钱,带她和孩子们到什么地方度个假。

他抵达玛琳娜住处附近时,已经是两个小时之后,太阳早已沉入灰蒙蒙的太平洋中。他走过好几条街,越过装饰着圣诞灯饰的整齐的灰泥房屋,走进寒冷的海风里,然后爬上她的公寓楼梯。

玛琳娜开了门,单手拥抱了他一下,然后站在门口,清楚地表示不打算请他进去。

"我只想跟你说。"她说。他等着听,背包还背在肩上。"我和马利欧又开始约会了。"

"马利欧?"

"你忘了马利欧,那个从加州大学旧金山分校毕业的麻醉医师?"摩顿森站着,茫然地看着她。"我之前的男友。我记得告诉过你,我们……"

玛琳娜继续往下说,内容大概是在提醒他,他曾经见过马利欧几次,他们一起在急诊室工作过,等等,但这个名字对他没有任何意义。看着她的嘴唇,丰满的唇,他想,那是她最美的地方。看着她的丰唇,他没有办法思考任何事情,直到他听到"……所以我帮你订了间汽车旅馆"。

玛琳娜还没说完,摩顿森已经转身离开,走进冷冽的海风中。天已经全黑了,他发现背包突然变得很重,重得他根本走不完另一条街。幸好,"海滩汽车旅馆"的红色霓虹灯招牌就挂在拐角,像个亟待处理的巨大伤口。

跟口袋里最后的现金告别后,摩顿森住进一间合成板装潢、烟味熏人的客房里。他冲了个澡，在背包里翻找干净衬衫，穿上其中最不皱的一件。昏暗的灯光和开着的电视让他昏昏欲睡。

一个小时后，敲门声将摩顿森从累得连梦都没有的熟睡中惊醒，他坐了起来，环顾四周，还以为自己仍在拉瓦尔品第。电视上一个叫纽特·金瑞契的人正在播报新闻，一个美国人说着他无法理解的话："少数党党棍要求共和党执政。"

他摇摇晃晃地走过去开门，仿佛房间正漂在大海上。玛琳娜站在门口，穿着他最喜欢的黄色大衣。"我很抱歉，这不是我想象的结果。你还好吗？"她一边问，一边裹紧原本属于他的黄色大衣。

"这真是……我想……不好。"摩顿森回答。

"你刚才在睡觉吗？"玛琳娜问。

"是的。"

"我并不想让事情变成这样，但你在巴基斯坦的时候，我没办法联络你。"房门大开，只穿着内衣的摩顿森被寒风灌得直发抖。

"我寄了明信片给你。"他说。

"告诉我屋顶材料的价格……喔，还有花多少钱租卡车到斯卡都……还真是浪漫啊！除了不断拖延时间，你从来没提过我们的事。"

"你什么时候开始和马利欧约会的？"他强迫自己不去看她的嘴唇。或许注视她的眼睛会好些，但他又觉得这还是太危险，只好把目光转开。

"那不重要。"她说，"你的明信片告诉我，打你离开后，我就不存在了。"

"不是那样的。"摩顿森说。心里却在问自己：真的是这样吗？

"我不希望你恨我。你不会恨我，对吧？"

"还没。"他说。

玛琳娜放下叉在胸前的手臂，叹了口气。她右手拿着瓶儿爱尔兰百利甜酒，递给摩顿森。他接了过来，大约还有半瓶。

"葛瑞格，你是个好男人。"玛琳娜说，"再见了。"

"再见。"摩顿森把门关上，免得说出让自己后悔的话。

他站在空荡荡的房间里，手中握着还剩半瓶或者说只剩半瓶的酒。这不是他会喝的那种酒，玛琳娜应该知道才对。摩顿森不常喝酒，更不会一个人

乔戈里峰，1993年摩顿森攻顶失败期间所摄。（葛瑞格·摩顿森摄）

摩顿森（右三，戴帽子的），史考特·达斯尼（右一），登山队长唐·马祖尔（右二），
强纳森·普瑞特（左一）一行由西壁攻顶 K2 峰之前所摄。（史考特·达斯尼摄）

穆札佛·阿里，著名的巴尔蒂高山协作，曾带摩顿森安全走出巴托罗冰川。（葛瑞格·摩顿森摄）

哈吉·阿里，科尔飞村村长，摩顿森的引路人。（葛瑞格·摩顿森摄）

摩顿森与妹妹凯芮（中间站着的）、桑雅和家族朋友约翰·摩西在坦桑尼亚。（葛瑞格·摩顿森提供）

美国喜玛拉雅基金会晚宴上，摩顿森（左一）与埃德蒙·希拉里（中间），还有中亚协会创建者吉恩·霍尔尼在一起。在这次晚宴上，摩顿森遇到了他的妻子塔拉·毕夏。（葛瑞格·摩顿森提供）

通往布劳渡河谷的唯一道路因山崩中断，科尔飞人在谢尔·塔希的带领下徒步 18 公里山路将学校的屋梁背回村里。（葛瑞格·摩顿森摄）

建设中的科尔飞学校。(葛瑞格·摩顿森摄)

摩顿森与康代学校的学生在一起。(大卫·奥利佛·瑞林摄)

胡歇艾学校开学典礼。(葛瑞格·摩顿森摄)

　　摩顿森与中亚协会成员及其支持者在斯卡都。前排蹲着的是：萨都拉·贝格（左）、沙尔法拉兹·卡恩；后排站着的是：左起依次为穆罕默德·纳兹、费瑟·贝格、古拉姆·帕尔维、阿波·穆罕默德、麦迪·阿里、苏利曼·敏哈斯。(大卫·奥利佛·瑞林摄)

喝酒，而且再没有比甜酒更让他讨厌的酒了。

电视上一个尖锐武断的声音正告诉采访者："美国已经开始第二次革命，你应该相信我。在共和党占多数的国会中，美国人民的生活将会变得不一样，这是人民在说话。"

摩顿森走到房间另一头的垃圾桶边，那是个深色金属材料做的大垃圾桶，已经十分破旧了。他把手移到垃圾桶上方，伸直手臂，然后放手。百利甜酒跌进金属垃圾桶发出"砰"的一声，听在耳里，就像甩上铁门时发出的声音。他倒回床上。

钱和痛在摩顿森的心里争夺着主导权。过完短暂的假期，他想从提款机里取出两百美元，上面的余额显示，账户里只剩八十三块钱了。

摩顿森打电话给旧金山大学医学中心的主管，希望在财务危机变得更糟前尽快开始排班。"你说感恩节会回来帮忙，"主管说，"现在连圣诞节都过去了。葛瑞格，你是我们最好的护士之一，但如果你不出现，对我们来说就什么都不是。你被开除了。"那天晚上在电视上听到的那句话，几天来一直在他脑海里徘徊不去："人民在说话。"他苦涩地重复着这句话。

他打了三四通电话给登山界的朋友们，想先找一个暂时的落脚处，然后再做打算。在柏克莱罗琳娜街一栋老旧的维多利亚式房屋的二楼玄关他整整住了一个月。不管是刚从优胜美地回来的柏克莱研究生和登山客，还是正准备去的，每个晚上都会在楼下举办狂欢派对，一直搞到三更半夜。睡在二楼走道的睡袋里，摩顿森努力忽略薄纸般的隔间里传来的做爱声。他睡觉的时候，上洗手间的人得从他身上跨过去。

只要够积极，一位合格、称职的护士就不会失业太久。一连几天搭着大众运输工具去面试，尤其是在下雨天，他总会猛然惊觉"青春传奇"已经不在了。几天后，"旧金山一般创伤中心"以及柏克莱的"阿塔贝茨医疗中心烧伤部门"都通知他被录取了，担任没人愿意做的大夜班护理。

他努力存了一些钱，在环境恶劣的惠乐街上，一栋没电梯的三楼公寓里分租了一个房间。二房东名叫维陀·杜得辛思基，是位波兰籍杂工，也是个老烟枪。和杜得辛思基做伴的几个晚上，摩顿森发现他一直在喝酒——一种没名字的蓝色伏特加，每次他都要买上好几打，就着酒发表关于教宗圣保罗二世的独白。灌足了伏特加后，他就完全不理会摩顿森，开始自言自语了。所以大部分的夜晚，摩顿森都躲回自己的房间，努力忘记玛琳娜。

"我以前也曾经被女友甩过。"摩顿森说，"但这次不一样。这次真的很痛苦，但我没有别的方法摆脱，只能靠时间平复一切。"

有时在夜里，忙碌的急救处理可以让他忘掉自己，忘掉所有的烦恼。面对身体大面积遭到三级烫伤的5岁小女孩，他无法自怨自艾。在设备良好的西方医院里，所有医疗器材、药物和包扎用品都在手边，病人的痛苦可以马上减轻，不像他待了七个星期的科尔飞，得开八个小时吉普车才能取得药物。这是唯一让他快乐的事。

坐在阿里家的大厅，听老人跟他说着有关建桥的事情，摩顿森觉得自己的心像只从陷阱里逃脱的小兽，起初拼命狂奔，接着速度渐慢，最后竟然安顿下来，出奇的平静。他很清楚，自己已经奔跑到了终点：科尔飞，永恒冻土之前的最后一个村落。情况变复杂了，像在库阿尔都时那样跺脚出走并不能解决问题，而且他已经没有地方可以再逃了。常嘎吉唇角的微笑正在扩大，摩顿森明白这个人自以为已经赢了。

即使感到失望，摩顿森也无法生科尔飞人的气。他们当然需要一座桥，不然怎么盖学校？难道要把每一片木板，每一块屋顶的马口铁片，用湿滑的箱子一一运过布劳渡河？他开始生起自己的闷气来，气自己没能想得更周详，事先规划得更好。他决定待在科尔飞，直到把所有事情搞清楚——所有盖学校前必须先解决的事情。他绕了那么远的路才回到这里，再绕点路有什么关系？

屋里挤满了全村壮丁，却没有一丝声响。"告诉我桥的事。"他打破了沉默，问哈吉："我们需要什么？要怎么开始着手？"

他还在希望，桥能很快修好，而且不需要花太多钱。

"我们必须用很多炸药，切开很多很多的石头。"哈吉·阿里的儿子塔瓦哈说。接着是一阵巴尔蒂语的讨论，是该切割当地的石头，还是从河谷下游用吉普车运石头过来？关于哪里的石头质量最好，村民们展开了热烈的讨论，除此之外，大家的意见基本上一致：钢索和厚木板必须从斯卡都或吉尔吉特买好后运过来，这要花好几千美元，请技术工人又要好几千——总数接近五位数。摩顿森拿不出这么多钱。

他告诉他们，他大部分的钱都花在买学校的建材上了，所以他必须再回美国募款造桥。他以为科尔飞的村民们会和他一样痛苦，但等待对他们来说，就像在海拔三千米处呼吸稀薄的空气一样平常，早已是他们生活的一部分了。

每一年，他们都得在燃烧着牦牛粪的房间里等待六个月，等天气暖和起来才能回到户外。巴尔蒂猎人会一连几天跟踪一头羱羊，一小时又一小时慢慢潜行，直到靠得够近，才敢发射唯一的子弹。巴尔蒂新郎可能要等上好多年才能结婚——直到父母为他挑选的 12 岁女孩长大为止。遥远的政府曾经承诺，帮布劳渡河的居民盖学校，但几十年过去了，他们还在等待。耐心是他们最了不起的品质。

"谢谢你。"哈吉努力用英文说。把这件事搞成这样还被深深感谢，这让摩顿森感觉难以承受。他把老人拥进怀里，闻着他身上木材烟熏和湿羊毛的气味。哈吉开心地把莎奇娜从厨房叫出来，给客人再斟一杯现做的酥油茶——摩顿森越喝越喜欢的茶。

摩顿森要常嘎吉自己回斯卡都，满意地看到他脸上掠过了一丝震惊——虽然他很快就恢复了镇定。摩顿森必须在回美国前，把所有跟桥有关的事都弄清楚。

他和哈吉一起搭吉普车到较低的河谷地区，研究那里的桥。回到村里，他把村民们建桥的草图画在笔记本上，然后和科尔飞的长者们讨论，当他从美国回来时，村里哪一块地可以用来盖学校，如果安拉愿意的话。

当巴托罗冰川吹下来的寒风挟带着雪花，一点一点覆盖科尔飞时，村民们待在室内的漫长季节就开始了。摩顿森和他们一一道别。12 月中旬，在科尔飞待了两个多月后，他不能再延误回程的时间了。在半数居民家里喝过道别茶后，摩顿森乘着超载的吉普车一路颠簸回布劳渡河南岸——车上的十一位科尔飞村民坚持要送他到斯卡都。车子颠簸时，他们就会跌成一团，彼此靠在一起维持平衡，也相互取暖。

从医院值完班，走在回公寓的路上，世界似乎正处于黑夜与黎明的朦胧交界，寂寞让摩顿森身心俱疲，似乎再也找不到在科尔飞时的那种真挚情谊。而打电话给吉恩·霍尔尼，唯一可能帮他回到科尔飞的人，又实在令人恐惧，他连想都不敢想。

整个冬天，摩顿森都在攀岩健身房里攀岩。没有了"青春传奇"，去那里的路变得很麻烦，但他还是搭公交车去，一方面是为了运动，一方面是因为有人做伴。在他准备攀登乔戈里峰、打算把身体锻炼到最佳状态时，他是健身房会员眼中的英雄。但现在，只要他一开口，说的事情全都是关于失败的：一座没能登顶的山峰、一位分手的女友、一座待建的桥和一间没盖成的学校。

在一个下班后走回家的深夜，摩顿森在公寓对街被四个不到十四岁的男孩抢劫了。一个男孩用颤抖的手把手枪抵在摩顿森胸前，他的同伴搜刮着摩顿森的口袋。"妈的，这个混蛋只有两块钱。"男孩把钱放进口袋，然后把皮夹还给摩顿森。"我们怎么会碰到柏克莱最没用的白人？"

破产，失败，破碎的生活——从冬天到春天，摩顿森陷入深深的沮丧中。他回想着那些一路送他到伊斯兰堡的科尔飞村民的脸，那些充满希望的脸。一定的，如果安拉愿意，他很快会带着钱回来。为什么他们对他信心满满，可他对自己却信心全无？

5月的一个傍晚，摩顿森躺在睡袋上，一边想该清洗睡袋了，一边却挣扎着想是否该花钱去自助洗衣店。电话响了，是刘易斯·罗和德博士打来的。罗和德与搭档吉姆·威克伟尔于1978年成功登顶乔戈里峰，成为首度登顶世界第二高峰的美国人。摩顿森攀登乔戈里峰前曾打电话向他请教，之后他们偶尔联络，次数虽然不多，但谈得很投机。"霍尔尼告诉我你想盖所学校。"罗和德说，"事情进展得怎么样了？"

摩顿森把所有的事都说了，从五百八十封信开始，一直讲到他现在遭遇的造桥瓶颈。他也跟这位长者诉说起自己遇到的困难：失去女友，失去工作，以及最让他害怕的——失去方向。

"振作起来，葛瑞格。你当然会遇到一些问题。"罗和德说，"你现在打算做的事，比攀登乔戈里峰要困难太多了。"

"从刘易斯·罗和德口中说出的这几句话，对我的鼓励相当大。"摩顿森说，"他是我心中的英雄。"罗和德与伙伴威克伟尔为登顶经历的艰难，已成为登山史上的传奇。早在 1975 年，威克伟尔就曾尝试登顶。登山队摄影师盖仁·罗威尔还写了一本书，叙述这支队伍经历的艰辛，记录了登山史上最遗憾的一次失败。

三年后，罗和德跟威克伟尔再次回到乔戈里峰，这次他们从最险峻的西山脊爬到了距峰顶不到一千米的地方，结果遭遇雪崩，又被迫撤离。但他们并没放弃，而是在七千六百米的高度横跨乔戈里峰，改走传统的阿布鲁兹山脊路线，结果竟然成功登顶了。氧气存量已经不足的罗和德，明智地决定迅速下山，但威克伟尔则在峰顶徘徊，等着相机镜头解冻，好拍照记录他追求了一生的成功。这个失策的决定，差点要了他的命。

由于没有头灯，威克伟尔无法在黑暗中下山，被迫在山上露营过夜——这也成为登山史上海拔最高的露营纪录之一。威克伟尔的氧气用完了，出现了严重冻伤、肺炎、肋膜炎以及几乎致命的肺部栓塞。罗和德和其他队员全力用药物维持他的生命，直到他被直升机救援下山，送回西雅图进行重大的胸部修复手术。

刘易斯·罗和德的人生经历，让他明白追求目标的道路上必然会历经辛苦。他清楚摩顿森选择的道路有多么艰难。他的话让摩顿森觉得自己没有失败，只是还没有完成任务——暂时还没。

"打电话给霍尔尼，把你跟我说的事全告诉他。"罗和德劝告摩顿森，"让他支付造桥的钱。相信我，他付得起。"

打回来到现在，摩顿森第一次感觉到自己恢复成以前的那个摩顿森了。他挂上电话，火速在密封塑料袋里翻出写有霍尔尼姓名和电话的纸笺。"别搞砸。"那张纸上写着。嗯，也许他已经搞砸了，也许还没有——这要看你是和谁谈。边想着，他的手指已经拨起了电话。

十 造桥

这广大的山脉仅有少数生物存活，这个人类只能造访、无法定居的地方，生命有全新的地位……但群山并没有骑士精神，我们总是忘记它们的残暴，它们用风雪、岩石、冰冷无情地袭击冒险攀登的人。

——乔治·夏勒 《沉默之石》

电话中传出噼里啪啦的杂音，像是隔着半个地球，摩顿森知道其实对方离他不超过两百公里。"再说一遍？"那边说。

"色俩目（祝你平安）。"摩顿森对着话筒用力喊，"我要买 5 捆 125 米长的钢索，要三股的。先生，你有没有货？"

"当然有。"电话音讯突然清楚了。"一根钢索 15 万卢比，这个价钱能接受吗？"

"我有别的选择吗？"

"没有。"承包商大笑起来，"我是整个北部地区唯一拥有这么多钢索的人。我能请教您的大名吗？"

"摩顿森，葛瑞格·摩顿森。"

"您从哪里打的电话？葛瑞格先生，您也在吉尔吉特吗？"

"我在斯卡都。"

"方便问您为什么要用这么多钢索吗？"

"我有朋友住在布劳渡河上游，他们没有桥，我要帮他们造一座桥。"

"啊，您是美国人吧？"

"是的。"

"我听说过您要造桥的事。到您村里的小路,吉普车开得上去吗?"

"如果不下雨的话可以。您能把货送上去吗?"

"如果安拉愿意。"

他说"如果安拉愿意",而不是"不行"。十几通被拒绝的电话之后,这是摩顿森听到的最动听的回答,也是最有意义的回答。现在他有钢索了,这是建桥前最后也最困难的部分。时间是 1995 年 6 月初,如果没有其他无法克服的困难,桥在冬天前就可以修好,明年春天盖学校时就能派上用场了。

虽然摩顿森打电话给吉恩·霍尔尼时紧张得不得了,霍尔尼却出乎意料地和善,而且又开了张一万美金的支票给他。"你知道吗?我那帮子前妻,有的一个周末花的钱就比这个数多。"不过,他也要求摩顿森做出承诺。"学校能不能尽快盖好?我年纪大了,等盖好时,寄张照片给我。"摩顿森满怀喜悦地答应。

"这个人有钢索吗?"常嘎吉问。

"他有。"

"要多少钱?"

"跟你说的数目一样,一捆八百美元。"

"他会送货上去吗?"

"如果安拉愿意。"摩顿森把话筒放回常嘎吉办公室的话机上。带着霍尔尼的赞助金回到盖学校的轨道上摩顿森很高兴,而且这次他也很乐意利用常嘎吉公司的服务,虽然每笔交易常嘎吉都会抽取提成,但看在他广大人脉带来的效益上,这些佣金花得绝对值得。常嘎吉过去是警察,而且似乎认识镇上的每个人,加上学校的建材存放在他那儿,他也写了保管收据,没理由不对他的长处和人脉善加利用。

摩顿森睡在常嘎吉办公室吊床上的那个星期,每当看到墙上古旧的世界地图上,坦桑尼亚仍印着旧名"坦格尼噶"时,总有一丝怀旧的欣喜。他偶尔也喜欢听听常嘎吉以前小奸小恶的故事。夏天天气特别好,常嘎吉的生意很忙,筹备了好几支登山探险队,包括尝试攻顶乔戈里峰的德国登山队和日本登山队，以及二度攀登加舒尔布鲁木 IV 峰的意大利队。也因为如此，常嘎吉办公室的角落开始出现德国标签的高蛋白营养棒，就像松鼠过冬的坚果存粮；书桌后头则有一大箱日本宝矿力水特运动饮料，外加三四盒意大利脆饼。

订好了钢索，确定货会送到后，摩顿森乘吉普车去了艾斯科里，一路穿过苹果和杏桃树的隧道攀升，直到希格尔河谷。晴空万里，海拔五千多米的红褐色锯齿状山脊仿佛触手可及，山路则像从悬崖中雕刻出来的，勉强能让车子通过。

但当他们转到布劳渡河时，南方急驰而来的云层——印度飘来的季风雨——开始笼罩车子。等他们抵达艾斯科里时，由于没有车窗，车里人人都已经淋成了落汤鸡，溅了一身泥。

进入艾斯科里后，大雨狂泻，司机说什么也不肯继续摸黑前进，摩顿森只好下车。到科尔飞至少还要步行好几个小时，他不得不在村长哈吉·麦贺迪家隔壁的商店里借宿一晚，躺在一袋袋稻米上，拼命把爬上来躲雨的老鼠赶下去。

好不容易到了清晨，暴雨仍然像世界末日般倾泻不止，吉普车司机也接了活计把一批货运回斯卡都，于是摩顿森决定步行上路。他一直想改变对艾斯科里的印象，努力去欣赏这个地方，但这个村镇已被"污染"得相当严重。所有往西北去的徒步者和登山队都会途经这里，许多人要在这里雇用挑夫、添补用品，不肖商人们已经学会了狠狠敲西方人的竹杠。换言之，艾斯科里的商人通常会哄抬物价，并拒绝任何议价。

摩顿森在一条积水深达半米、两旁都是土石屋圆墙的巷子里蹒跚前行，突然觉得上衣被人从后头拉住。他转身一看，一个满头虱子的男孩伸手向他讨钱。摩顿森从帆布包里拿了个苹果给他，男孩却随手丢进水沟。

经过艾斯科里北边的一段路时，摩顿森得用衣角捂住鼻子才能呼吸。这里是无数登山队伍攀登巴托罗冰川的大本营，几百堆粪便发出阵阵恶臭。

摩顿森最近读了海琳娜·诺伯·霍吉的著作《古代的启示》，对作者的观点深有同感。诺伯·霍吉在此山南边的拉达克住了十七年。拉达克和巴尔蒂斯坦几乎一模一样。诺伯·霍吉研究拉达克文化近二十年之久，最后的结论是：比起无限制地"改善"拉达克人的生活水平，保存他们的传统生活方式——与土地和谐共处的大家庭生活方式——才能为拉达克人带来最大的幸福。

"我过去一直以为,人类的'进步'是某种不可避免的趋势,不容质疑。"她写道,"我们被动地接受种种'进步'的做法:在公园中间开一条车道,拆掉有两百年历史的老教堂,盖钢筋玻璃帷幕的银行……步调越来越快,生活却变得越来越困难。但在拉达克,我不再这么认为,我们不是只有一条路可走,我很幸运地目睹了另一种'更正常'的生活方式——一种基于人类与地球共同演化的生存形态。"

诺伯·霍吉认为西方的开发者不应该盲目地给古老的文化强加上现代的"进步标准",她提出工业国家应该像拉达克这样的民族学习,建造永续的社会。"在拉达克我看到的是,社群,以及人与土地的密切关系,比任何物质或高科技都更能丰富人类的生活。这时我才了解,另外一种生存方式是可行的。"

摩顿森爬上湿滑的峡谷继续往科尔飞前进,右边就是湍急的布劳渡河,他忽然担心一座桥可能给这个与世隔绝的村落带来的影响。"科尔飞的人生活非常辛苦,但他们身上有一种罕见的纯真。"摩顿森说,"有了桥之后,他们可以在几个小时内到达医院,不用再花上好几天时间,但我也担心外面的世界会改变科尔飞。"

村民们在河岸边迎接他,帮他坐进缆车。河岸两边是几百块大花岗岩板,堆在桥墩的预定位置等着开工。哈吉·阿里最后说服摩顿森,与其把石头千辛万苦运过河,或者看老天脸色从别的地方把石头运上来,倒不如从河岸两旁几百米的山腰处把石头切割下来用。科尔飞什么都缺,就是不缺石头。

大雨中,摩顿森领着一群人去哈吉·阿里家,讨论建桥的程序,一头黑色长毛牦牛站在两间房舍中间,正好挡住他们的路。10岁的女孩泰希拉拽着牦牛鼻环上的辔头,好声好气地叫它让路,她是村里受教育程度最高的侯赛因的小女儿。不过这头牦牛别有打算,好整以暇地拉出一堆冒着烟的粪,泰希拉见状赶紧把白头巾甩过肩,蹲下来把牛粪和成一个个小球,然后往屋檐下的石墙上摔去,好让粪球变干,以免这珍贵的燃料被雨水冲走。

到了哈吉·阿里家,莎奇娜握住摩顿森的手表示欢迎,他才想起这是第一次有巴尔蒂妇女敢碰他。她大胆地贴近他的脸，露齿而笑，仿佛在挑战他的惊讶。因为莎奇娜的热情欢迎，摩顿森也跨过限制，走进了她的"厨房"。里面有一个石头火炉，几个架子和一块变了形的砧板。摩顿森蹲在引火的草堆旁，跟莎奇娜的孙女嘉涵打招呼。小女孩害羞地笑着，用酒红色的头巾遮住嘴，又把整张脸藏了起来。

莎奇娜在一旁咯咯笑着，想把摩顿森赶出厨房，但摩顿森从旧铜壶里抓了把草药味的"潭布洛克"（高山茶），然后把水从塑料汽油桶倒进熏黑的茶壶，又给火里加了几把树枝把茶烧开。

他为开会的人们斟好茶，自己也拿了一杯，坐在哈吉·阿里和炉壁中间，牦牛粪燃烧的刺鼻气味弥漫在整间屋子里。

"我的祖母非常惊讶，葛瑞格医生居然跑进了她的厨房，"嘉涵说，"但她已经把他当成自己的孩子了，所以也能接受。很快她的观念就改变了，她开始跟我祖父开玩笑，说他应该学学他的美国儿子到厨房帮忙。"

不过在事关科尔飞的重大问题上，哈吉·阿里从不放松警惕。

"我每次都觉得很惊奇，没有电，没有电话，没有收音机，但哈吉·阿里对布劳渡河谷和其他地区的信息都了如指掌。"摩顿森说。这次，两辆载着钢索的吉普车驶到距离科尔飞二十五公里的地方，突遇坍方落石，道路中断。哈吉·阿里告诉村人，道路可能好几个星期都通不了，重机挖土设备也不可能在这样的天气下从斯卡都出来抢修，他建议村里的壮丁全部出动，把钢索搬上来，这样就可以立刻开始造桥了。

第二天，三十五位巴尔蒂男子，从十几岁的少年到和哈吉·阿里差不多年纪的白胡子老公公，在雨中走了一整天，背起钢索后再走十二个小时的山路回到科尔飞，他们的兴高采烈让摩顿森非常吃惊。每捆钢索重达三百六十公斤，穿过轴孔的木杆要十个人才扛得动。

摩顿森比科尔飞人高出一个头以上，他也想帮忙一起搬，却总让钢索歪向一边，最后只好在一旁看别人忙，不过也没人在意——大部分村民都曾受雇于西方登山队担任协作和挑夫，早就习惯了背着同样沉重的大包攀爬巴托罗冰川。

哈吉·阿里的背心口袋里总放着气味浓烈的烟草"纳斯瓦"，而且似乎是无限量供应，村民们一边嚼着烟草，一边愉快地前进。塔瓦哈跟哈吉·阿里合背一捆钢索，他对摩顿森说，为了改善村里的生活而辛苦工作，比起帮外国人追求当地人很难理解的登山"目标"要愉快多了。

回到科尔飞后，村里的壮丁合力在泥泞的河岸上把地基打深。季风雨一直在下，在这种天气里水泥没办法干，塔瓦哈和几个年轻人建议不如到山上去猎旋羊，还邀摩顿森和他们一起去。

摩顿森只穿着跑鞋、雨衣和夏瓦儿卡米兹，以及一件他在斯卡都市场买的便宜的中国毛衣，到了山上才发现衣服实在不够。不过其他六位村民也好不到哪儿去：塔瓦哈还好，穿着登山者送的皮面徒步鞋，另外两位是用皮革把脚包起来，还有一位穿着塑料凉鞋。

他们在持续变大的雨势中往北走，穿过一畦又一畦灌溉过的荞麦田。熟透的荞麦穗看起来像一根根"迷你"玉米，在暴雨狂袭下随穗秆摇摆跳跃。塔瓦哈骄傲地扛着一行人唯一的一支枪，那是一支英国殖民时代遗留下来的毛瑟枪。摩顿森简直无法相信，他们竟打算用这支古董枪击倒旋羊。

摩顿森看到了他从乔戈里峰下来时错过的桥——一座用牦牛毛绑在布劳渡河两岸巨石上的"藏母巴"，忽然觉得非常高兴。这桥通往艾斯科里，也正好位于科尔飞的边缘。如果当初他没有错过这座桥，没有误入科尔飞，接下来的人生很可能会完全不同。

他们往上爬，渐渐进入了峡谷的包围，天空的落雨和布劳渡河的水花一起，把他们浑身上下弄得透湿。山路紧依着陡坡蜿蜒上升，坡度令人头晕目眩。一代代巴尔蒂人把扁平石片卡在一起作为路基，以防脆弱的道路被山洪冲走。背着竹篮走在只有脚掌宽的山路上，巴尔蒂人却像走在平地上一般稳健。摩顿森紧紧靠着谷壁，跟着前面人的脚印一步步小心地走，下面就是布劳渡河，他实在没办法让自己不紧张。

布劳渡河在此处之丑陋程度，简直可以与孕育它的高山冰峰之美丽程度比肩。泥黄色的河水像是扭动着身躯的蟒蛇，在不见天日、布满黑棕色卵石的地下岩穴间咆哮着，让人很难相信这狰狞的湍流竟是孕育金黄荞麦穗和所有作物的生命之泉。

雨终于在他们到达比亚福冰川之前停了。一道光线从云层中射出来，照在东边的巴柯尔达斯峰上，将山峰映成一片柠檬黄色。这座海拔 5800 米的金字塔型高峰被当地人称为"科尔飞的乔戈里峰",因为它的形状和乔戈里峰极为相似,像神祇般保护着他们的家园。科尔飞人将这个景象视为吉兆,塔瓦哈带领一行人开始向喀喇昆仑山脉的神祇们祈祷,承诺他们将只猎取一头羱羊。

要找到羱羊,他们得再往上爬。著名野外生物学家乔治·夏勒曾在喜马拉雅山区追寻羱羊及其近种的踪迹。彼得·马修森也曾在1973年跟随夏勒在尼泊尔西部山区研究"岩羊",他将这段长途跋涉的艰辛山旅形容为"朝圣",那是他后来的名著《雪豹》一书的蓝本。

在世界屋脊上行走,需要的不单是体力。夏勒在著作《沉默之石》中承认当自己走在喀喇昆仑山脉间——这里被他称为"地球上最荒凉的地方"——除了进行科学研究,更像是一场心灵的孤旅。"旅程中充满艰苦和沮丧,"夏勒写道,"但是这些山让我上了瘾,让我更想探索喀喇昆仑。"

二十年前夏勒在此地徒步时,记录了羱羊和马可波罗羊的踪迹。经过多日的勘探,他对羱羊在恶劣环境中的适应能力更加惊叹。

高山羱羊是一种肌肉结实的大型山羊,巨大的弯角让它们很容易辨认——对巴尔蒂人而言,它们的弯角同美味的肉一样珍贵。夏勒发现,羱羊是喀喇昆仑山脉活动区域最高的动物,稳健的脚步让它们能走上海拔超过五千米的狭窄岩路,这远比捕食它们的狼或雪豹爬得高。只要有植被的地方就有它们的踪迹,它们每天需要觅食十到十二个小时,寻找草叶嫩枝来填饱肚子。

前方出现了一片硬冰,这说明他们已经接近比亚福冰川的冰舌末端。塔瓦哈停下脚步,从摩顿森上回送他的酒红色抓绒衣口袋里取出了一个圆形的东西,那是个"托马尔"(勇气徽章)。巴尔蒂人认为村里婴儿夭折是因为山里的恶灵作祟,因此每个婴儿一出生就在脖子上挂上"托马尔"避邪。遇到危险时,比如此刻需要在流动的冰河上行进,他们就会把"托马尔"戴上。塔瓦哈把用紫红色羊毛精心织成的大徽章绑在衣服拉链上,别的人也把各自的"托马尔"系好,一行人这才踏上冰川。

走在为打猎觅食才踏上冰川的人们中间,而不是为了冲顶,摩顿森对这片荒野有了全新的看法。难怪喜马拉雅最伟大的山峰都是到20世纪中叶才有人登顶——住在附近的居民从来没想过攻顶创纪录的事儿,住在世界屋脊上，光是努力维持温饱就把他们的精力消耗殆尽了。就这点来看，巴尔蒂人和被他们猎捕的羱羊其实没什么两样。

他们继续往西，在不稳定的冰层和湛蓝的冰川湖之间择路前行。冷热交替的季节性风化效应，不断将石块撬散松落，他们可以听到岩石掉落深潭激起水花的回声。北边靠近低空云层的地方，是著名的食人魔峰，这座海拔七千二百多米的山峰只有一次被征服的纪录，是在 1977 年由英国登山家克利斯·鲍宁顿和道格·史卡特创下的。但食人魔峰在他们下山途中就施以报复，史卡特最后被迫用两条断腿一路爬回大本营。

比亚福冰川爬升到海拔五千米，在雪湖位置汇入希斯帕冰川，然后一起向下流入亨札河谷。全长一百二十公里的希斯帕冰川，是地球两极之外绵延最长的冰川系统，这条自然公路曾是亨札河谷的土匪掠夺布劳渡河谷的通道，但如今除了偶尔让塔瓦哈兴奋的雪豹足迹，以及两只在高空好奇地盘旋着的秃鹰，整座高山大道上只有狩猎队伍在孤独行进。

摩顿森只穿着球鞋，又在冰上走了好几个小时，脚已经冻僵了。泰希拉的父亲侯赛因从背包中取出茎叶，折出好几叠干草，垫在摩顿森的耐克球鞋里。摩顿森一直纳闷，没有帐篷和睡袋，这些人该怎么度过山上的寒夜呢？要知道，远在西方人带来先进的登山装备前，巴尔蒂人已经在比亚福冰川上狩猎了好几百年。

每天晚上，一行人在两侧冰石成排的洞穴里过夜，巴尔蒂人对这些洞穴的位置了如指掌，就像沙漠中的贝都因人对水源地一样清楚。每个洞里都堆放着干燥的灌木，以及引火用的鼠尾草和杜松。从笨重的岩石堆下头，他们把先前存放的豆子和米拿出来，再加上在热石头上烤的骷髅状面包"库尔拔"，继续打猎所需的食物也就够了。

四天后，他们终于发现了羱羊的踪迹——散乱在平坦岩石上的一副羱羊骸骨，早被胡鹫和雪豹舔得雪白干净。接着塔瓦哈看见，骨头上方高处的岩架上有十六只羱羊正在觅食，他连忙喊着："斯金！斯金！"斯金即巴尔蒂语的"羱羊"。羱羊巨大的弯角在变幻的天空下形成美丽的剪影，但它们的位置实在太远太高。塔瓦哈推测那头死掉的羱羊应该是被雪崩冲下来的，因为这里离它们觅食的地点实在太远。他把羊头和羊角从脊椎上扳松扯下，系在摩顿森的背包上，送给他当礼物。

比亚福冰川在高峰间凿出了比科罗拉多大峡谷还深的沟谷。他们往上走到冰川和拉托克峰北脊相遇的地方，这里的地形曾吓退过很多登山队伍。有两次他们都偷偷摸到了䴙羊群下风处，但都被它们察觉，在他们来不及开枪时就逃开了。

第七天黄昏时，塔瓦哈看到一只公羊站在他们上方，距离只有不到二十米。他把火药填进毛瑟枪，把钢弹装好，摩顿森和其他人都趴在他身后，紧紧贴着悬崖底部，免得被机灵的䴙羊发现。塔瓦哈扳开枪管的支架，在一颗大石头上架稳，然后轻轻扣动扳机——但还是太响了，䴙羊忽地转身面向他们，距离近得可以看清它竖起来的胡须。塔瓦哈扣下扳机，摩顿森看见他嘴唇蠕动，在默念祷词。

枪声震耳欲聋，震落了一阵碎石雨。火药喷得塔瓦哈满脸黧黑。摩顿森原本以为塔瓦哈失手了，因为那只䴙羊还站得好好的——但几乎是马上，羊的前腿一跪，一股热雾从颈部的伤口喷到冰冷的空气中。它两次要挣扎着站起来，但终究还是慢慢安静了，最后一歪倒下。"安拉乎艾克拜尔!"科尔飞人齐声高喊。

屠宰工作在入夜后开始，他们把公羊的部分骸骨带进洞穴，升起了火。侯赛因熟练地操着和前臂一样长的弯刀，专注令他眉头微皱，给他睿智、瘦长的脸增添了一丝忧郁。他把羊肝切片然后分给大家。侯赛因是所有科尔飞村民中，唯一曾离开布劳渡河谷，在平原的拉尔读到十二年级的人。但此时看到他在洞穴里弯着身子，两手沾血切着羊肉，摩顿森心想旁遮普省闷热平原上的学生生涯，对侯赛因来说早已远去——突然间他想到，侯赛因是最合适的教师人选，只有他胜任联结两个世界的工作。

狩猎队伍回到村子之前，季风雨已经彻底散去，天空晴朗无云。回到村里，他们受到了英雄般的欢迎。领头的塔瓦哈高捧䴙羊头，押后的摩顿森则把他的礼物戴在头上——看起来就像是头上长了角。

一行人把小块羊肉分给挤在路旁围观的孩子，他们吮吸着这些珍馐，就像仔细舔着糖果。装在篮子里的上百公斤羊肉则平均分给所有参与狩猎的家庭。等到羊肉都下了肚，羊脑和着洋葱马铃薯都炖了汤，哈吉·阿里把外国儿子带回来的羊角挂在大门上方的一排战利品中间，那些都是他当年骁勇健壮的证明。

摩顿森把自己先前画的造桥设计图，带给吉尔吉特的一位巴基斯坦军队工程师看。工程师仔细检视之后，建议做些强化结构的修改，重画了一张详细的施工蓝图，清楚地标出钢索的位置。修改后的设计需要两座20米高的石头桥柱，顶端加上宽度足够让牦牛车通过的拱形混凝土结构，还有距离水面18.5米、全长86.6米的悬索桥面。

摩顿森从斯卡都雇了一班有经验的泥水匠来建造桥柱。石板很重，要四名村民合力才能抬起，而后平放在抹平的水泥上。孩子们兴高采烈地围观，在父亲或叔叔、舅舅扛石头扛到脸红脖子粗时，在一旁用力喊叫帮他们打气。一块又一块的石板，一点一滴的建造，两座三层石基的桥柱终于在河两岸立了起来，越往上变得越窄。

秋高气爽，辛苦的工作变得舒服多了，每天傍晚摩顿森清点完当天叠建的石板，都对工程的进度非常满意。整个七月份，男人们都忙着建桥，妇女则照顾庄稼。牢固的桥柱建起来后，比所有村民家里的屋顶都高。

在冬天来临，所有人被迫整天待在屋里之前，科尔飞的居民尽可能待在户外，大部分家庭都在屋顶上用早餐晚餐，忙完一天的工作后，让气味浓郁的"丹布洛茶"把一碗饭和豆子蔬菜汤"达尔"冲下肚。摩顿森最爱跟哈吉·阿里一家人在屋顶享受黄昏的余温，跟几十户同在屋顶上的人家闲话家常。

诺伯·霍吉曾赞美过另一个喜马拉雅国家的领袖不丹国王的观点——衡量一个国家成功与否的指标，不该是国内生产总值，而是"国民幸福总值"。在科尔飞干燥温暖的屋顶上，身旁尽是今年丰收的各种农作物，吃着晚饭、抽着烟、聊着天、享受着露天咖啡馆般的悠闲，摩顿森深深感觉到即使物质生活如此贫乏，巴尔蒂人仍然拥有保持纯真快乐的秘诀。如此单纯的快乐生活在所有发达国家里都正在迅速消失，就像古老的森林一样。

夜晚时分，塔瓦哈和摩顿森这样的单身汉会善用温和的天气，露宿在星空下。现在摩顿森的巴尔蒂话已经说得相当流利了，他和塔瓦哈常常聊到大部分村民连说梦话都会说到的话题，最主要的话题之一自然是女人。那时摩顿森已经年近四十，塔瓦哈也快三十五岁了。

塔瓦哈告诉摩顿森，自己非常想念妻子萝奇雅，自从她因难产而死、留下他们唯一的孩子嘉涵距今已经有九年了。他们躺在屋顶上，凝望着银白丝巾般的银河。"她非常非常美。"塔瓦哈说，"她的脸蛋很小，就像嘉涵，有时候她会突然唱起歌，或者突然笑起来，像只小土拨鼠一样。"

　　"你会不会再婚呢？"摩顿森问。

　　"喔，这对我来说是很容易的事。"塔瓦哈解释道，"有一天我会成为'努尔马得哈尔'（村长），而且我已经有很多土地，不过目前我不爱别的女人。"他害羞地压低了声音。"只是有时候我……喜欢……"

　　"你不结婚也可以做那件事吗？"摩顿森问，这是他来到科尔飞后一直好奇的事情，只是总没有适当的时机发问。

　　"当然可以。"塔瓦哈回答，"跟寡妇，科尔飞有很多寡妇。"

　　摩顿森想到底下拥挤的住房，一家十几个人并排睡在垫子上。"你们都是在哪里……呃……"

　　"当然是在'罕得霍克'。"塔瓦哈回答。科尔飞每栋房子的屋顶上都有"罕得霍克"，也就是储存粮谷的茅草顶小屋。"你要我帮你找位寡妇吗？我想已经有好几位爱上葛瑞格医生了。"

　　"谢谢你，"摩顿森敬谢不敏，"不过我不认为这是个好主意。"

　　"你们村里有你喜欢的女人吗？"塔瓦哈问道。摩顿森于是开始讲述十年来主要的恋爱失败经历，包括同玛琳娜的感情。他惊讶地察觉在述说这一切时，心中的疼痛已经明显减轻了。

　　"啊，她是因为你没有房子离开你？"塔瓦哈问，"这种事在巴尔蒂斯坦也常发生。不过你现在可以跟她说，你在科尔飞有房子，还快要有座桥了呢！"

　　"她不是我想要的女人。"摩顿森说。他发现自己说的是事实。

　　"你最好快点找到你想要的女人。"塔瓦哈下了结论，"在你变老变胖之前。"

　　他们准备在两座桥柱间串起第一根钢索时，从巴托罗冰川回来的挑夫捎来消息，有一队美国人正往这儿走来。当时摩顿森手上拿着图纸，坐在布劳渡河北岸的大石头上，指挥两岸人马各自领着牦牛队拉直主钢索，在没有重机械的情况下，尽可能把钢索紧捆在桥塔上。身体最灵活的村民在工程师标注的固定点绑上一圈又一圈的支撑缆索，再用铁钳锁紧它。

一位拄着登山杖，头戴白色棒球帽，神情威严的美国人从河北岸下游方向走过来，身边跟着当地一位英俊的大胡子向导。

"我当时的第一个念头是：坐在石头上的那家伙块头可真大。"乔治·麦克考恩回忆道，"我搞不清楚他在做什么，他头发很长，又穿着当地服装，但很明显他不是巴基斯坦人。"

摩顿森从石头上滑了下来，伸出欢迎的手。"您是乔治·麦克考恩吗？"麦克考恩握住他的手，难以置信地点着头。"那，祝您生日快乐！"摩顿森笑着交给了他一个密封的信封。

乔治·麦克考恩曾与刘易斯·罗和德、埃德蒙·希拉里爵士一同担任美国喜马拉雅基金会的董事。他跟两个孩子唐和爱咪到乔戈里峰徒步，造访他曾赞助的登山队大本营，度过 60 岁的生日。基金会董事们寄来的生日卡片抵达艾斯科里后，最终交到了摩顿森手上——当地官员以为，一个美国人总会有办法和另一个联系上。

麦克考恩过去是博伊西加斯凯德家用建材公司的总裁兼董事长，六年内将公司的营业额从一亿美元扩展到六十亿美元，随后脱离集团独立营运。他把商业这门功课学得很好，20 世纪 80 年代在湾区门罗公园市成立了自己的创投公司，专门收购其他公司过度成长导致的难以管理的部门或子公司。麦克考恩做过手术的膝盖还没完全复原，又在巴托罗冰川上走了好几个星期，正在担心自己能不能撑下去，此时和摩顿森相遇，他高兴得难以言表。

"远离文明世界足足一个月，在堪称险恶的环境下，居然能和一位如此能干的年轻人说上话。"麦克考恩说，"我真的很高兴。"

这次的巧遇让两人都很高兴。麦克考恩说："摩顿森一点儿也不机巧，他是个温柔的巨人。看到和他一起建桥的人，你就会清楚他就像是他们中的一分子，他们很爱戴他。我忍不住想，这个美国人靠什么本事做到这种程度？"

摩顿森用巴尔蒂语跟麦克考恩的向导自我介绍，当他用乌尔都语回答时，摩顿森才知道他叫费瑟·贝格，不是巴尔蒂人，而是来自遥远的阿富汗边境查普森河谷的瓦希族人。

摩顿森问他的美国同胞能不能帮他一个忙。"我觉得自己在科尔飞好像是孤军奋战,"摩顿森说,"我希望这些人知道,其实美国有很多人都关心他们,不是只有我而已。"

"他交给我一大叠卢比,"麦克考恩回忆,"要我扮演从美国来的大老板。我当然是卖力演出,像老板一样四处发薪水,称赞他们做得很棒,要他们好好干,尽快把工作完成。"

告别摩顿森和村民后,麦克考恩和家人继续他们的旅程。但就在那一天,缆索把南北岸两座桥柱连在一起的日子里,更奇妙的缘分也连接起来了。当日后外国人在巴基斯坦的处境日渐堪危时,贝格自愿担任摩顿森的保镖,麦克考恩则在他门罗公园市的据点里,成为摩顿森最有力的支持者。

8月下旬,在泥泞地上破土动工十周之后,摩顿森站在86.6米长的桥中央,赞叹着两端工整的混凝土桥拱,牢固的三层石基,还有将所有结构稳稳定位的钢缆网线。哈吉·阿里把最后一块建桥的木板递给他,请他安放就位,但摩顿森坚持让科尔飞的村长完成科尔飞的桥。哈吉·阿里将木板高举过头,感谢全能的安拉为村子带来这位外国人,然后跪下来,用最后一块木板挡住了桥下奔腾的河水。在河南岸高处观看的妇女和孩子们齐声欢呼。

摩顿森再一次花光了所有的钱,但又不愿动用盖学校的经费,他准备冬天回柏克莱赚钱,等赚够了春天再回科尔飞。回美国前一晚,他和塔瓦哈、侯赛因、哈吉·阿里坐在屋顶上讨论盖学校的计划,确定在夏天开工。侯赛因愿意将妻子哈娃拥有的一块平地捐出来盖学校,站在那里看"科尔飞的乔戈里峰",一览无遗。

摩顿森觉得这是激励孩子们把眼光放高放远的最好地点,他表示赞同,唯一的条件是侯赛因要担任学校的第一任老师。

他们喝下为了庆功而奢侈地加了许多糖的甜茶,把手一握,达成了协议。接着几个人兴奋地讨论起盖学校的具体事项,直到夜深。

再低两百五十米的地方,河水反射着村民们手中提灯的光亮。他们兴奋地在桥上走来走去,一次次轻松跨过将他们和宽广世界隔离的天堑——而那个宽广的世界,却是摩顿森极不情愿回去的地方。

十一　六天

心中有烛火，期待被点燃。

心中有虚空，期待被填满。

你感觉到了，不是吗？

——鲁米

在阿塔贝茨医疗中心烧伤部门，监控屏幕上一排红红绿绿的信号灯正闪烁着。凌晨四点，摩顿森在护士台前筋疲力尽，无论怎么调整坐姿，都无法在比他身材小一号的塑料椅上找到舒服的位置。自打他把百利甜酒丢进汽车旅馆垃圾桶的那一晚，他一直感觉有一种情绪的缺失，那就是——幸福。

稍早，摩顿森给一个12岁的孩子双手涂满抗生素药膏，包扎好，因为继父把他的两只手压在了炉子上。值得庆幸的是，孩子的复原情况良好。除此之外，今晚算是相当平静。摩顿森心想，用不着跨越半个地球，在这里自己一样能够帮助别人。只不过每个值班的夜晚，在银行账号存进的每一分钱，都让他离回科尔飞建学校的目标更近了一步。

回美国后，他依然分租杜得辛思基的房间，所以他很愿意在人员稀少的病房中享受逃离烟臭和伏特加酒气的平静夜晚。摩顿森身上小一号的蔓越橘色手术服，看上去就像件睡衣，昏暗的灯光也让他昏昏欲睡，但椅子却总那么不舒服。

值完班，摩顿森快虚脱了，挣扎着走回家。咬了几口从甜甜圈快餐店买的糖霜点心，再啜口黑咖啡，柏克莱山后方的黑色天空已开始泛蓝。摩顿森家门前，一辆黑色的绅宝汽车停在杜得辛思基的卡车前面，累得躺在驾驶座的不是别人，正是玛琳娜·维拉德。她的脸埋在一头黑发下面，只露出了嘴

95

唇。摩顿森把指头上的糖霜舔干净，打开了车门。

玛琳娜醒了过来，坐直身子，双手抱胸。"你没接电话。"她说。

"我在工作。"

"我留了好多留言。"她说，"你可以把它们删掉。"

"你在这里做什么?"摩顿森问。

"看到我你难道不开心吗?"

摩顿森真的没什么感觉，不过还是得表现出绅士风度。

"当然。你好吗?"

"说实话，不太好。"她放下遮光板，端详着镜子里的自己，开始涂口红。

"你和马利欧之间发生了什么事?"

"是个错误。"她回答。

摩顿森不知道该把手放在哪里，只好把咖啡放上车顶，让手僵硬地垂在身旁。

"我想你。"玛琳娜说着，把座位旁边的拉杆一拉，竖直椅背，弹起的椅背撞到了她的后脑勺。"喔，你想不想我?"

摩顿森顿时感到一股比黑咖啡强劲百倍的力量在体内狂奔起来。玛琳娜就这样出现了，经过了这一切，她却像什么都没发生过一样。他想起杜得辛思基满是灰尘的地板，想起那许多个不眠的夜晚，他痛捶着睡袋奋力驱赶脑海中关于玛琳娜的记忆，似乎只有那样才能让他的痛苦减轻，得以入睡。

"思念的门已经关上了。"他关上玛琳娜·维拉德的车门，爬上楼走进烟臭熏天、酒气四溢的房间，倒头大睡。

布劳渡河上的桥已经建好，建学校的材料（常嘎吉在库存清单上签了名）很快就会变成真正的学校。摩顿森觉得自己并不是"躲"在杜得辛思基的房子里，而是为了省钱，为了早日攒够钱回到巴基斯坦完成任务。他开始跟所有与喀喇昆仑山有关的人开心地谈论这件事。

摩顿森打了个电话给吉恩·霍尔尼，随即收到一张去西雅图的机票。霍尔尼嘱咐他务必带上桥的照片。在霍尔尼那间可以眺望整个华盛顿湖和远处喀斯开山脉的豪华公寓里，摩顿森终于见到了电话中听起来很凶的人。物理学家其实身材很瘦小，留着小胡子，黑眼睛透过大号眼镜片端详着摩顿森。虽然他已经 70 岁了，但仍有着登山家的硬朗。"我一开始很怕霍尔尼，"摩顿森回忆说，"他的坏脾气是出了名的，不过他对我真的很友好。"

摩顿森打开背包，两人坐在桌边研究着照片和建筑图纸，深奶油色的地毯上铺满了地图。霍尔尼曾经两次徒步到过乔戈里峰大本营，他兴奋地跟摩顿森讨论所有像科尔飞一样在地图上没有标识的小村落，又用黑色签字笔在地图上标上了一个小记号——那座横跨布劳渡河上游的新桥。

"我丈夫立刻喜欢上了葛瑞格。"霍尔尼的遗孀，后来成为"中亚协会"理事的珍妮弗·威尔森回忆道，"他很欣赏葛瑞格的憨直和傻劲儿，欣赏他能独自坚持做这些事。我丈夫是个创业家，所以他尊敬那些不畏艰难，努力工作的人。他一读到葛瑞格的故事，就跟我说：'美国人只会关心佛教徒，不理穆斯林；这小子不可能找到赞助，我得去做这件事才行。'"

"我丈夫这辈子成就显赫，"珍妮弗·威尔森说，"但在科尔飞建学校带给他的兴奋，一点儿也不亚于科学工作给他带来的成就感，他觉得自己和那片土地很亲，很有缘分。葛瑞格离开后，他跟我说：'我想这个年轻人完成这项工作的几率是一半一半，但如果他成功了，会有更多人帮助他。'"

回到旧金山湾区后，摩顿森打了个电话问候乔治·麦克考恩，谈及那段把他们在地球另一端连在一起的奇妙缘分，两人都嗟叹不已。麦克考恩邀请摩顿森参加美国喜马拉雅基金会在九月初举办的活动，埃德蒙·希拉里爵士也将应邀致辞。摩顿森高兴应允。

1995 年 9 月 13 日，星期三。摩顿森穿着父亲留下的棕色羊毛运动外套、卡其长裤和旧徒步鞋（连袜子都没穿），抵达了旧金山费尔蒙饭店。豪华的费尔蒙饭店位于贵族山，是所有缆车路线汇集之处，对那个夜晚而言——自此摩顿森生命中的许多条线索紧紧绑在一起——这个饭店的位置再合适不过了。

1945 年，全球四十个国家的外交官在费尔蒙饭店会谈，起草联合国宪章；五十年后，在金碧辉煌的威尼斯宴会厅里，美国喜马拉雅基金会年度募款宴会也同样展现了文化的多元。穿着西装的斯文的创投家和基金经理们挤在吧台，身旁紧挨着奇装异服、坐立不安的登山者；穿着黑丝绒礼服的旧金山名媛们，则被绅士们的笑话逗得咯咯笑。

摩顿森一进大厅，便弯下身子让接待人员给戴上白丝哈达，每位来宾都有一条。他站直身，手指玩绕着哈达，淹没在热烈谈话的声浪中，同时努力想搞清楚宴会厅的方向。大厅里到处都是美国喜马拉雅基金会的会员，这不是属于摩顿森的世界，他觉得自己就像个边缘人。就在此时，他看见乔治·麦克考恩站在吧台旁，正一边向他招手，一边弯身聆听身旁的矮瘦男士说话——那人正是吉恩·霍尔尼。摩顿森走了过去，拥抱两位绅士。

"我正在跟麦克考恩说，他得给你一些经费。"霍尔尼说。

"嗯，如果省着用，我现有的钱应该足够把学校盖好。"摩顿森说。

"不是盖学校的钱，"霍尔尼说，"是给你的钱。学校盖好之前，你打算靠什么过活？"

"两万美金如何？"麦克考恩问。

摩顿森激动得说不出话来，感觉血液直冲脑门。

"我是不是该把你的反应当做同意呢？"

"给他拿杯酒来，"霍尔尼咧嘴笑着说，"我想葛瑞格快昏倒了。"

晚餐时，同桌一位穿戴考究的摄影记者非常惊讶，在这种正式晚宴上摩顿森居然光着脚踝，于是在饭店的礼品店帮他买了双袜子。除此之外，摩顿森对那天晚餐的菜式印象全无，只记得自己傻傻地坐在那吃饭，诧异自己的财务问题竟然就这样轻松解决了。

不过晚餐之后，聆听他心目中的英雄希拉里爵士演讲，则让他永生难忘。希拉里爵士步履蹒跚地走上舞台，平凡得就像是个养蜂人——那正是他以前的工作——而不太像是受英国女皇封爵的名流。爵士稀疏的乱发下是一双浓眉，还有一口不太整齐的牙齿。这位新西兰最负盛名的 75 岁公民肚子微凸，看起来很难再大步登上八千米级别的高峰。但在这场喜马拉雅狂热爱好者的集会上，他绝对是人间珍宝。

希拉里首先放映他在 1953 年攀登珠峰的幻灯片，那时他是时代的先驱。影像带着早期柯达胶片特有的不真实的明亮色调，皮肤晒得黝黑、眯着眼的年轻希拉里，永远保存在胶片中。希拉里谦虚地说，当时有不少人可能胜过他和丹增·诺尔盖，成为首次成功挑战珠穆朗玛峰的登山者。"我只不过是个能力普通但很热情的登山者，顶多也只是个愿意努力而且坚持梦想有决心的人。"他告诉台下安静的观众："我是个平凡人，是媒体把我塑造成英雄的。不过这些年我学到一件事，只要你自己不相信那些关于你的鬼扯，倒也没什么坏处。"

珠穆朗玛峰幻灯片放过之后，希拉里的目光停留在另一组幻灯片上，那是20世纪六七十年代，高大的西方人和瘦小的夏尔巴人一起在尼泊尔兴建学校和医院。其中一张展示了1961年他的第一项慈善计划，即建立一所有三间教室的学校。照片中的他没穿上衣、手上拿着铁锤，正猫步走在房梁上。征服世界屋脊后的四十年间，希拉里并没有靠着名声享福，反而经常回到珠穆朗玛峰地区，和弟弟瑞克斯一起建造了二十七所学校，十二间诊所，还有两个航空基地——这样补给品就更容易送达尼泊尔的孔布地区。

摩顿森激动得坐不住了，他跟同桌的宾客致歉后离席，走到大厅后头，一边听着希拉里的演说一边来回踱步，心中被两种急切的渴望拉扯着：既不愿错过爵士讲的任何一个字，又想立刻跳上飞机回到科尔飞展开工作。

"我不知道自己是否希望别人永远记得我，"摩顿森听到希拉里爵士说，"攀登珠穆朗玛峰已经让我心满意足了。但我觉得更有价值的事是在那里建设学校和诊所，那些工作带给我的快乐远远多于在山上留下的足迹。"

摩顿森感觉有人拍他的肩膀——他转过头，一位身着黑色裙装的美丽女子正对着他微笑。她一头红色短发，摩顿森觉得很面熟，却想不起曾经在哪里见过。

"我知道葛瑞格这个人，"塔拉·毕夏后来说，"我听说过他想做的事，而且他笑起来很好看，所以我可以算是故意偷偷接近他。"两个人天南海北地聊了起来，从一个话题到另一个共同的兴趣，从那一天开始，一直延续至今。

为了不打扰其他听讲的宾客，两个人的头靠得很近，在彼此耳边细语着。

"葛瑞格发誓说我把头都靠在他肩膀上了，"塔拉说，"我不记得了，不过是有这种可能，因为我深深地被他吸引了。我记得自己一直在盯着他的手看，觉得他的手很大很强壮，让人很想握住。"

塔拉的父亲贝瑞·毕夏是《国家地理杂志》的摄影师，他研究了好友埃德蒙·希拉里爵士提供的照片，选择好登顶路线，在1963年5月22日登上了珠穆朗玛峰。毕夏为《国家地理杂志》杂志记录了这趟累死人的攀登过程："当我们终于登上峰顶，然后颓然倒下，我们会怎么做？"他写道，"我们痛哭流泪。所有的压抑一扫而空，我们像婴儿般大哭，带着登上最伟大山峰的狂喜，也带着漫长攀爬的苦刑终于结束后的解脱。"

不过，他放松得太早了。下山时，毕夏差点儿一路滑坠到山对面的中国西藏。他险些用完氧气，也险些跌进冰缝，严重的冻伤使他不得不由夏尔巴人接力背下山，送到南治巴札村，再用救援直升机转送到加德满都的医院。远征任务结束时，毕夏失去了小指第一指节以及所有的脚趾，这场意外让他对登上珠峰的先驱更加敬佩。

"在医院的宁静之中，我思索着此行的教训：珠穆朗玛峰是个严酷恶劣的巨神，不管谁想挑战它，都是在向它宣战。登山者必须用对抗敌人般的战术，无情地对珠穆朗玛峰展开攻势，但在战争结束后你还是无法征服这座山，因为不会有真正的胜利者，只有幸存者。"

贝瑞·毕夏回到位于华盛顿的家，总统肯尼迪在白宫玫瑰园为他和队员们举办了英雄般的欢迎盛会。1968 年，毕夏与妻子丽拉、儿子布伦特、女儿塔拉坐上露营车，从阿姆斯特丹一路开到加德满都。毕夏完成古代商贸路线的博士论文研究后，他们一家搬到尼泊尔西部的久姆拉住了两年。乔治·夏勒每次到尼泊尔研究濒危的野生动植物时，总会到他们家做客。

后来毕夏平安迁回华盛顿特区，在那里担任美国国家地理研究及探险委员会主席。塔拉还记得他们住在华盛顿时，父亲的好友埃德蒙·希拉里常来做客，两位登山老将常常懒洋洋地躺在沙发上，一边喝着啤酒一边聊着珠峰，然后把租来的一大堆录像带看完（两人都酷爱看西部老片）。1994 年，毕夏和妻子又平安搬到蒙大拿州的波兹曼，在地下室建造了全世界最好的私人登山图书馆。

然而毕夏却没能平安躲过那场致命的车祸。就在这一年，他携妻子丽拉开车到旧金山，应邀在美国喜马拉雅基金会年度募款餐会上做演讲。在爱达荷州波卡特洛时，他驾驶的福特"探索者"吉普车以 135 公里的时速突然冲出车道，翻滚了四次，撞上沙渠才停了下来。塔拉的母亲系了安全带，只受了轻伤，毕夏却因没系安全带，头部受重创而过世。

塔拉·毕夏发现自己在昏暗的宴会厅里，对这位素不相识的男人讲述了整个经过：父亲车上载着她幼年的画作和日记，准备到旧金山时带给她。途经现场的陌生人把这些四散在高速公路上的珍贵纪念物拾起来，再交还给她。她和弟弟布伦特赶到现场，在路旁的矮树上挂起经幡，然后把父亲生前最爱的孟买琴酒洒在依然血迹斑斑的沙地上。"奇妙的是，我跟葛瑞格讲这些事，觉得很轻松自在。"塔拉说，"将心事倾诉给葛瑞格听，是父亲过世后我感觉最自在的时候。"

当威尼斯宴会厅的灯光亮起，汤尼·班奈特再度唱起他的招牌歌曲《我的心遗留在旧金山》，摩顿森发现自己的心已被这位刚认识的女子牵动。"塔拉那时一直穿着高跟鞋，我真的不是很喜欢那种鞋，"摩顿森回忆说，"晚宴快结束时，她的脚又累又痛，于是换了双野战靴。不知道为什么，那一刻，我整个人都被她迷住了，觉得自己就像初涉情海的小伙子。看见她穿着小巧的黑色裙装和大大的靴子，我确定她就是我在找的女人。"

他们一起向希拉里爵士致敬。"遇见塔拉，比和我多年的偶像说话还让我兴奋。"摩顿森把塔拉介绍给吉恩·霍尔尼博士和乔治·麦克考恩后，两人混在人群里走出了大厅。

"塔拉知道我没车，所以主动提议送我回家。"摩顿森说，"其实我已经安排好了搭朋友的便车回家，然后我就假装没这事儿，把朋友打发走，争取多和她相处一会儿。"摩顿森抵达费尔蒙饭店时，还一文不名，孤单寂寞，但当他离开饭店时，不仅有了资金方面的保证，手里还牵着他未来的妻子。

塔拉的灰色沃尔沃汽车在旧金山金融区穿行，然后融进101号公路上拥挤的车流，跨过海湾大桥。摩顿森娓娓叙说着自己的故事：在非洲摩西的童年，胡椒树，父亲的医院和母亲的学校，克莉丝塔的离去以及父亲的逝世。两人远离旧金山海湾的黑水，像是被未知的群星召唤一般，直朝奥克兰山的灯火前进。摩顿森讲述着一个个故事，就像搭起一座座桥梁，将两个人的生命联结在一起。

车停在了杜得辛思基的公寓门前。"我很想邀你上去，"摩顿森说，"不过那里头是个噩梦。"所以他们坐在车上又聊了两个小时，谈巴基斯坦，谈他在科尔飞建学校遇到的困难，谈塔拉的弟弟布伦特——他正计划筹组一支珠峰登山队。

"当时在车上，坐在他旁边，我心里有个很清楚的想法。"塔拉·毕夏说，"那时候我们还没怎么接触过，但我心里有个声音说，这辈子我都要和这个人在一起。那是一种非常平静、非常美好的感觉。"

"你介不介意我绑架你?"她说。塔拉的住所是间车库改装的套房,位于迷人的奥克兰洛克威治区。在小套房里,塔拉倒了两杯酒,给了摩顿森一个长长的吻。她的西藏小猎犬"扎西"在他们脚下钻来钻去,对着陌生的摩顿森乱叫一气。

"欢迎进入我的生活。"塔拉直起身,注视着摩顿森的双眼。

"欢迎进入我的内心。"摩顿森回应着,把她拥入自己的怀抱。

第二天是星期四,一大早,两人把车开回海湾大桥,前往旧金山国际机场。之前摩顿森已经订了周日飞往巴基斯坦的班机,但两人在票务柜台把相恋的故事给票务人员讲了一遍,结果成功地把机票往后延了一周,省了一笔更改航班的罚款。

塔拉当时正攻读加州专业心理研究所的博士学位,打算将来做一名临床心理学家。由于课程全部修完了,她大部分时间很自由,摩顿森也没有医院的值班,所以离开旧金山前两人几乎时刻都黏在一起,沉醉在幸福之中。他们开着塔拉的旧沃尔沃车,向南三个小时到了圣塔克鲁兹,住进摩顿森亲戚在海边的家里。

"葛瑞格真的很神奇。"塔拉说,"当我们分享自己和家人生活的时候,彼此都是那么自在。我之前有过几段不愉快的感情,和他在一起后才了解到,'啊,跟一个对路的人在一起原来是这样的!'"

那个星期天,摩顿森原本该搭的那班飞机准时飞往巴基斯坦,而两人却开车沿着回湾区的公路,在一座座黄褐色的山丘间穿行,山丘上是枝叶蔓生的橡树丛。"那我们什么时候结婚?"塔拉转头看着她身旁的乘客,一个她四天前才认识的男人。

"星期二怎么样?"摩顿森说。

9月19日,星期二,摩顿森穿着卡其长裤、象牙色生丝衬衫和一件刺绣背心,同他的未婚妻塔拉·毕夏手牵手,一起走上奥克兰市政厅的阶梯。新娘穿着亚麻运动外套,配一条碎花迷你裙。为了尊重这位即将成为她丈夫的男子,配合他的品味,她把高跟鞋留在家里,穿了双低跟凉鞋走进结婚礼堂。

"我们原本打算只拿张结婚证书，等葛瑞格从巴基斯坦回来再邀家人举办婚礼。"塔拉说。不过奥克兰市政厅的结婚登记提供的是全套服务。付过八十三美元后，两人在一位市政法官的陪伴下走进会议室，站在一个镶满白色塑料花的拱形装饰下，背靠着墙板。法官秘书处的职员玛格丽特——一位中年拉丁裔妇女，自愿担任结婚证人，整个仪式中她一直感动地落着泪。

在费尔蒙饭店里耳鬓厮磨的六天后，葛瑞格·摩顿森和塔拉·毕夏立下了婚姻誓约。"当法官念到'无论富裕或贫穷'那段话时，葛瑞格和我忍不住大笑。"塔拉说，"那个时候我已经看过他合租的房间，他每天晚上得把沙发坐垫搬下来，才能有个软一点儿的地方放睡袋。听到法官念那一段时，我心里正在想两件事：'我正嫁给一个连床都没有的男人'，还有——'上帝啊，我爱他。'"

这对新婚夫妻打电话给几位朋友，邀请他们到旧金山一家意大利餐厅一起庆祝，朋友们都被结婚消息吓了一大跳。摩顿森的朋友詹姆斯·布洛克当时是旧金山缆车的驾驶员，他坚持要小两口儿在旧金山海岸大街，也就是缆车掉头回转的安巴卡得罗跟他碰面。下班高峰时间，布洛克将两人领上他那辆拥挤的金红色缆车，摇起铃铛向全车的乘客宣布他们的喜讯。缆车一路叮叮当当响回旧金山金融区，热情的旧金山市民丢给他们一大堆雪茄、铜板和满溢的祝福。

到了终点站，布洛克把车门锁上，赠送新婚小两口儿一趟私人旧金山之旅，铃铛又响了一路。缆车沿着看不见的缆索行驶，爬上了诺伯山，经过费尔蒙饭店，最后到达一条繁华时尚的街上，著名的旧金山美景映入眼帘：雄伟的金门大桥旁，渐落的夕阳亲吻着太平洋，将天使岛抹上一片粉红。手挽着妻子，葛瑞格·摩顿森永远记住了那种叫做幸福的颜色。忽然他发现双颊有种陌生的酸痛，这才发现六天来，自己几乎没有一刻停止过笑。

"当大家听到我和塔拉是怎么结婚的，都被吓着了。"摩顿森说，"但对我来说，跟她认识六天就结婚一点儿也不奇怪。我父母也做过同样的事，而且他们过得很快乐。对我来说最神奇的是，我竟然能和她相遇，找到了今生注定相守的女子。"

星期天，摩顿森背起背包，把钱包塞进外套的口袋，开车赶赴机场。他把车停在离境区的车道上，却怎么也抬不起手来开门。转过头，他看见妻子正笑眯眯地看着他。她跟他想的完全一样。"我再去试试看，"摩顿森说，"但不知道他们会不会让我再改一次。"

结果摩顿森又延了两次班机，每次都是把行李拎到机场，以防万一航空公司不让他改行程。但他实在无须担心，因为他和塔拉的爱情故事已经成为航空公司票务柜台流传的浪漫佳话，票务人员也一再放宽规定，让摩顿森有更多时间认识新婚妻子。"那是非常特别的两个星期，可以说是偷来的时间。"摩顿森说，"没人知道我还在城里，我们就躲在塔拉的公寓里，试着弥补相遇前的岁月。"

"最后我终于出来呼吸新鲜空气，打电话给我母亲。"塔拉说，"她那时正在尼泊尔准备登山旅行。"

"当时我正在加德满都，塔拉给我打电话，一开口就要我先坐下。你永远不会忘记那样一个电话。"丽拉·毕夏说，"我女儿翻来覆去地说'很棒'，不过我听到的却是只有'六天'。"

"我告诉母亲，'妈，我刚和一个很棒的人结婚了。'她吓坏了，我明白她其实很担心，不过她很快就冷静下来，努力想为我高兴。她说：'好吧，你已经31岁，也吻过不少青蛙了，如果你认为他是你的王子，那么我也相信他是。'"

他们那辆灰色沃尔沃第四次停在英航离境大厅的车道旁，摩顿森吻别身旁仿佛认识了一辈子的女人，然后拖着背包走到票务柜台。

"你这次真的要走了吗？"女票务员开玩笑地问，"你确定自己做的事正确吗？"

"喔，正确，一点儿没错，"摩顿森说着，转身挥别玻璃窗外也在挥手的妻子。"我从来没有这么确定过。"

十二 哈吉·阿里的课

> 似乎很难相信，一种在喜马拉雅山地区的"原始"文化，竟
> 然能反过来教我们现代社会一些事情；我们对未来发展方式的探
> 寻，总是不断因循远古时人类和地球的联结——某些古老文化从来
> 没有弃绝的联结。
>
> ——海琳娜·诺伯·霍吉

在常嘎吉位于斯卡都的大宅院，摩顿森被守门的雅古挡在了门口。雅古是常嘎吉的佣人，身材瘦小，没有蓄胡子，看起来像个十几岁的男孩儿，他的身材就算按巴尔蒂人的标准都嫌瘦小了点儿。但他其实已经三十多岁了，四十多公斤的身体不偏不倚地挡着摩顿森的路。

摩顿森从背包里拿出一个密封塑料袋，里面放了他所有的重要文件。他开始翻找，终于找到上回他来时常嘎吉勾画的那张学校材料的清单。"我要来拿这些东西。"摩顿森说，一边拿着那张纸让雅古看个仔细。

"常嘎吉先生在品第。"雅古说。

"他什么时候回斯卡都？"摩顿森问。

"最多一两个星期。"雅古想关上门，"你到时候再来。"

摩顿森用手把门挡住。"我现在打电话给他。"

"没有用，"雅古说，"到品第的电话线路断了。"

摩顿森提醒自己不要把愤怒写在脸上。所有帮常嘎吉做事的人都这么会替老板找借口吗？摩顿森正在考虑是继续逼雅古，还是去找警察的时候，一位威严的长者出现在雅古身后。

这位长者名叫古拉姆·帕尔维，戴着上好羊毛织成的棕色帽子，胡子精

105

心修整过，是常嘎吉请来整理账务的会计。帕尔维拥有喀拉蚩大学的商学文凭，那所大学是巴基斯坦最好的学校之一，他的学术成就在巴尔蒂人来说相当罕见。所以在整个斯卡都地区他都是颇负盛名、深受尊敬的什叶派学者。雅古恭敬地退到一旁，把路让给长者。

"先生，我能为您提供什么帮助吗?"帕尔维用英文说。这是摩顿森在斯卡都听到过的最文雅最漂亮的英文。

摩顿森简单地介绍了自己，提及自己遇到的困难，并把收据拿给他看。"这真是最奇怪、最离谱的事。"帕尔维说，"您努力帮巴尔蒂的孩子们建学校，常嘎吉应该知道我会对您的计划非常感兴趣，但他却一个字都没跟我提过。"他边摇着头边说："真是太奇怪了。"

古拉姆·帕尔维曾担任过巴尔蒂斯坦社会福利协会的会长。政府承诺提供给他们的费用一直没有到位，帕尔维不得不做些零散的会计工作以维持运作，他的协会在斯卡都郊区建了两座小学。现在，绿色木门的一边，站着一个带着钱要帮科尔飞建学校的外国人，另一边，则是整个巴基斯坦北部地区最有资格和能力帮助摩顿森的人——一个和摩顿森有着同样目标的人。

"未来两个星期我都要花时间整理常嘎吉的账本，尽管这么做毫无意义。"帕尔维边说，边在颈部绕上一条浅黄褐色围巾。"现在，我们要不要去看看您的材料?"

慑于帕尔维的威严，雅古开着常嘎吉的吉普车将他们带到印度河岸附近，镇子西南不到两公里处的肮脏工地，那里矗立着常嘎吉盖了一半的饭店外壳，钱用完了，饭店却始终没完工。泥墙砌成的建筑物并不高，连屋顶都没有，立在恶臭的垃圾山之中，周围是三米多高的围篱，上头还绑着一卷一卷的铁丝网。透过还没装玻璃的窗户，摩顿森看到了蓝色防水塑料布盖着的一堆堆建材。摩顿森扯着围篱上挂的大锁，转头看着雅古。"只有常嘎吉先生有钥匙。"雅古刻意回避着他的视线。

第二天下午，摩顿森和帕尔维回到工地，从出租车后备箱里取出断线钳走向大门。荷枪的守卫原本在石头上打盹儿，见状立刻跳下石头，一边用手稳住荡来荡去的生锈来福猎枪——看起来更像是吓唬人的假玩意儿。摩顿森心想，什么电话不通，常嘎吉显然已经接到通报了。"你们不能进去，这栋

106

建筑物已经卖给别人了。"

"这个常嘎吉虽然穿着白袍，但却是一个黑心肠的人。"帕尔维用抱歉的语气对摩顿森说。

但帕尔维回头面对常嘎吉的守卫时，却一点儿也不客气。粗着嗓子吼出来的巴尔蒂话听起来非常凶狠。帕尔维的每句话都仿佛能刺穿岩石的利铲一般尖锐，字字重击在守卫身上，完全粉碎了他拦路的意志。当帕尔维终于住声，举起手中的钳子准备剪锁时，守卫放下了来福枪，从口袋里翻出钥匙，陪着他们进去了。

在废弃饭店潮湿的房间里，摩顿森掀开蓝色的防水布，找到了大约三分之二的建材，包括水泥、木料，以及屋顶的波纹板。他永远都没办法找回当初千辛万苦拖上喀喇昆仑公路的整车材料，更别说找人负责；不过这些已经够他们开工了。在帕尔维的协助下，他把找回的材料用吉普车运回了科尔飞。

"要是没有古拉姆·帕尔维，我在巴基斯坦会一事无成。"摩顿森说，"我父亲之所以能在坦桑尼亚盖成医院，是因为他有一个非常聪明能干的坦桑尼亚伙伴约翰·摩西。帕尔维就是我的约翰·摩西。盖第一所学校的时候，我完全不知道自己在做什么，是帕尔维教我一步步把事情完成。"

搭上吉普车回科尔飞前，摩顿森热情地握着帕尔维的手，向他致谢。"如果我还能帮些什么忙，一定要让我知道。"帕尔维微微鞠着躬，"你为巴尔蒂孩子们所做的事，才是最值得赞赏和感谢的。"

堆在地上的石头与其说是盖新学校的建材，不如说更像远古时代遗留下来的废墟。摩顿森站在高地上远眺布劳渡河，宜人的秋色中，"科尔飞乔戈里峰"的金字塔山形清晰耸立，壮观气派，但眼前废墟般的景象却让他的心跌进了谷底。

前一个冬天离开科尔飞之前，摩顿森已经把帐篷地钉打进地里作为记号，还绑上红蓝尼龙绳索，用来标示学校五间教室的平面图。他也给哈吉·阿里留了足够的钱，让他请下游地方的人切割搬运石材。再回到科尔飞时，摩顿森原本期待看到基本完工的学校地基，但映入眼帘的却是荒地中间的两大堆石头。

摩顿森跟哈吉·阿里一起巡视学校的建设地点，努力隐藏着自己的失望。在旧金山机场的四度延迟，加上费尽周折要回建材耽误的时间，他回到科尔飞时已是十月中旬，比之前跟哈吉·阿里约定的时间几乎晚了一个月。"他们这个星期应该开始盖墙了才对啊！"摩顿森生着闷气，开始怪起自己来，"我不能一直到巴基斯坦来，现在我结婚了，我得有份工作。"摩顿森希望赶快把学校盖好，然后好好规划自己未来的路。可现在，即将来临的冬日又会再度耽搁盖学校的进度，摩顿森一路踢着石头生闷气。

"怎么回事？"哈吉·阿里用巴尔蒂语问，"你看起来像只横冲直撞的年轻公羊。"

摩顿森深吸了一口气，"你们为什么还没开始动工？"他问。

"葛瑞格医生，我们在你回去的时候，讨论过你的计划。"哈吉·阿里说，"我们觉得没有必要浪费你的钱，把它付给门中村和艾斯科里那些懒惰的工人。他们要是知道学校是一个有钱的外国人盖的，就会耍心机，做很少的事却要很多的钱。所以我们决定自己采石材，结果花了整个夏天的时间，因为村里的男人得接挑夫和协作的工作。不用担心钱，我把它好好地锁在我家了。"

"我不是担心钱。"摩顿森说，"但是我希望在冬天来到之前，至少把学校的屋顶盖好，孩子们能有个地方儿读书。"

哈吉·阿里把手放在摩顿森肩上，像父亲一样拍了拍这个没耐性的美国人。"我感谢慈悲的安拉把你赐给我们，感谢你为我们所做的一切。但是科尔飞的人住在这个没有学校的地方已经六百年了。"他笑着说，"多一个冬天又有什么关系？"

回哈吉·阿里家的路上，他们穿过一捆捆麦穗堆成的金黄色走廊，摩顿森每走几步，就有村民把身上背的农作物放下来欢迎他。从田里返回的妇女们把身子往前倾，倒出背上竹篓里的麦梗，再回到田里用长柄镰刀继续收割。摩顿森注意到，她们头上戴的"乌答瓦兹"帽子除了沾上色彩单调的麦糠碎谷外，还有些闪亮的丝线和羊毛织在一起——正是他用来做记号的红蓝尼龙绳。在科尔飞，任何东西都不会浪费。

那天晚上，摩顿森和塔瓦哈一起躺在哈吉·阿里家的屋顶上，回想起上次睡在同样的位置时，心里有多孤单。现在他想着塔拉，脑海中闪现出她在旧金山机场隔着玻璃跟他挥手时可爱的模样，强烈的幸福感涌了上来，他迫不及待地想与人分享。

"塔瓦哈，你睡了吗？"摩顿森问。

"还没。"

"我有件事要告诉你，我结婚了。"

摩顿森听到轻轻的"咔嗒"一声，眯眼朝着突然亮起的手电筒灯光望去——手电筒是他刚送给塔瓦哈的礼物。塔瓦哈坐起身，用他新奇的灯光玩具研究摩顿森的表情，想弄清他是不是在开玩笑。

接着手电筒掉到了地上，一阵祝福的拳头兴奋地落在摩顿森的臂膀上。最后塔瓦哈终于跌坐在床上，高兴地叹了口气。"哈吉·阿里说葛瑞格医生这次看起来不太一样。"塔瓦哈笑着说，"他真的什么都知道。"塔瓦哈开心地玩起了手电筒的开关。"我能知道她的名字吗？"

"塔拉。"

"塔……拉。"塔瓦哈跟着念。这个发音在乌尔都语里是"星辰"的意思。"她很美吗，您的塔拉？"

"是的，"摩顿森觉得自己脸红了，"非常美。"

"您要给她父亲多少只公羊和山羊呢？"塔瓦哈问。

"她父亲和我父亲一样，都已经过世了。"摩顿森说，"而且在美国，我们不给新娘聘礼。"

"她离开母亲的时候，有没有哭？"

"她是和我结婚后才告诉她母亲的。"

塔瓦哈停顿了片刻，思索着美国奇特的婚姻习俗。

来到巴基斯坦后，摩顿森曾经受邀参加过几十次婚礼。在巴尔蒂斯坦，不同的村庄有不同的婚礼习俗，但是他见过的所有婚礼，主题基本都一样：新娘要表达永远离开家的痛苦和悲伤。

"通常在婚礼中，会有个很严肃的时间段，新娘和她母亲抱在一起痛哭。"摩顿森说，"新郎的父亲会堆起很多袋面粉和糖，还答应以后会给更多的山羊和公羊，新娘的父亲则是双手抱胸背对男方，要求对方给更多的聘礼，等到新娘的父亲觉得男方给的聘礼足够合理时，就会转过身来点头表示同意。接着，男方的家庭在新娘哭天抢地的时候，硬把她和母亲两人活生生拆开。如果嫁到科尔飞这种偏远的村落，新娘以后就可能永远也见不到家人了。"

第二天早上，摩顿森发现早餐盘里，除了平日的"恰巴帝"薄煎饼和"拉西"酸奶外，还多了颗珍贵的鸡蛋，莎奇娜站在通往厨房的走道上骄傲地对他笑着。哈吉·阿里帮摩顿森剥掉蛋壳儿，一边解释着："这会让你更强壮，多生些孩子。"莎奇娜则把脸藏在头巾后头咯咯笑个不停。

哈吉·阿里耐心地坐在摩顿森旁边，看着他喝完第二杯奶茶，先是微笑，然后笑容扩展到整个脸庞。"走，我们去盖学校！"他说。

哈吉·阿里爬到屋顶上，要所有科尔飞村民到村里的清真寺集合。摩顿森带着从常嘎吉废弃的饭店找回来的五把铲子，跟着哈吉·阿里从泥泞的巷弄走到清真寺，其他村民也纷纷走出家门。

过去几百年来，科尔飞的清真寺和怀着信仰涌入寺里祈祷的村民一样，都在为了适应环境而改变。巴尔蒂人没有文字，历代都是用口述方式传承他们的历史文化，每个巴尔蒂人都能复诵十几代甚至二十代前的历史，因此每一位科尔飞村民都对这幢土墙支撑的木建筑了如指掌。这栋建筑有超过五百年的历史，在伊斯兰教进入巴尔蒂斯坦地区之前，它本是一间佛教庙宇。

在科尔飞待了这么久，摩顿森还是第一次跨过清真寺的大门进到里面。每次走到清真寺附近，他都带着保持距离的尊敬——跟他对科尔飞的宗教领袖谢尔·塔希的态度一样。摩顿森不确定这位伊斯兰"毛拉"对村里有他这样一位非信徒有何想法，尤其是还打算让科尔飞女孩们受教育的非信徒。谢尔·塔希给了摩顿森一个微笑，把他领到厅后的祷告垫。瘦瘦的谢尔·塔希留着灰黑胡子，和大部分住在山区的巴尔蒂人一样，比他四十多岁的实际年龄看起来要苍老很多。

谢尔·塔希每天要召唤散居村里各处的信徒来祈祷五次，而且没有扩音器帮忙。此时他宏亮的声音回荡在小小的室内，他开始带着大家用一种特别的祷词召唤真主，请安拉在他们盖学校时赐下祝福引导。

这次哈吉·阿里提供了绳子，是当地人编的麻线（当然不是用红蓝尼龙绳交错编成的绳索了）。他和摩顿森一起量好准确的长度后，把麻线浸在钙粉和石灰的混合物里，接着用村里几百年来的古法标示施工的位置：他和塔瓦哈把绳子拉紧，然后往地上一弹、留下一条白色线痕，校墙的位置便清晰可见了。摩顿森把五把铲子传给大家。五十多位村民挖了一整个下午，学校预定位置的四条边都挖好了一条一米深、一米宽的长沟。

沟挖好后，哈吉·阿里对着两块巨石点点头，六名壮丁合力抬起石头，吃力地移动脚步走到沟边，把石头放进面向"科尔飞乔戈里峰"的地基角落。接着他让塔瓦哈把"邱可拉巴"（大山羊）带过来。

塔瓦哈神情严肃地走开，回来时带着一只有着高贵弯角的巨大灰色动物。"通常要人拖着，公羊才会跟过来，"摩顿森说，"但这是全村最大的一只羊，根本就是它拖着塔瓦哈走，塔瓦哈努力撑着才不被它甩开。"

侯赛因的体型可算得上是巴尔蒂人中的相扑选手了，所以一直负责村里的屠宰任务。巴托罗的挑夫是依据负重量收费的，每二十五公斤为一个负重单位，而侯赛因是有名的高地挑夫，每次至少能背三个单位，从来没少于过七十公斤。侯赛因从刀鞘中抽出柳叶刀，把刀轻轻放在胡子倒竖的公羊的喉咙上。谢尔·塔希举起双手，合掌放在羊头上，请求安拉同意取走它的性命，然后对握着刀的侯赛因点头示意。

稳了稳脚步，侯赛因利落地将刀子送进公羊的咽喉，切断颈动脉。热血如泉涌般喷溅在学校的基石上。然后塔瓦哈负责抓着角拎起羊头，侯赛因用力锯开公羊的脊椎。摩顿森盯着这只动物的眼睛，它也回盯着摩顿森，眼神看起来和侯赛因下刀前一样毫无生气。

男人们忙着剥羊皮、割羊肉时，妇女们则准备着做饭、煮菜汤。"那天我们几乎没做别的事儿。"摩顿森说，"事实上，我们整个秋天都没什么进度。所以，我们只是享受了一顿丰盛的大餐。对于一年只能吃到几次肉的村民来说，那顿饭远比学校重要得多。"

每一位科尔飞村民都分到一份羊肉。整只羊都被吃得干干净净，连最后一滴骨髓都被吸干后，摩顿森加入村民的队伍，在即将成为学校庭院的预定地点升起火庆祝。月亮悄悄爬过"科尔飞乔戈里峰"，升上晴朗的夜空，村民们围着火堆跳舞，教摩顿森诵唱伟大英雄格萨尔王的史诗，以及一首又一首唱不完的巴尔蒂民谣。

巴尔蒂人和大块头美国人一起跳着舞，唱着高山王国的征战之歌，歌颂从巴基斯坦蜂拥而来的帕坦野蛮战士；歌颂廓尔喀人与巴尔蒂王之间的争战。科尔飞的妇女们早已习惯了这个大块头，她们脸孔发亮，站在熊熊火光边，一边拍掌一边跟她们的男人唱和。

那一晚摩顿森了解到，巴尔蒂人有着悠久的历史和丰富多彩的文化传统，虽然他们的历史没有文字可循，其真实性却并未因此削减。围着火堆跳舞的一张张面孔，需要的不是教导，而是帮助，学校将是他们能够彼此帮助的地方。摩顿森望着学校的预定地点，现在那里不过是几条洒了羊血的沟渠。在他回到塔拉身边之前，也许没有多少进展，但自从那个跳舞的夜晚起，学校在他心里开始有了沉甸甸的分量——对他来说，学校已经是真实的了，他仿佛看到学校就矗立在眼前，像满月银光照耀下的"科尔飞乔戈里峰"一样。摩顿森将脸转向火光。

塔拉·毕夏的房东不肯把舒服的车库套房租给夫妻俩，摩顿森只好把妻子的东西搬一些到他跟杜得辛思基合租的房间，然后把剩下的东西全塞进他的个人储藏室里。看着她的书和灯静立在父亲的乌木大象旁，摩顿森觉得妻子和父亲的生命也彼此联结起来了，正如那头木雕大象一样：象牙部位缠着灯的电线，象尾则掉在她的牛奶架里。

塔拉取出她父亲留下的一部分钱，买了张双人床，小小的卧房也因为这张床变得更加拥挤。摩顿森惊奇地发现，婚姻给他带来了这么多正面影响：自打他到加州后，这还是第一次搬出睡袋，睡在真正的床上。而且这么多年来也是头一次，他终于可以跟人一起商量、一起讨论自他踏上科尔飞的土地后就没有中断的艰辛旅程。

"摩顿森越跟我分享他的工作，我就越觉得自己幸运。"塔拉说，"他对巴基斯坦有很深的热情，他也将这种热情延伸到他做的其他事上。"

吉恩·霍尔尼博士同样为摩顿森对喀喇昆仑山区的热情所感动，他邀摩顿森和塔拉到他在西雅图的家中一起过感恩节。霍尔尼和妻子珍妮弗准备了一顿超级大餐，让摩顿森想起他在巴基斯坦时，大家在抢学校时争着请他吃的那几顿盛宴。霍尔尼热切地听摩顿森讲述了所有经过，包括他怎样被吉普车挟持到可安村，连续吃了两顿同样的晚餐；常嘎吉怎样在库阿尔都请客，上了整只牦牛菜肴。摩顿森一口菜都没动，继续讲述科尔飞的破土典礼——包括宰杀那只大山羊献祭，以及整夜的营火和舞蹈。

那个感恩节，有许多事情值得摩顿森感恩。当大家坐在壁炉前，喝着超大高脚杯的红酒时，霍尔尼开口了。

他说："你喜欢在喜马拉雅山做的事情，而且听起来做得还不错。为什么不把这变成你的事业呢？那些争相请你吃饭、想贿赂你的村庄，他们的孩子也需要学校。但是没有一个登山界的人会举一根手指头帮助这些人，他们脑子里装了太多夏尔巴人、太多的佛教徒。如果我成立一个基金会让你当会长，一年盖一所学校，你意下如何？"

摩顿森紧握着妻子的手，这个想法好到让他不敢说话，生怕霍尔尼会突然改变心意。他赶紧喝了一口酒，平复自己兴奋的心。

那年冬天，塔拉·毕夏怀孕了。随着小生命的孕育，杜得辛思基充满烟臭的公寓也越来越不适合他们。塔拉的母亲丽拉从登山圈的朋友那里听说了摩顿森新事业的好消息，邀请小两口儿到蒙大拿州去看她。丽拉住在波兹曼市的历史街，她的房子充满了艺术气息。摩顿森立刻爱上了这个在盖拉丁山脚下的淳朴城镇，他决定离开柏克莱，那里只有他攀登生涯的回忆。丽拉借给他们足够的钱付房屋头期款，于是夫妻俩买下了附近的一栋小房子。

早春时分，摩顿森最后一次关上柏克莱 114 号个人储藏室的门，带着妻子和家当，开着自助搬家货车来到蒙大拿州，住进了离丽拉家只有两条街的小平房。远离了波兰杂工的二手烟和 14 岁的持枪少年劫匪，这栋有清幽围篱庭院的小房子可以让未来的孩子们安心地玩耍和成长。

1996 年 5 月，摩顿森在伊斯兰堡机场填入境表格时，他的笔在"职业栏"那一格犹豫了许久。好几年来他都写"登山者"；这一次，他潦草地填入了霍尔尼建议的"会长——中亚协会"。霍尔尼预见，这个组织将如同他创立的半导体公司一样快速成长，除了在巴基斯坦，还会沿丝绸之路散布到各个"斯坦"地区，推广学校建设和其他人道主义援助计划。摩顿森则没那么乐观，盖好第一所学校都已困难重重，他实在不敢想象霍尔尼所说的计划。不过令他安心的是，他有了年薪 21798 元的稳定收入，同时也多了一份任重道远的责任。

摩顿森从斯卡都寄了封信给穆札佛，表示愿意给他提供一份薪水稳定的工作，希望他到科尔飞帮忙盖学校。离开斯卡都回到科尔飞之前，摩顿森也拜访了古拉姆·帕尔维。帕尔维的房子位于斯卡都南部山丘，附近都是翠绿的密林，隔壁就是华美的清真寺，土地是他父亲所捐，清真寺则是由他建造完成。在帕尔维被苹果树和杏桃围绕的庭院里，摩顿森提出了他对未来的保守计划：先将科尔飞的学校完成，然后明年在巴尔蒂斯坦其他地区再盖一所学校。他也邀请帕尔维加入。征得霍尔尼的同意后，摩顿森给帕尔维提供一些薪水，补贴他做会计师的微薄收入。

"我马上就发现，葛瑞格有一颗了不起的心。"帕尔维说，"我们俩都渴望着帮助巴尔蒂斯坦的孩子们。我怎么能拒绝他呢？"

帕尔维给摩顿森介绍了一位能干的斯卡都泥水匠玛克玛，两人一起在星期五下午回到科尔飞。走在村里的新桥上，摩顿森惊讶地看见十多位科尔飞妇女穿着只有在特别日子才会穿的盛装迎面走来。妇女们跟他打招呼后，就忙着去拜访住在附近村子的娘家，因为那天是星期五，伊斯兰教的"主麻日"。

"有了桥之后，她们现在可以当天回到村里，所以每到星期五，科尔飞的妇女们就回娘家探视家人。"摩顿森解释说，"这座桥变成了联结母性亲情的一种纽带，让她们更快乐，不像从前那么孤单。谁能想到像桥这么简单的东西，居然可以给女性带来那么多的支撑。"

在远处的布劳渡河岸上，哈吉·阿里一如往常，像雕像般站在悬崖的最高处，左右分别站着塔瓦哈和嘉涵，哈吉·阿里用热烈的拥抱欢迎他的美国儿子回来，亲切地问候他从大城市带来的客人。

摩顿森看到他的老朋友穆札佛害羞地站在哈吉·阿里身旁，非常开心。两人热情拥抱，仔细打量着对方的面容，穆札佛尊敬地将摩顿森的手拉到自己的心口。

"永青那右？"摩顿森说着传统的巴尔蒂问候语，意思是"你好吗？"脸上满溢着关心。

"我那天其实还好，感谢安拉。"十年后回想当时的情景时，穆札佛已是即将失聪的老人，他温柔地说，"只是有点累。"

那天晚上在哈吉·阿里家吃晚饭时，摩顿森才知道穆札佛刚完成一趟历经十八天的艰苦行程。从斯卡都到科尔飞唯一的路又一次因山崩而中断，穆札佛刚陪同日本登山队往返巴托罗冰川，马上又带着一小队挑夫，每人背上四十公斤重的水泥，徒步二十五公里山路运往科尔飞。个子瘦小的穆札佛那时已经六十多岁，前后扛了二十趟水泥上科尔飞，日夜赶路，甚至顾不上吃饭，只盼着能在摩顿森到达之前把水泥准时送到。

"我第一次在巴托罗冰川遇到葛瑞格·摩顿森先生的时候，他是个非常和善的年轻人。"穆札佛回忆，"很幽默，喜欢开玩笑，也很愿意和我们这些穷协作分享东西。当我找不到他，担心他可能在冰川上丧生的时候，我整个晚上都没睡，一直在向安拉祈祷，让我有机会救他。后来我找到他，我答应要用我所有的力量保护他。从那之后，他就一直在帮助巴尔蒂人。我很穷，只能贡献我的祈祷，还有我的力气，我很高兴能给予这些，帮助他盖学校。后来，我搬完那些水泥回到自己的村子里，我太太看着我的瘦脸说：'怎么回事？你被关进牢里了吗?'"说完穆札佛大笑。

第二天清晨，天还没亮，摩顿森就在哈吉·阿里家的屋顶上踱起了步子。他现在是一个组织的会长，肩负更重的责任，不光是盖好这个偏远村庄的学校而已。霍尔尼对他的信任沉甸甸地压在他的宽肩膀上，他决定了，不能再参加没完没了的会议和庆宴，必须尽快将学校盖好。所有村民在工地集合后，摩顿森带着铅垂线、水平仪、账簿跟他们会面。"盖学校，就像是指挥交响乐团一样。"摩顿森说，"我们先用炸药把巨石炸成较小的石头，然后几十个人在混乱中左弯右绕，把一篓篓石头搬给泥水匠。玛克玛像变魔术一样，用铲子铲两下就把石头理成整齐的石砖。妇女们则从河里挑水过来，倒在大坑里搅和水泥，然后泥水匠把混好的水泥抹在石砖上，一排一排把砖慢慢砌起来。孩子们趁水泥没干赶紧冲过来，用小石头把石砖间的空隙填满。

"我们非常兴奋，特别想帮忙。"学校老师侯赛因的女儿泰希拉说，当时她只有10岁。"父亲跟我说学校是个很特别的地方，可我不知道学校是什么，所以跑到工地想看看大家为什么这么兴奋。家里每个人都去帮忙了。"

"葛瑞格医生从他的家乡带了些书来。"哈吉·阿里的孙女，当时9岁的嘉涵说，"里头有些学校的照片，所以我大概知道我们要盖的是什么了。葛瑞格医生穿着干净衣服很高贵，照片上的孩子看起来也都很干净。我当时在想，如果我去上学，也许有一天我也会变得很高贵。"后来她和泰希拉成为了科尔飞学校第一届的毕业生。

整个六月，学校的墙慢慢筑高，但是每个工作日都有一半的工人跑去照顾庄稼或是牲畜，建筑进度比摩顿森预期的落后很多。

"我努力扮演严格公正的工头角色。"摩顿森说,"我整天待在工地,从日出到日落,用水平仪确定墙砌得够平,用铅垂线量它们够不够直。我手里一直拿着笔记本,眼睛盯着每个人看,焦虑地计算每一块卢比。我不想让霍尔尼失望,所以我逼大家逼得很紧。"

8月初一个晴朗的午后,哈吉·阿里在工地拍了拍摩顿森的肩头,邀他一起去散个步。老人带着摩顿森往上走了一个小时,脚劲好得让比他年轻几十岁的美国人自叹弗如,但摩顿森也觉得时间正在一点一滴地浪费。当哈吉·阿里终于在狭窄的岩架上停下来时,摩顿森已经气喘吁吁。

哈吉·阿里等到摩顿森喘过气来,让他看看眼前的景色。空气是高山上特有的清新,远在乔戈里峰之外,喀喇昆仑山脉内层的冰峰直刺蓝天。千米之下的科尔飞,逐渐成熟的麦田一片翠绿,但看起来那么渺小脆弱,仿佛漂浮在岩石海洋中的生命之舟。

哈吉·阿里伸手放在摩顿森的肩上。"这些山在这里已经很久了,"他说,"我们也一样。"说着他拿出象征村长权威的棕色羊毛"托比帽",戴在银白的发梢。"你不能决定山该做什么。"他语调中的严肃把摩顿森震慑住了,一如眼前的景色。"你必须学会聆听它们。所以我也请你听我说,因为全能安拉的慈悲,你为我的村民做了很多,我们很感激。但是现在你得再为我做一件事。"

"我愿意做任何事。"摩顿森说。

"坐下,不要说话。"哈吉·阿里说,"你把大家都快逼疯了。"

"然后他伸手把我的铅垂线、水平仪、账簿全都拿走了,快步走回科尔飞。"摩顿森回忆道,"我跟着他走回屋里,不知道他要到底做什么。他脖子上一直戴着一个皮串,上头穿了一把钥匙。他用钥匙打开一个褪色的木雕柜子,把我的东西锁在里头。里面放的都是重要的东西,有腌山羊肉、他的祷告珠,还有他那把旧式英国滑膛枪。然后他要莎奇娜备茶。"

在莎奇娜煮"白玉茶"的半个小时里,摩顿森坐立不安地等待着,哈吉·阿里则用手翻着他最宝贝的《古兰经》,专心沉浸在内心世界里,默念着祷词。

装着滚烫酥奶茶的瓷碗在他们手中冒着热气,哈吉·阿里终于开了口。"如果你想在巴基斯坦成功,你就得尊重我们的方式。"哈吉·阿里边说边吹着他的碗，"当你第一次跟巴尔蒂人喝茶的时候，你是个陌生人；第二次，你就是我们的贵客；第三次你再和我们一起喝茶，就已经是我们的家人了，而为了我们的家人，我们会无怨无悔地做任何事，甚至是死。"他把温暖的手搭在摩顿森的手上。"葛瑞格医生，你必须花时间去喝这三杯茶。我们虽然没受过教育，但是我们并不笨，我们已经在这里生存居住了很久。"

"那一天，哈吉·阿里教了我这一生最重要的一堂课。"摩顿森说，"我们美国人认为必须尽快把事情做完，我们是个三十分钟解决午餐、两分钟完成橄榄球训练的国家，我们的领导人认为靠'震撼教育'式的宣传活动，就能在攻进伊拉克之前赢得战争。哈吉·阿里教我要花时间喝上三杯茶，把速度放慢，像重视盖学校一样，重视和工人之间的关系。他给我上了宝贵的一课，让我知道从跟我一起工作的人身上，我还有太多东西要学，而不应该自以为是，总想着教给他们些什么。"

三个星期后，当摩顿森从工头降级为群众时，学校的墙已经砌得比他的头还高，只差把屋顶盖上去。常嘎吉偷掉的屋梁再也找不回来了，所以摩顿森又回到斯卡都，跟帕尔维一起监督新梁的采购和制作，确保它们足够强韧，能顶得住科尔飞严冬时的大雪。

意料之中的一场山崩，让前往科尔飞的路再度中断。运送木料的吉普车被拦在了二十五公里外的山下。"第二天早上，帕尔维正和我讨论该怎么办时，看见一大团尘土往河谷方向移来。"摩顿森说，"哈吉·阿里不知从哪里听说了我们面临的困境，连夜发动科尔飞的所有村民步行下山，他们抵达时还在拍手唱着歌，精神好得根本不像一夜没睡的人。最神奇的是，连谢尔·塔希都来了，还坚持要搬第一包货。"

"照理村里的宗教老师不应该做粗重的事情，但他坚持要帮忙，领头带着我们这一行三十五个人走了二十五公里的山路，把屋梁搬回村里。谢尔·塔希幼年时得过小儿麻痹症，走路有点拐，走这段路对他来说非常辛苦，但他一路笑嘻嘻的，若无其事，带领我们走上布劳渡河谷。这位毛拉是想用这种方式表达他对教育科尔飞孩子的支持——甚至包括教育女孩子。"

但并非所有布劳渡河谷的人都和谢尔·塔希的看法一致。一个星期后，摩顿森和塔瓦哈站在一起，正赞叹玛克玛和他的工人们安放屋梁的纯熟技术，忽然听见一群孩子的喊叫声。孩子们通报说，有一帮陌生人刚刚过桥，正往村子里走来。

摩顿森跟着哈吉·阿里走到桥上方的制高点，看到有五名男子走过来，其中一名看起来像是领头的，后头四名身材魁梧的男子手里拿着白杨树枝修整成的棍子，边走边用棍子敲着手心。领头的长者身材很瘦，看起来一脸病容，爬上科尔飞时还拄着拐杖。距离哈吉·阿里一百多米时，他停下脚步，傲慢地要科尔飞的村长走过去迎接他。

塔瓦哈挨近摩顿森，"糟糕，这个人是哈吉·麦迪。"他悄声说。

摩顿森早听说过这个人，他是艾斯科里的村长。摩顿森说："他像个黑手党老大一样控制着整个布劳渡河谷的经济。巴尔蒂人卖的每一只绵羊、山羊或是鸡，他都要抽成。他也盘剥登山者，用离谱的高价贩卖物资。如果有人卖给登山队一个鸡蛋，胆敢不让他抽成，哈吉·麦迪就会派打手用棍棒修理那些人。"

哈吉·阿里拥抱过麦迪后，他拒绝了喝茶的邀请。"我就在这儿说话，这样大家都听得到。"他对岩壁旁开始聚拢的人群说："我听说有个异教徒来到了这里，企图用他教的东西毒害穆斯林的孩子，不论是男孩还是女孩。"哈吉·麦迪嚷了起来。"安拉禁止女孩子受教育，我也禁止你们盖这所学校。"

"我们会把学校盖好的，"哈吉·阿里平静地说，"不管你阻止还是同意。"

摩顿森往前走去，试图化解越来越浓的冲突气息，"我们何不先喝茶再讨论这件事？"

"我知道你是谁，'卡飞尔'（拒绝信仰者）。"麦迪使用了形容异教徒最恶劣的词汇，"我跟你无话可说。"

"至于你，你不是穆斯林吗？"麦迪转身对着哈吉·阿里恐吓道，"真主只有一位。你是侍奉安拉，还是侍奉这个卡飞尔？"

哈吉·阿里拍着摩顿森的肩膀说："从来没有人来到这里帮助过我的村民，我每年付给你钱，但你什么事也没帮我们做过。这个人比你好，他比你更当得起我的奉献。"

哈吉·麦迪的打手蠢蠢欲动，他举起手作势要他们先别动。"如果你坚持要留住你的'卡飞尔'学校，你必须付出代价。"麦迪的眼睑开始往下垂。"我要十二只最大的山羊。"

"如你所愿。"哈吉·阿里将背转向麦迪，借以鄙视他自贬身份的索贿，"把邱可拉巴带过来。"哈吉·阿里吩咐道。

"要知道，在这些村子里，一只山羊就等于头胎小孩、珍贵的母牛、家里的宠物，统统加在一起才及得上它的珍贵。"摩顿森解释道，"每户人家的长子最神圣的任务就是照顾山羊，哈吉·麦迪的要求对他们而言简直是晴天霹雳。"

哈吉·阿里一直背对着那个外人，直到十二个孩子拖着粗角厚蹄的山羊过来。他从孩子手中接过缰绳，把羊绑在一起。孩子们把他们最珍贵的财产交给村长时，都忍不住低头啜泣。哈吉·阿里把哀嚎的羊群牵到哈吉·麦迪面前，一句话都没说，把绳头丢给他。接着阿里转过身，把村民们带回到学校。

"那是我见过的哈吉·阿里最逆来顺受的一次。"摩顿森说，"他刚刚把村里的一半财产给了那个恶棍，却还能笑得出来，好像刚中了头彩。"

哈吉·阿里停在村民们共同努力盖起来的学校前。它稳稳地站立在"科尔飞乔戈里峰"之下，有涂好石灰漆成黄色的石墙，还有能把恶劣天气挡在门外的厚重木板，科尔飞的孩子们再也不用跪在结冰的地上读书了。

"不要难过，"他告诉心碎的村民们，"那些羊终究会死的，被吃掉之后就什么都没有了，但学校还会在这里。哈吉·麦迪今天拿走了食物，但我们的孩子却永远都能受教育。"

天黑之后，在哈吉·阿里家的炉火旁，他请摩顿森坐到身边，然后拿起《古兰经》，举在火光前面，"看见这本《古兰经》有多美吗？"哈吉·阿里问。

"是的，它很美。"

"可是我却没办法读。"他哀伤地说，"我不识字。这是我这一生最大的悲哀和遗憾。只要能让村里的孩子们永远不用体会这种感觉，我愿意做任何事。我愿意付出任何代价，让他们拥有他们应得的教育。"

"当时我才意识到，"摩顿森说，自打我承诺盖学校那天开始，一直到经过漫长努力终于兑现的那一天，"任何事情、任何我所经历过的困难，跟他准备为村民们做的牺牲相比，根本就是九牛一毛。坐在那里的目不识丁的老人，几乎一生没有离开过村子，却是我遇到过的最有远见、最有智慧的人。"

119

十三　"笑容不该只是回忆"

> 瓦济里人是阿富汗边界上最大的部族，文明程度却很低……
>
> ——1991 年版　《大英百科全书》

　　站在破旧饭店的二楼房间里，摩顿森看到一个失去双腿的男孩正坐在滑动木板上，一点点向前挪动，试图穿越混乱的开伯尔市集。男孩看起来还不到十岁，腿上醒目的瘢痕说明他是个地雷受害者。费力前进的孩子爬过一处卖豆蔻茶的路边小摊，他的头刚及路过的出租车的排气管。旁边停着一辆装载着人工义肢的日产卡车，驾驶员爬上卡车正准备发动引擎。

　　摩顿森心想，男孩是多么需要那些像柴火一样堆在车上的义肢，一副就够了。但那又是多么不可能的事。就在这时，摩顿森看到卡车司机往男孩的方向倒车，他不会说当地通用的普什图语，只好用乌尔都语大叫"小心"，希望男孩能听得懂。幸好男孩早就练就了在白沙瓦街头生存的自我保护能力，在危险即将到来时迅速躲开，爬上了人行道。

　　白沙瓦是巴基斯坦荒凉西部的首府。科尔飞的学校行将竣工，摩顿森以他的新身份——中亚协会会长来到这座跨立在旧时"大干线"上的边城。

　　白沙瓦是通往开伯尔山隘的大门，在这条贯通巴基斯坦和阿富汗的大动脉上，一支空前庞大的大军正在穿行。白沙瓦宗教学校的学生，用书本换取AK－47 步枪和子弹匣，然后向隘口另一端的目的地前进，准备加入军队推翻阿富汗的政权。

　　1996 年 8 月，这支自称"塔利班"（在波斯语中是"学生"的意思），大部分由青少年组成的军队，突击了贾拉拉巴德——一座位于开伯尔山隘的阿富汗大都市。几百辆双厢货车载着几千名蓄胡须、缠头巾、涂黑眼线的武装少年穿过隘口，而守卫边境的民兵团只是站在道路两旁袖手旁观。

成千上万躲避战乱的疲惫难民开始东涌，远远超出白沙瓦郊区难民营的负荷。摩顿森原本打算两天前离开此地，去勘察几处可能建学校的地点，但白沙瓦城里的骚动让他多留了两天。茶馆里，大家都在讨论塔利班如何闪电般赢得了胜利，带着自动步枪的男人则胡乱朝天空开枪庆祝。各种谣言传得比子弹还快：有消息说塔利班的军队已经进入阿富汗首都喀布尔的郊区，有的则说已经占领了首都，纳吉布拉逃到了法国，还有的说纳吉布拉已在足球场上被处决了。

一个富庶沙特阿拉伯家族的第十七个儿子，搭乘一架阿富汗阿利亚纳航空公司的私人包机卷入了这场风暴。他的飞机降落在贾拉拉巴德外一处废弃的航空基地，机上载着数个皮箱，里面塞满了无法追踪号码的百元美钞，以及像他一样曾经历阿富汗对苏战役的士兵。这个人就是奥萨马·本·拉登。据说他当时的心情并不好。美国和埃及共同的压力把他驱逐出了苏丹的舒适豪宅。逃亡期间，他被褫夺了埃及公民的身份，因此选择了阿富汗，这个混乱的地方对他来说再适合不过了。

只不过此处的恶劣环境让他很不满意。在向他的塔利班主人抱怨住宿条件太差之后，他就把与日俱增的怒气发泄在他认为导致他被驱逐的人——美国人身上。

葛瑞格·摩顿森在白沙瓦逗留的那个星期，本·拉登第一次呼吁针对美国人进行武装反抗：在五千名美军进驻沙特阿拉伯后，他发布"针对美国人占领两个圣地的公开圣战宣言"，鼓动他的追随者对在任何地方发现的美国人进行攻击，并且"尽一切努力对他们造成最大伤害"。

与大部分美国人一样，摩顿森当时并不知道本·拉登是谁，他觉得自己难得亲身见证历史性的战事，不太愿意就这样离开。另一个大问题是，他很难找到合适的人陪在身边。离开科尔飞之前，摩顿森曾和哈吉·阿里讨论过他的计划。"答应我一件事，"老村长说，"不要只身前往任何地方。找个你能信任的人，最好是村子的首领，然后等他邀请你到他家喝茶。只有这样，你才能安全。"

可是，在白沙瓦找个能信任的人，比摩顿森原先想象的要困难得多。这里是巴基斯坦黑市经济的大本营，到处充斥着骗子。鸦片、走私军火和地毯是这个城市赖以维生的商品，所到之处、所见之人，就像他所住的便宜旅馆一样声名狼藉。他过去五天所住的地方——一幢倾塌的老旧哈维利式旅馆，最早本是一位富商的房子，他的房间刚好是当初的妇女瞭望台：房间虽然面对市集，但由于有砂岩雕刻的细格遮着，妇女们可以在不违反深闺制度的情况下（不能让男人或陌生人看到），观看市场的活动。

摩顿森很庆幸有这个藏在窗格后的瞭望台。早上饭店的门房还特别提醒他，外国人最好不要出门。从阿富汗来的爆炸性新闻，极可能对在交战中被捕的外国人产生毁灭性的影响。

摩顿森在房间里听到敲门声，随即应了门。嘴上叼着烟，腋下夹着包东西，手上端着茶壶，巴丹·古尔轻巧地转进了门，他也是饭店的客人。摩顿森之前碰到过这个人，前一晚他们在大厅的录音机旁，一起收听 BBC 有关塔利班攻进喀布尔的新闻。

古尔告诉摩顿森他来自瓦济里斯坦，是做生意的：收集中亚地区稀有的蝴蝶卖给欧洲各大博物馆。摩顿森猜想他在边界来回运输的东西，绝对不只是蝴蝶，但也没有进一步追问。当古尔得知摩顿森有意拜访他的部落地区，也就是白沙瓦的南方时，他自愿担任导游带摩顿森到他的村庄拉达镇去。要是哈吉·阿里知道这件事，一定不会同意，但塔拉再过一个月就要生产了，外表干干净净的古尔看起来也是一副可敬的样子，摩顿森没有时间再去等待和选择。

古尔倒了茶后，打开了他带来的小包裹——外面包着的报纸上，到处都是留着胡子的男孩们行军参战的照片。摩顿森拿起一套大尺寸的白色无领夏瓦儿卡米兹，胸前位置和暗灰色背心部分还有精致的银色刺绣。

"应该和瓦济里人穿的一样。"古尔甩掉烟蒂，点燃第二根烟，"我在整个市场只找到这一套比较大的。你能现在就付钱吗？"

古尔仔细数完卢比，才收进口袋。两人决定天一亮就出发。摩顿森跟饭店接线生订了三分钟的国际长途电话，告诉塔拉他要到一个没有电话的地方去几天，并且承诺及时赶回家迎接他们第一个孩子的降临。

凌晨时分，摩顿森小心翼翼走下饭店的楼梯，因为一用力就可能撑破衣服接缝。到了楼下，一辆灰色的丰田汽车已经等在门前了。摩顿森身上的夏瓦儿紧紧绷在肩头，裤子更是短到不及小腿肚。古尔带着令人放心的微笑，告诉摩顿森他突然有生意需要到阿富汗去，不过好消息是，从拉达附近一个小村子来的司机卡恩先生愿意带他到那里去。摩顿森脑海里顿生猜疑，动了不想去的念头，但最后还是小心地压低头爬进了车里。

日出时分，车子往南驶去，摩顿森拉上后座的白纱窗帘，避开车外窥视的眼光。渐行渐远的城镇上方，巴拉希萨尔高大蜿蜒的城墙朦胧可见，在明亮的阳光下宛如一条炽热燃烧着的长带，又像是即将苏醒爆发的休眠火山。

从城市往南行驶了百余公里，他们进入了巴基斯坦西北边疆的省份——荒凉的瓦济里斯坦。也正因为如此，被视为边缘人的瓦济里人才会吸引摩顿森的注意。

"我想，巴尔蒂人吸引我的原因之一，就是他们是弱势民族。"摩顿森说，"他们的资源和人力都少得可怜。"

摩顿森觉得，瓦济里人也是弱势民族。既然霍尔尼指派他担任一个新组织的负责人：中亚协会会长，他就矢志要成为这个领域的专家。所以整个冬天，除了陪塔拉去产检，帮未出生的孩子准备房间，包括贴壁纸、配置全套婴儿用品之外，他把时间都用来阅读所有能找到的有关中亚的书。很快他就发现了这个地区的问题：各自盘踞一方的几派部落，硬是被欧洲殖民者划归不同的国家，毫不考虑部落人民自古以来强烈的族群认同。

但没有一个部落像瓦济里斯坦这样吸引他的注意。这些属于普什图族人的部落，以部落为最高效忠对象彼此结盟。从亚历山大大帝时代开始，任何派军前来的外来征服者都会遭到激烈的反抗。随着一支支人数越来越多、装备越来越精良的军队抵达瓦济里斯坦，却一再被击退，这地区的声名也传得更远。

一小队当地游击士兵歼灭了亚历山大大帝的几千名精兵，他只好命令军队绕过这个有"沙漠魔鬼"之称的地区。英国人的下场也好不到哪儿去，两次战役中分别败给了瓦济里人和更大的部落——普什图族人。

1893 年，英军从瓦济里斯坦浴血撤回英属印度和阿富汗之间的边界线"杜兰线"，这条线硬是从普什图族人的势力范围中央切过，这是英国人分割征服这个部落的策略。但是没有人能够征服瓦济里人。

这个部落为了延续族群而激烈抵挡世上最强大的武力，这让摩顿森十分钦佩。在攀登乔戈里峰之前，他也读过许多有关巴尔蒂人的负面报道，所以不能确定瓦济里人是不是也同样被外人误解。摩顿森听说过许多故事，包括巴尔蒂人对外地人如何粗暴、如何不友善，等等。亲身体验让他相信，这一切传言都不是真的，而眼前还有更多被弃绝的人需要他的帮助。

汽车进入瓦济里斯坦之前，经过了六个军事检察站，摩顿森每次都以为自己会被拦下来，被勒令掉头回去。在每个检查站，哨兵们都会拉开车窗的帘布，仔细端详这个大块头外国人，看着他满身大汗地塞在小得离谱的夏瓦儿服装里。但每一次，卡恩都会从身上那件飞行皮夹克的口袋里掏出足够多的卢比，让车子能继续前行。

摩顿森对瓦济里斯坦的第一印象是，这里的人竟然能在如此恶劣的环境下生存，着实令人佩服。他们沿着碎石路往前开，穿过布满黑色卵石、没有任何植物的平坦河谷。河谷上的石头收集着沙漠中的阳光，同时也发散出热气，整个地方看起来像发高烧出现的幻梦。

在地图上看，从此处再往西十五公里，那些棕黄荒凉的山岭，有一半是属于巴基斯坦的领土，另一半则属于阿富汗。摩顿森心想，在这个无法防御的荒凉之地划下这样的边界线，英国人相当富有幽默感。五年后，美国军队会意识到，追捕对此处地势了如指掌的游击队根本就是不可能完成的任务。这里的山洞比山还要多，而在山隘来来去去的走私者，对每个洞的位置都了如指掌。据自称曾保护过本·拉登的当地人说，在跨过边界处的托拉波拉迷宫里，美国情报人员势必会受到阻碍，无法防堵本·拉登和他的基地组织党羽逃往瓦济里斯坦。

车子开过布满黑色卵石的地段，恍如进入了中古时期。巴基斯坦士兵占据着英国人先前建的堡垒，瓦济里族人修的一座座军事建筑在道路两旁的岩石高地上矗立着，每一座都让人难以察觉——四周被二十英尺高的土墙围起来，上头还加盖着枪楼。摩顿森原先以为枪楼顶上晃动着的是稻草人，直到车子走近才发现是枪手，从步枪的瞄准镜里虎视眈眈地望着他们从河谷底部一路开到这儿。

摩顿森一行路过一间间非法枪械工厂，瓦济里工匠正用纯熟的技巧制作各种自动化武器。接着，他们抵达瓦济里斯坦最大的本努城，车子在拥挤的驴车和卡车间穿梭，准备找地方停车用午餐。在一间茶馆里，当司机卡恩去找商店推销自己的香烟时，摩顿森在确保夏瓦尔不被撑破的情况下，伸了伸身子，试着和临桌的长者套套近乎——哈吉·阿里劝他找的那种长者。只不过他的乌尔都语只换来一堆白眼。他下决心，回到波兹曼后一定要花点儿时间学帕施图语。

走过尘土飞扬的大街，高墙背后，就是某些宗教极端分子修建的学校。两年后，美籍塔利班分子约翰·沃克·林德就曾走进这里。据说，林德从阳光明媚的加州马林郡来到此地，在被瓦济里斯坦的太阳晒得头晕后，穿过山隘进入天气较为温和的阿富汗境内，走进一位沙特阿拉伯人援助的学校就读——那人正是本·拉登。

整个下午，摩顿森他们继续往瓦济里斯坦深处开，他让司机教的几句帕施图问候语也都派上了用场。

"当地的景色真是荒凉到难以置信，但也有着荒凉的美丽。"摩顿森说，"我们进入了当地部落居住的核心地区，能到这么远的地方来，我非常兴奋。"

太阳西沉时，他们抵达了喀兰嘎克尔村庄——司机卡恩的家乡。说是村庄，其实不过是在砂岩清真寺的左右两旁开了两间杂货店，有种走到世界尽头的荒凉感。一只满身尘土的花色山羊懒洋洋地躺在路中央，浑身摊开。较大的那家店铺后头有间仓库，卡恩跟里头的人打招呼，把车开了进去，这样晚上过夜会比较安全。

仓库里的景象让摩顿森一下子紧张起来。六个胸前交叉挂着子弹带的瓦济里人坐在条板箱上，身子半陷在箱子里，唧着水烟筒抽大麻。墙边堆着一箱箱的火箭炮、火箭筒，还有全新的苏制 AK－47 步枪。忽然他注意到，在佳得乐饮料和欧蕾保养品箱子后头，有支军用的野外无线电接收天线探出了头——他知道自己犯了大错，闯进了一个有组织的走私集团的大本营。

和所有的普什图人一样，瓦济里人谨守着族人不成文的规定，中心思想包括有仇必报，以及对家人、财产和土地的捍卫；但同样也包括庇护，亦即对寻求帮助的客人进行款待和提供保护。因此，安全的秘诀在于以客人而非入侵者的身份出现。摩顿森穿着他可笑的衣服爬出车外，试图让自己成为前者，因为在天黑后另找地方过夜，实在很困难也很危险。

"我把所有会说的巴尔蒂话都用上了，尽可能尊敬地跟每个人打招呼。"

摩顿森说，"加上一路上卡恩教给我的一些帕施图语，我问候每个人以及他们的家人是否健康。"

许多瓦济里人在对抗苏联军队的"圣战"中，企图将苏联从阿富汗普什图的土地上赶走时，是和美国的情报单位并肩作战的，因此当时他们看到美国人还会亲切地问候——不过五年后，当美国的 B－52 轰炸机对这片山区进行地毯式轰炸时，他们对美国人的态度就截然不同了。

其中最脏的一位，身上闻起来仿佛有"哈希什"油从毛孔中渗出来，他递给摩顿森一根烟筒，但摩顿森尽可能礼貌地拒绝了。"我应该抽两口交个朋友的，但当时我相当紧张。"摩顿森事后说。

卡恩用帕施图语跟这帮人中一名年纪较大的高个儿男子热烈交谈，讨论该拿这个外国人怎么办。男子戴着玫瑰色的飞行员眼镜，浓厚的小胡子像蝙蝠似的盘踞在嘴唇上方。他们的谈话结束后，司机从水烟筒里深吸了一口烟，转身面向摩顿森。"哈吉·米尔扎很高兴邀请你到他家。"烟气在他的齿间流动。摩顿森原本紧绷的肩膀彻底放松下来，现在他不会有事了，他是客人了。

他们在黑暗中爬升了半个小时，沿途经过成熟的无花果树，闻起来就像瓦济里人衣服上飘来的哈希什油般香甜。一行人安静地走着，只听见枪托撞在子弹带上很规律的声音。入夜前的最后一抹日光消逝，笼罩着阿富汗的红晕逐渐褪去。在山顶的一处房舍外，哈吉·米尔扎喊了几声，嵌在六米高土墙里的厚重木门那边传出开门闩的声音，接着门被慢慢地推开。一个大眼睛的守卫举着煤油灯仔细端详摩顿森，好像打算把他的 AK－47 步枪在摩顿森身上试一试。哈吉·米尔扎低声说了几句话后，守卫才站到一旁放一行人进门。

"我们不过从现代世界开了一天的车，但当时感觉已经回到了中世纪。"摩顿森说。屋子的墙实在太高，闪烁的油灯只能勉强提供一丝微弱的光亮。院子里有座十几米高的枪楼，狙击手能轻松解决任何不速之客。

摩顿森和司机被领到屋子中央，一间堆着许多垫子的房间。在传统的茶饮"欣茶"（用豆蔻调味的绿茶）送来之前，司机已经用皮夹克盖着头倒在了垫子上，鼾声随之响起。哈吉·米尔扎先行离席去看晚饭准备得怎么样了，因此在晚饭送来之前，摩顿森只能坐在房里，对着他留下的四位同党，喝了两个小时异常安静的茶。

"满南都带。"哈吉·米尔扎回到房里用普什图语宣布，意思就是"晚餐"。烤羊肉的香味儿把卡恩勾了起来。他一看到羊肉，立即和另外十几位瓦济里人一样拿起匕首大块割肉吃。仆人紧接着送上了一大盘冒着烟的"卡布里皮劳"——用红萝卜、丁香、葡萄干和饭一起煮的菜饭，但这些人的眼里只有烤羊肉。他们用长匕首削砍羊肉，把羊筋从骨头上撕下来，用刀背把肉塞进嘴里。"我以为巴尔蒂人吃肉时已经够津津有味了，"摩顿森说，"但这是我吃过的最原始、最野蛮的一顿饭。经过十分钟的撕扯和大啖，整只羊只剩下骨头，那些人则在一旁打着饱嗝，用手抹去沾在胡子上的油腻。"

吃撑的瓦济里人躺在垫子上，一边呓语，一边点起水烟筒和香烟。摩顿森接过其中一位递来的羊肉味儿香烟，尽忠地抽到只剩一截烟屁股，他觉得这是客人应该表现的态度。还不到午夜，摩顿森的眼皮已经开始打架了，一名男子铺开垫子让他睡在上头。在陷入睡梦前，摩顿森看着戴头巾的男子模糊的身影，心想自己做得还不赖，至少他已经和一位部落领袖有接触了，不管那个人看起来多么沉迷于哈希什油毒品。或许明天可以再请他介绍更多的人，了解一下村里人对建学校有什么想法。

一阵喊声惊醒了摩顿森，梦中他正在可安村，听着将宗帕冲阿克玛路大吼，为什么村里需要的是一所登山训练学校而不是给一般孩子的普通学校。他坐起身，被眼前的景象弄糊涂了：一盏汽灯在他面前晃动，投射在墙上的怪异人影也晃来晃去。灯后是一根 AK－47 的枪管——摩顿森整个人立刻清醒过来，因为枪管正对着他的胸口。

持枪的是个虬髯男子，头上缠着灰色头巾，嘴里用摩顿森听不懂的语言吼叫着。凌晨两点，摩顿森刚刚睡了两个小时。他努力思考着，想搞清楚究竟发生了什么事。比起眼前八名男子手持武器对着他的事实，从极度缺觉的状态中硬被弄醒更让他难受。

他们猛地拉起摩顿森的脚，粗鲁地把他拖到门边。摩顿森在昏暗的房内寻找着卡恩以及哈吉·米尔扎的同伙，却发现只剩下了他一个人。男子们冷酷的手紧抓着他的两只手臂，拖着他走出门闩没扣的屋舍大门。

有人迅速从后面用一条长头巾把摩顿森的眼睛蒙住了。

　　"我心想，已经这么黑了，我还能看到什么？"摩顿森说。一行人带着他在双重的黑暗中走下山路，逼着他走快一点，他穿着没跟的拖鞋踢到石头跌倒了，他们就把他拉起来。来到山口处，一群人七手八脚地把他塞上一辆卡车，接着一个个东堆西叠在他身上。

　　"车开了大概四五十分钟，"摩顿森说，"我终于清醒了，开始不停地发抖，一方面是因为沙漠里很冷，另一方面是很恐惧。"压着摩顿森的男子们开始用帕施图语激烈争论，摩顿森猜想他们是在讨论该如何处置自己。但他们为什么要抓他呢？这群土匪闯进来的时候，为什么哈吉·米尔扎的武装守卫没有开枪呢？当想到这群人很可能根本就是米尔扎的同伙时，那感觉像被人在脸上重重打了一拳。紧压着他的绑匪们身上散发着浓重的烟味儿和体臭，摩顿森觉得，卡车每往前多走一分钟，他离深爱的妻子就远了一重。

　　卡车驶下公路，开始沿地上的车辙爬升。摩顿森感觉司机踩了刹车，停车前又来了个急转弯。许多只强有力的手把他带下车压在地上。他听到开锁的声音，一扇大铁门打了开来。摩顿森跌跌撞撞地被推进了门。一行人走进一条走道，脚步声在长长的走道间回响着，接着他被带进一间漆黑的房间，厚重的门关上后，有人解开了他的蒙眼布。抓他手臂的人用力很猛，把他的前臂都抓青了。

　　这是一间不大但天花板很高的房间，房间大约有三米宽，七米长，唯一的小窗从外面关上了，窗台上有盏煤油灯亮着。摩顿森转向那些把他带到这儿来的人，告诉自己不要惊慌，他试着控制自己紧张的心，想做些诙谐幽默的小事，任何能让这些人发挥点同情心的小事——但他却失望地看到，厚重的门很快被关上了，接着是令人沮丧的锁门声。

　　肮脏的地板上铺着毯子和垫子。本能告诉摩顿森，与其在房里焦虑地踱来踱去，担心不一定会发生的事，不如先好好睡一觉。于是他躺在垫子上，虽然脚露在垫子外头一大截，他还是把有霉味儿的羊毛毯拉到胸前，睡了一场安稳觉。

　　摩顿森再度睁开眼睛，看到两名绑架者蹲在他身边，日光正从窗户的板条间流泻进来。"茶。"离他较近的男子帮他倒了一杯温热的绿茶。摩顿森假装非常享受地喝着塑料杯里的茶，一边对着两人微笑，一边乘机打量他们。

　　两名男子脸上都露出长期户外生活的风霜，也有贫困留下的清楚的痕迹。两人应该都是五十多岁的年纪，纠结的胡须浓密得像是野狼的皮毛。帮摩顿森倒茶的那名男子额头上有道深红色的伤痕，摩顿森猜想应该是弹片造成的伤口，要不就是子弹擦伤的。最终他认定，他们应该是当年对抗苏军的阿富汗游击士兵。但这些早该退伍的军人在这里做什么？他们又打算怎么处置他呢？

　　摩顿森喝完了茶，用手势说明自己想上厕所。守卫们把苏制步枪甩在肩上，带着他进了院子。高达七米的围墙挡住了外面所有的景色，在屋子远处的角落，一名守卫正在高处站岗。脸上有伤痕的男子用枪管比了比一旁的门，摩顿森走进一间蹲式厕所，他想关上门，男子立刻用脚把门挡住，让门敞开着，还跟着站进了厕所。另一名男子则一直在门口监视。

　　"我在当地一直用这种舀水冲的蹲式马桶。"摩顿森说，"上完厕所后要把自己清理干净，有两个大男人盯着，那简直是精神折磨。"

　　摩顿森上完厕所后，守卫们用枪指着刚才走过的路，一路用枪管戳着他走回房间。摩顿森盘腿坐在垫子上，试图和他们交谈，但守卫们对他的比手画脚一点儿兴趣都没有。两人坐在门边，一筒接一筒抽着水烟，完全不理会他。

　　"我开始觉得十分沮丧。"摩顿森说，"当时心想，这可能会耗很久。那种感觉比……一下子就结束更令人难捱。"房间唯一的小窗户是关着的，油灯的火越来越小，整个房间如同夜晚般昏暗。此时摩顿森的沮丧远远大过恐惧，随着时间慢慢逝去，他昏昏沉沉打起了瞌睡。

　　好不容易等意识清醒，摩顿森注意到垫子旁边有样儿东西，捡起来一看，是一本破旧的美国《时代》杂志，1979 年 11 月出版，已经过期 17 年了。

　　摩顿森信手翻着破旧的陈年杂志，这一期上详细介绍了伊朗的人质危机。几张人质照片让他心里乱成一团：几个眼睛被蒙起来的美国人遭到疯狂的群众的嘲笑辱骂。这本杂志是故意放在这里传达什么讯息吗？或者这是某种好客的表示，是主人手边仅有的英文书籍？他偷瞄了一眼看门的守卫，想从他们的脸上寻找些蛛丝马迹，但两人继续抽着水烟安静交谈，对摩顿森毫无兴趣。

除了继续读杂志，摩顿森无事可做。他把书移个角度，借着煤油灯的微弱火光，读了一篇美国人质在德黑兰被严酷折磨的报道。美国驻德黑兰大使馆被占领后，五名秘书及七名黑人警卫遭到挟持，随后获得释放，这篇报道就是说明当时被挟持的细节。摩顿森这才知道当时的黑人人质是在一场记者招待会上被释放的。

被挟持的海军中士兰道·梅波斯指出，当时他被迫录音宣读赞美伊朗革命的宣言，他们警告他，如果念错就会被射杀。

会说一些波斯语的卡西·琴·可罗思则说，她曾试着和一位女性守卫聊天，不知道这是不是自己获释的原因。

人质被迫在手脚受缚的情况下睡在地上，只有在吃饭、上厕所以及想抽烟时，他们的手才能暂时松绑。"我们当中有些人实在很想让松绑的时间延长些，所以连不抽烟的人后来都开始抽烟了。"一位名叫伊丽莎白·蒙田的女人质说。

《时代》杂志的编辑们提出了一条不祥的预言，作为当期特别报道的结论："白宫已经准备好接受一个残酷但很有可能的事实——人质会在德黑兰度过今年圣诞节。"有十七年的后见之明，摩顿森知道记者绝对无法想象，那些人质的噩梦是在四百四十四天后，也就是历经两个圣诞节，才彻底结束。

摩顿森放下杂志，心想至少他的手脚没有被绑起来，也还没有人威胁要射杀他，情况还不是那么糟。不过要在昏暗的房间里关上四百四十四天，实在是无法想象的恐怖。他不会说帕施图语，但他可以尝试卡西·琴·可罗思用的方法——下定决心要找些方法和守卫沟通。

第二晚，用过"达尔"豆子菜汤和"卡布里皮劳"菜饭后，摩顿森几乎整夜没睡，思索各种可能的策略，又都一一推翻。那本《时代》杂志谈到，俘虏人质的伊朗人怀疑有些人质是美国中情局的人，这难道是他被绑架的原因吗？他们是不是怀疑他是被派来侦查"塔利班"新局势的中情局探员？确实有可能。但以他有限的语言能力，绝不可能将想为巴基斯坦孩子们做的事解释清楚，所以只好先打消这个念头。

莫非他们想要的是赎金？虽然他仍对瓦济里人抱着一丝希望，希望他们是被误解的善良部族，但他不得不承认"钱"的确有可能是他们的动机。但同样地，他不可能用帕施图语说服他们相信自己没钱——这太荒唐了。或者，他被绑架是因为他是个异教徒？当门口的守卫们因为吸了大麻而睡得格外香甜时，反复思索的摩顿森越想越觉得，最后一个答案的可能性最大。感谢他的裁缝师，或许自己不需要会说他们的语言，就能影响那些绑架他的人。

第二个早晨，当守卫来叫醒摩顿森喝茶时，他已经起床了。"《古兰经》？"他说，一边模仿着虔诚翻阅经书的动作。守卫马上就明白了，因为阿拉伯语对全世界的穆斯林来说，都是值得尊敬的语言。头上有伤痕的男子用帕施图语说了些摩顿森无法理解的话，不过他选择把这番话当成是同意的表示。

但直到第三天下午，一名长者才带着一本绿丝绒封面的《古兰经》出现，摩顿森猜想他是村里的毛拉。摩顿森用乌尔都语感谢他，但老人脸上什么表情都没有。

摩顿森躬身假装读经，口中诵念他在拉瓦尔品第的裁缝店里学会的一些古兰经经文。灰发毛拉点了一下头仿佛很满意，然后就离开了。摩顿森想起哈吉·阿里，他也看不懂阿拉伯文，但也和自己一样温柔地翻着经书。想起哈吉·阿里他心里升起一阵温暖，忍不住微笑起来。

摩顿森一天祈祷五次。每当他听到附近清真寺传来的呼喊声，就在逊尼派的土地上用逊尼派的方式祈祷，然后凝视着《古兰经》。他不知道这个计划能否奏效，因为两名守卫对他的态度丝毫没有改变。不读《古兰经》的时候，他就翻《时代》杂志解闷。

他决定不再读人质危机的故事，因为每读一次，整个人就严重焦虑一次。杂志里有一篇介绍当时总统候选人的文章，让他整整三十分钟忘记了周围的环境。那个人就是罗纳德·里根。

"现在是我们放下担心别人是否喜欢我们，让世界再度尊敬我们的时候。"里根告诉《时代》杂志的编辑。"没有人能够再挟持我们的人民。"

摩顿森心想，十七年后，在克林顿总统的努力下，世界对美国的尊敬终于开始稳定上升，但这对被囚于此地的他又能有什么实际帮助？即使美国外交官愿意拿国家的声望来换取他的自由，可是，根本没人知道他在哪里。

第四天和第五天缓慢过去，唯一的区别只有从窗缝透进的光线。夜里，短暂激烈的自动武器交战声在屋外回荡，接着是枪楼上传出的零星回击。白天，摩顿森从百叶窗的空隙偷偷往外看，外面也是一派光秃秃的景象，对他一点儿帮助也没有。摩顿森急着想找些方法，让自己停止担心，但《时代》杂志里仅有的几篇文章，不论是对"斯坦福—比奈特智力表"文化偏差性的评论，还是对向日葵为何能成为北达科他州新经济作物的无聊解释，越读越没意思。

只有广告页提供了良药，它们是他眺望家乡的窗户。

第五天夜晚，一股黑色的绝望浪潮从脚底开始往上漫，涌至他的膝盖，几乎要把他整个人淹没。他像只小羊一样思念远方的塔拉，他想起曾在电话中告诉她一两天后就会回家，想到自己完全没办法安慰即将分娩的她，心痛不已。他愿意付出任何代价，只求再看一眼他们结婚那天拍的照片。照片中，在那辆载着他们展开美妙旅程的街车前，她偎依在他的臂弯里，整个人笑得明媚如花——那是他见过的最快乐的她。摩顿森咒骂自己，竟然把放有照片的皮夹留在了白沙瓦旅馆的背包里。

摩顿森凭顽强的意志力抵抗着抑郁，不让绝望的黑潮继续上升。他翻着杂志，怀念着阳光温暖的世界，寻求内心的片刻安宁。他的目光停留在雪佛兰汽车的广告上，画面上的美丽女子坐在标榜安全、省油、有木质仪表板的前座上，转头对后座两个可爱的孩子微笑。温馨的画面让他忘记了眼前的处境。

将近两个小时，摩顿森一直盯着柯达相机的跨页广告。一棵圣诞树上，像挂装饰品一样挂着一张张相片，看得出那是一个幸福快乐的家庭。气质高贵的祖父穿着舒适的红色睡袍，正在教金发的孙子操作新玩具——一根钓竿。笑容满面的母亲一边看着孩子拆开礼盒，拿出一顶橄榄球安全护帽，一边逗弄着刚出生的小狗。摩顿森想起童年时在非洲度过的圣诞节，那棵他们每年都要擦拭一遍的小小塑料松树，最像照片中的这棵圣诞树。他心中紧抓着从另一个世界抛过来的救生圈，那是一个没有煤油味儿的房间，一个没有这些凶恶男人的世界。

第六天破晓，他的眼泪落在了洁碧口腔卫生日用品的广告上。广告标语写着，"笑容不该只是回忆。"纸上冷冰冰的信息，说明"一种叫做牙菌斑

132

的细菌在牙龈线下生长繁殖"，但摩顿森关注的不是这些文字，让他失控流泪的是照片中那个站在砖房阳台上合影，三世同堂的美国家庭。他们一致的灿烂笑容和彼此依偎的姿态，隐含着对彼此的爱与关心，如同他对塔拉的感情，但在这里却没有人会这样对待他。

摩顿森感觉到有人站在他身边，抬起头，看见一位高大男子的眼睛。男子的银色胡须修剪成学者样式，他带着微笑用帕施图语和摩顿森打招呼。接着他用英文说："你一定是那个美国人。"

摩顿森激动地站起身跟他握手，却觉得天旋地转。过去四天里，越来越沮丧的他，除了茶和米饭，一直没吃其他食物。男子扶着他的肩膀把他稳住，然后叫人把早餐送来。

摩顿森一边吃着温暖的"恰巴帝"，一边弥补六天没说话的痛苦。他问起男子的姓名，男子停顿了好一会儿才说："你就叫我卡恩吧。"卡恩是瓦济里斯坦地区菜市场的名儿，载他到瓦济里的司机也叫"卡恩"。

卡恩虽然是瓦济里人，却在白沙瓦的英国学校受过教育，满口当年学过的漂亮英文发音。他没解释为什么到这里来，但可以想见，他是被找来评估这个美国人的情况的。摩顿森把自己在巴基斯坦的工作描述给他，连喝了好几壶绿茶才把故事说完。他解释，自己想为巴基斯坦最穷困地区的孩子盖几所学校，因此到瓦济里斯坦来看看这里是不是需要他的帮助。

摩顿森焦虑地等着卡恩的回应，希望听到这一切不过是场误会，自己很快就能回家，但他却无法从眼前身形壮硕的男子身上得到放心的答案。卡恩拿起《时代》杂志随手翻着，停在一页有关美军的广告上，摩顿森立即产生了一种危机感。卡恩指着一位在操作战地收音机、身穿迷彩装的女兵，对摩顿森说："现在你们美国军队都送女人来打仗，是不是？"

"一般来说并不会。"摩顿森回答，努力搜索着更好的词汇和说法。"但我们国家的女性有选择职业的自由。"他发现即使是这样的回答，都含有冒犯的意思。他的脑子飞快地转着，想找些可能让他们产生共鸣的话题。

"我的妻子很快要生下我们的第一个孩子，一个'卓一'，儿子。"摩顿森说，"我得回家迎接他的到来。"

几个月前塔拉曾经做过透视，摩顿森见过模糊的照片，知道即将出生的是个女儿。"但我知道对穆斯林来说，第一个儿子出生是件大事。"摩顿森事后说，"说这个谎让我很难过，但我觉得如果告诉他们我儿子要出生了，他们有可能因此放我走。"

卡恩继续对着美军的广告皱眉，仿佛压根儿没听到摩顿森说话。"我已经告诉妻子我会回家。"摩顿森恳求着，"我想她一定非常担心，我能不能打电话告诉她我没事？"

"这里没有电话。"自称卡恩的人回答。

"你能带我到巴基斯坦军队的岗哨吗？我可以从那里打电话回家。"

卡恩叹了口气。"恐怕那不太可能。"他直视着摩顿森的眼睛，一抹逗留的眼神暗示了他不能自由表达的同情。"别担心，"他一边说，一边收拾茶具准备离开，"你不会有事的。"

到了第八天下午，卡恩再次来看摩顿森。"你喜欢足球吗？"他问。

摩顿森飞快地思考这个问题潜藏的危险性，最后判断危险应该是零。"当然。"他说，"我在大学时也打球。"当他从美式英文转换成英式英文时，才想到卡恩指的应该是英式足球，而不是美式足球即橄榄球。

"那么我们可以请你观赏一场球赛。"卡恩招手示意摩顿森走到门边。"来吧。"

他跟着卡恩走出没上锁的前门。走进宽阔的空地时，他感到有些晕眩——这是一个星期以来，他第一次有机会观察监牢周围的环境。

在一条往下走的碎石路尽头，从一栋清真寺尖塔旁边，可以望见公路把河谷分成了两半。比较远的那一边，大约一公里多一点开外，就是巴基斯坦军队的岗哨。摩顿森心里闪过逃跑的念头，但立刻想起了枪楼上的狙击手。他顺从地跟着卡恩爬上山，到达一处宽阔的岩石平地。在那里，他惊讶地看见二十多个大胡子年轻人熟练地踢着足球，奋力想把球踢进空军火箭做成的球门。

卡恩客气地将他带到球场边一张白色塑料椅坐下。摩顿森认真观看比赛，球员们踢起的阵阵尘土，沾到两人湿透的夏瓦儿卡米兹上。突然间枪楼传来一阵叫声，哨兵看见巴基斯坦军队的岗哨上有动静。"真是对不起。"卡恩说着迅速把摩顿森带回高墙里。

那天晚上，摩顿森辗转反侧，始终睡不着。从卡恩的举止和别人对他的尊敬程度来看，卡恩很可能是个新上任的塔利班指挥官。但这对自己有什么意义？观看足球赛是不是他很快会被释放的迹象？或者是处决他之前的最后一根烟？

凌晨四点钟，他们再度到小囚房带摩顿森出去的时候，他得到了答案。卡恩亲手给他系上眼罩，在他肩上披了件毯子，客气地领着他的手走出去，坐进载满了人的卡车。

"那个时候，在'9·11'之前，把外国人斩首并不普遍。"摩顿森说，"虽然我觉得被射杀不算是太糟的死法，但想到塔拉将要独自把我们的孩子带大，而且可能永远不知道我发生了什么事，我就难过得发疯。我可以预见她永无止境的痛苦和怀疑，那是生命中最可怕的情形。"

卡车上的风很大，有人给了他一根烟，但是他回绝了。他不想再保持客气的形象，烟味儿也不是他想留在口中的最后味道。卡车开了半个多小时，摩顿森拉紧毯子，还是忍不住浑身发抖。卡车转下一条泥巴路，驶向密集的开火声响时，他整个人吓出了一身冷汗。

司机踩下刹车，卡车滑进了震耳欲聋的巨大枪声中，那是几十支 AK – 47 步枪自动连发的结果。卡恩解开摩顿森的眼罩，推推他的胸膛。"你看，"他说，"我告诉过你船到桥头自然直，万事会有最好的结果。"越过卡恩的肩膀看去，几百名高大蓄胡的瓦济里人正围着营火跳舞，一边朝天空开枪。从他们被火光照亮的脸上，摩顿森惊奇地看到了欢喜，而非嗜血。

和他一起坐卡车来的人们欢呼着跳下车，朝天空一阵乱开枪，就加入热闹的人群。天应该快亮了，摩顿森看到营火上煮着热腾腾食物的大锅和烤着的羊肉。

"这到底是怎么回事？"他一边喊，一边跟着卡恩走进狂欢的人群，不太相信八天来经历的危险已经奇迹般地结束了。"为什么我会在这里？"

"我最好不要告诉你太多。"卡恩也大喊着回答，企图盖过枪声。"就是说我们曾考虑另外一种……可能性。有些争执，可能让我们有大麻烦。但'支尔格'（长老会议）把问题解决了，所以我们现在举办庆祝会，庆祝送你回白沙瓦的宴会。"

摩顿森仍然不太相信他，但一把卢比钞票被塞进了他的口袋，他终于相信苦难已经结束——那位额头上有子弹擦伤的守卫跟跟跄跄走向他，笑脸泛着营火和大麻的红光，他挥着一叠脏兮兮皱巴巴的粉红色卢比钞票，一股脑儿塞进摩顿森夏瓦儿的胸前口袋里。

一句话都说不出来的摩顿森，转向卡恩寻求解释。"给你的学校！"他对着摩顿森的耳朵喊，"所以，如果安拉愿意，你可以盖很多很多所！"

另外几十位瓦济里人也暂时停下来，上前拥抱摩顿森，有的给他带来冒着烟的烤羊肉，有的同样捐了一堆钱。天放亮时，摩顿森的肚子和夏瓦儿口袋都胀得鼓鼓的，八天来紧紧压在胸口的恐惧终于弭平了。

满目晕眩之际，他也加入了庆祝的行列。羊肉的油脂从他长了八天的胡子上滴下来，摩顿森跳着原以为早已遗忘的坦桑尼亚舞步，周围的瓦济里人大声喊着给他助兴。他在狂喜中舞着，放纵地舞着——为那失而复得的自由。

十四 平衡

看似生与死间的对立，已被砍断。

不要攻击或刺戮或逃逸，不再有限制或被限制。

一切都融入灿烂无垠的自由中。

——《格萨尔王传》

一辆样子奇怪的小型车停在摩顿森家的车道上，溅满泥巴的车体几乎看不出底漆的颜色。特制车牌上写着"婴儿捕手"。

摩顿森走进舒服的家里，惊喜地发现这间宁静的老房子竟然属于自己，每当回家时这种感觉都要出现一次。他把从市场买来的东西放在厨房的桌子上，里头有一堆塔拉想吃的东西，新鲜水果，还有三四种不同口味的哈根达斯冰激凌。然后转身上楼找妻子。

她在楼上的小卧房里，一位身材高大的妇女在身旁陪着。"亲爱的，萝贝塔在这里。"塔拉卧在床上对摩顿森说。

摩顿森印象中娇小的妻子，现在像颗过熟的水果一样大了好几号。他在巴基斯坦待了三个月，才回到波兹曼一个星期，现在还没有完全适应。他对坐在床边的助产士点点头："嗨。"

"你好。"萝贝塔有点儿蒙大拿口音。她对塔拉说："我会向他解释的。"接着又转向摩顿森："我们刚才在讨论要在哪里生产，塔拉说她希望就在这里，这张床上，迎接你们的宝贝女儿，我也同意。这个房间有种平静的力量。"

"我没意见。"摩顿森握住塔拉的手。他说的是实话，做过护士的摩顿森很高兴让妻子尽可能远离医院。萝贝塔给了他们电话号码，要他们在阵痛

137

开始时立即打电话给她——无论几点钟。

接下来的几天里，摩顿森一直小心翼翼地陪在塔拉身边，弄得塔拉有点儿烦了，最后只好叫他到外头散步去，她才能好好睡午觉。经历过瓦济里斯坦的事，波兹曼的秋色美得让摩顿森觉得如同置身幻境。他在附近的街道上漫步，两旁是迷人的树林，公园里还有大学生在跟狗儿玩飞盘，这是他八天囚禁生活的最好解毒剂。

摩顿森被安全送回白沙瓦旅馆，口袋里塞满了瓦济里人捐的卢比钞票，总数接近四百美元。他带着塔拉的照片去了电信局，一边看照片，一边拨电话给妻子。因为时差的关系，美国这时正是午夜时分。

塔拉还醒着。

"嗨，亲爱的，我没事儿。"电话里都是杂音。

"你在哪儿？发生了什么事？"

"我被关了几天。"

"什么意思，你被谁关起来了，被政府吗？"塔拉紧绷的声音中充满了恐惧。

"很难解释。"他不想让妻子更担心，"不过我就要回家了，再过几天就能看到你了。"

在转了三班飞机的漫长航程中，他不停地把塔拉的照片从皮夹中拿出来，久久凝视着她，让她的面容抚平他受创的心灵。

在蒙大拿的塔拉也从担忧中恢复过来。"头几天没有葛瑞格的消息时，我想，他这个人就是这样，一忙起来就忘了时间。但是他足足消失了一个多星期，把我急得不行。我不断跟母亲说，想打电话到国务院去，葛瑞格身处封闭的地区，要是他出了什么事，很可能演化成国际事件。我觉得自己非常脆弱孤单，人又怀孕了，所有你能想到的惊慌和恐惧，我当时大概都经历过了。他终于打来电话时，我已经开始强迫自己为他不幸遇难的消息做心理准备了。"

1996年9月13日早上7点，距他们在费尔蒙饭店邂逅刚好一年，塔拉的第一次阵痛开始了。

7点12分，阿蜜拉·伊莲娜·摩顿森降生了。"阿蜜拉"在波斯语里是

"女性领袖"的意思；而"伊莲娜"则是乞力马扎罗山区的部落语，意思是"神的礼物"，这也是为了纪念摩顿森钟爱的小妹克莉丝塔·伊莲娜·摩顿森。

助产士离开后，摩顿森侧卧在床上，紧紧拥抱着妻子和女儿。他把哈吉·阿里给他的七彩"托马尔"挂在女儿的脖子上，然后笨拙地试着打开这辈子的第一瓶香槟。

"我开吧。"塔拉在一旁看得直笑，把女儿递给摩顿森，接过香槟。橡木塞"砰"地一声跳开，摩顿森的大手轻轻盖在女儿柔软的小头上，心中满溢着幸福，满到让他热泪盈眶。那间充满煤油味儿的囚室，和这一刻幸福舒适的卧房，还有门外林木扶疏的街道，这一切，竟然都属于同一个世界。

"怎么了？"塔拉问。

"嘘……"摩顿森伸手抚平妻子皱起的眉头，然后接过一杯香槟。"嘘……"

从西雅图打来的一个电话，仿佛验证了那句话——"有生必有灭"。吉恩·霍尔尼想知道究竟什么时候才能看到科尔飞学校完工的照片。摩顿森告诉他自己被绑架的经历，说打算再多待几个星期，好好认识一下自己的女儿，然后再回巴基斯坦。

霍尔尼对学校建设进度十分不满，显得毫无耐心，摩顿森忍不住问他究竟为什么如此心烦。霍尔尼一开始还怒气冲冲，最后终于透露他患了骨髓纤维化症——一种致命的白血病，医生说他最多只能再活几个月。

"我必须在死前看到学校的照片。"霍尔尼说，"答应我，尽快把照片带给我看。"

"我答应你。"摩顿森的喉头哽住了，他为这位坏脾气的老人悲伤。这位特立独行的老人，把如此之多的希望都寄托在了他身上，他必须全力以赴。

为了信守对霍尔尼的承诺，摩顿森只和家人相处了几个星期，就匆忙赶回巴基斯坦。那年秋天科尔飞天气很好，但气温却反常的低。寒冷让村民们早早就离开屋顶，躲进屋里烤火取暖。他跟村民一样在夏瓦儿外面裹上毯子，爬上山顶，把学校最后的屋梁部分盖好。摩顿森紧张地仰望天空中的阴云，担心一下雪，所有工作又得搁置了。

塔瓦哈清楚记得，摩顿森的适应能力让他非常惊讶。"在烧牦牛粪的屋子里和牲畜睡在一起，我们都很担心葛瑞格医生生病，但他好像没注意到这些事情。"塔瓦哈说，"他和别的美国人欧洲人都不一样。他对食物和环境完全没有要求，我母亲煮的任何食物他都吃，跟我们一起睡在烟气熏天的房子里。葛瑞格医生很有礼貌，而且从来没说过一句谎话，我父母亲和我都非常爱他。"

一天晚上，摩顿森把被绑架的经过告诉了哈吉·阿里。村长刚刚吃完晚饭，塞了几口烟草，一听之下立刻把嚼了一半的烟草吐进火里。

"你竟然一个人去!"哈吉·阿里责怪摩顿森，"事先也不寻求村庄领袖的款待! 就算你再不听我的话，下面这句也必须记住：永远不要再孤身一人在巴基斯坦活动，你答应我!"

"我答应。"摩顿森说。老人们要他信守的沉重承诺，现在又多了一个。

哈吉·阿里又撕了一块新的烟草塞进嘴里，一边嚼着，一边沉思。"你下一所学校要盖在哪里?"他问道。

"我想到胡歇艾河谷去。"摩顿森说，"拜访一些村子，然后看看谁……"

"我能不能再给你一个建议?"哈吉·阿里打断了他。

"当然。"

"为什么你不把这件事交给我们? 我来开个会，请布劳渡河流域各村的代表参加，看看哪些村庄愿意捐地出力盖学校。这样的话，你就用不着像只没头绪的乌鸦一样，在布劳渡河到处乱飞，这里找找，那里吃吃。"哈吉·阿里笑着说。

"不识字的巴尔蒂老人，就这样又给我这个西方人上了一课，教我怎样开发他们的'落后'地区。"摩顿森回忆，"自此之后，制订任何建校计划前，我都牢记着哈吉·阿里的忠告，慢慢扩展范围。从一个村庄到另一个村庄，从一条河谷到另一条河谷，从我们已经建立关系的地方开始，而不是像玩跳房子游戏一样，到完全没有基础的地方去，比如瓦济里斯坦。"

还不到十二月中旬，科尔飞学校里所有的窗户都已经装好了，四间教室也各自安装了黑板，只要再把屋顶的波浪形铝板固定好就算是完工了。铝板的边缘十分锐利，如果不固定好，就会被峡谷中的强风吹飞，变成伤人的利刃。摩顿森随身带着急救箱，已经治疗了好几位被铝板划伤的村民。

有一次，一名工人伊卜拉欣把摩顿森从屋顶上叫下来。看着他急匆匆的神色，摩顿森赶忙在他身上寻找伤口，结果伊卜拉欣抓住他的手腕，把他往自己家里带。"是我太太，医生先生。"他紧张地说，"她生孩子的情况不好。"

伊卜拉欣经营着村里唯一的商店，卖些茶、肥皂、香烟等生活必需品，房间宽敞。在起居室后面的羊棚里，伊卜拉欣的妻子萝奇雅躺在草堆里，周围围着慌乱的家人们和咩咩乱叫的山羊。他们告诉摩顿森，她自从两天前生下了一个女儿后，一直没有复原。

"屋里的恶臭味儿让人难以忍受。"摩顿森回忆。油灯下，萝奇雅躺在血迹斑斑的干草堆上，已经奄奄一息。摩顿森征得伊卜拉欣的同意后，量了她的脉搏，情况令人担心。"萝奇雅的脸色惨白，已经没有了意识。"摩顿森说，"生完孩子后，她的胎盘没有跟着排出来，随时可能因为败血性休克而死亡。"

萝奇雅的姐姐抱着婴儿，悲伤地站在一旁，摩顿森这才发现孩子也同样面临着死亡的威胁。家人认为萝奇雅是中了毒，所以没让母亲给孩子喂奶。

"喂母乳会刺激子宫收缩，帮助胎盘排出。"摩顿森说，"所以我坚持让母亲喂奶，还给她打了一针抗生素预防休克。"一整天下来，虽然孩子的体力开始恢复，状况好转，但萝奇雅仍然躺在稻草上，随着意识的慢慢恢复而痛苦地呻吟着。

"我知道自己该怎么做。"摩顿森说，"但是我很担心伊卜拉欣的反应。"摩顿森把伊卜拉欣拉到一旁。伊卜拉欣是科尔飞村与外面世界接触最多的人之一，他留着长发，脸也刮得很干净，这都是模仿那些雇他做协作的登山者；不过，他毕竟是个巴尔蒂人。摩顿森小声解释，自己必须把手伸到他妻子体内，把那些让她生病的东西清出来。

伊卜拉欣拍了拍摩顿森的肩膀，请他不要顾虑，做他认为必须做的事。于是，伊卜拉欣提着煤油灯，摩顿森用热水洗过手，就把手伸进萝奇雅的子宫里，把剥落的胎盘拉了出来。

第二天，摩顿森从学校屋顶上看见萝奇雅已经出门了，怀里抱着健康的女婴，温柔地轻轻呢喃。"我很高兴自己能帮助伊卜拉欣的家人。"摩顿森说，"对一个巴尔蒂人来说，要让一个外国人、一个异教徒，和自己的妻子发生这么私密的接触，需要相当深的信任。我不知道自己有何德何能，让他们这么信任我。"

从那天开始，每当摩顿森路过，村里的妇女们都会伸手在空中画圈，表达对他的祝福。

1996 年 12 月 10 日，葛瑞格·摩顿森同塔瓦哈、侯赛因和帮忙盖学校的村民们一起，蹲在科尔飞学校的屋顶上，敲进了最后一根钉子。那一季的初雪飘落在他冻红的粗糙的手上。

站在院子里的哈吉·阿里开心地看着大家的成就。"我请求全能的安拉让雪晚一点儿来，等你们完工后再来。"他笑着说，"智慧无限的安拉听见了我们的祈祷。现在下来喝些茶吧！"

那天晚上，在屋子中央的大厅里，哈吉·阿里打开上锁的橱柜，把摩顿森的水平仪、铅垂线和笔记本还给他，还加上一本账簿。摩顿森翻着账簿，惊讶地发现里面整齐地记载着所有费用，一页又一页，让他可以骄傲地拿给霍尔尼看。

"村里仔细记载了花在学校上的每一块卢比，把每块砖、每根钉子、每条木板的费用，以及付给工人的每一笔薪资，全都写得清清楚楚。他们用的是英国殖民时期的旧式记账方式。"摩顿森说，"他们做账比我做的好太多了。"

吉普车沿着布劳渡河谷，穿越暴风雪，朝着斯卡都、伊斯兰堡和摩顿森家乡的方向艰难行驶。喀喇昆仑山脉的冬天已经来了。年长的司机一只眼睛患有白内障，因为没有雨刷，他每隔几分钟就得下车清理挡风玻璃上的冰霜。道路在高高的岩架上蜿蜒盘曲，周围都是茫茫的雪雾，看不见下面深深的河谷。每次司机放开方向盘，高举双手祈祷安拉让他们挨过这场暴风雪，乘客们都只能抱在一起寻求慰藉。

侧风的时速高达八十公里，卷起的雪片完全遮挡住了视线。摩顿森的大手紧握着方向盘，努力不让沃尔沃汽车拐出路面。从波兹曼开往霍尔尼就医的爱达荷海利镇医院，原本不到七个小时的路程。他们是在十二个小时之前出发的，那时候波兹曼的树梢上只挂了零星的雪花。而此时已是晚上十点钟了，在狂暴的风雪中，他们距离目的地还有一百多公里。

摩顿森从后视镜中瞥了一眼后座上的婴儿椅，阿蜜拉正甜甜地睡着。摩顿森忍不住想，自己可以接受在巴尔蒂斯坦的暴风雪中行车的危险，但在这样的风雪中把妻女一起拖来，只为了给一位垂死的老人送照片，真是不可原谅，特别是他们离塔拉父亲车祸身亡的地点只有几公里路程。

在"月形坑国家自然保护区"的路标旁边，摩顿森终于看清了路肩，把沃尔沃开下公路，车尾对着风雪来向停在路旁，准备等能见度好一些再上路。由于出门时太过匆忙，他忘了给散热器加防冻剂，所以不敢熄火，担心熄火后车子没法发动。整整两个小时，摩顿森一边看着塔拉和阿蜜拉熟睡，一边盯着慢慢下降的油表读数，直到暴风雪终于平息下来，才继续赶路。

先把妻子和女儿送到霍尔尼在海利镇的家中，然后摩顿森直奔布莱恩郡立医学中心。这家医院的职能主要是救治附近太阳谷滑雪度假村的骨科伤号，所以只有八间病房。今年的滑雪季节才刚开始，有七间病房都还空着。为了不吵醒打瞌睡的夜班护士，摩顿森蹑手蹑脚走过前台，朝右边亮着灯的走廊拐去。

时间是凌晨两点，霍尔尼坐在床上。

"你又迟到了。"霍尔尼说。

摩顿森被霍尔尼病情恶化的速度吓了一跳，差点退回走廊。霍尔尼原本瘦削的脸颊现在瘦可见骨，仿佛一具会移动的骷髅。

"你感觉怎么样？"摩顿森走上前，把手放在霍尔尼肩膀上。

"你究竟有没有把那该死的照片带来？"霍尔尼问。

摩顿森把背包放在床边，小心着不去碰霍尔尼脆弱的双脚，一年前这双脚还硬朗有力，带着老人徒步绕冈仁波齐神山转了一圈。他把一个信封放在老人粗糙的双手里。

霍尔尼拆开信封，用颤抖的双手拿出摩顿森在波兹曼冲洗的十英寸照片，那是他在离开科尔飞的那天早上拍摄的。"好极了！"对着照片中结实的奶油色建筑，还有刚刷上的深红色装饰，霍尔尼连连点着头，用手指一一数着高高矮矮的学生。总共有七十名，他们即将在这栋建筑物里开始正式的学业。

霍尔尼按铃让夜班护士立即过来。她来到走廊上，霍尔尼要她去找锤子和钉子。"做什么，亲爱的？"她睡眼惺忪地问。

"把我在巴基斯坦盖的学校照片挂起来。"

"这恐怕不行。"她用职业性的温柔语气说，"规定不允许。"

"别逼我把这整间医院都买下来！"霍尔尼吼着，坐直了身体，威胁护士立刻采取行动，"把该死的锤子给我拿来！"

过了一会儿护士回来了，手里拿着个订书机。"这是我能找到的最趁手的东西了。"

"把墙上挂的东西摘下来，把这个钉上去。"霍尔尼发号施令。摩顿森摘下墙上画着两只小猫和一团毛线的水彩图，把钉子撬松，再用订书机当锤子，把科尔飞学校的照片钉好。他每敲一下，墙上的水泥就被震落一些。

他回到霍尔尼床边，发现老人正弯着身子打电话，要接线生帮他拨一个到瑞士的国际长途。"喂，"霍尔尼对着在日内瓦的一位儿时好友说，"是我，吉恩·霍尔尼。我在喀喇昆仑山区盖了一所学校。"他的声音充满了自豪，"你过去五十年里又干了什么事？"

霍尔尼在瑞士和太阳谷都有住所，但是他选择在西雅图度过最后时光。圣诞节还没到，他就搬进了西雅图皮尔山山顶的维吉尼亚·梅森医院。天气好的时候，他可以从私人病房里眺望艾略特湾和奥林匹克半岛，但因为健康情况急转直下，大部分时间他都只能逐条审视病床上的法律文件。

"霍尔尼在世的最后一个星期都用来修改他的遗嘱。"摩顿森说，"只要他生一个人的气，就掏出签字笔，把那人的名字从遗嘱里删掉。然后他会打电话给律师，不管是清晨还是黑夜，务必剥夺那个被他划掉的人的继承权。"

这是摩顿森最后一次做夜班护士。他把家人留在蒙大拿，自己二十四小时陪在霍尔尼身边，帮他洗澡更衣，调整导尿管。他很欣慰自己有能力让霍尔尼最后的日子过得舒服一点。

摩顿森又洗了一张十英寸的科尔飞学校照片，挂在病床对面。他把上一趟旅行时霍尔尼给他的摄影机接到电视上，播放科尔飞村民生活的视频。

144

"霍尔尼走得并不平静，他对自己即将死亡的事实感到愤怒。"但每当老人躺在床上握着摩顿森的手，看着科尔飞的孩子们用不完美的英文学唱："玛莉，玛莉，有只，有只，小小羊，小小羊……"他的愤怒就消失了。

霍尔尼用出人意料的力气紧握着摩顿森的手。"他告诉我，他爱我就像爱自己的儿子。"摩顿森说，"他的呼吸带着人死前会有的那种甜酮气味，我知道他的时间不多了。"

"吉恩广为人知的是他的科学成就。"他的遗孀珍妮弗·威尔森说，"但是我觉得，他对学校的在乎程度，绝不亚于他的科学成就。他觉得自己真的给这个世界留下了点东西。"霍尔尼的确希望中亚协会能够长久发展，所以在他入院前，又捐了一百万美元给协会。

1997年新年，摩顿森从医院的自助餐厅回到病房时，发现霍尔尼穿着羊毛衫和长裤，正试图把手上的点滴管扯下来。"我必须回家几个小时。"他说，"帮我叫辆出租车。"

摩顿森说服吓傻了的值班医生把病人交给他照顾，然后叫了一辆林肯轿车，载他们回霍尔尼在华盛顿湖畔的豪华公寓。霍尔尼虚弱得连话筒都握不住，只好翻开一本真皮的通讯簿，让摩顿森打电话给花店，送花给几位失去联系很久的朋友。

"好。"订完最后一束花，霍尔尼说，"现在我可以死了。带我回医院吧。"

1997年1月12日，这位一手创立了现代芯片产业和中亚协会的梦想家，结束了他漫长多彩的一生。2月，追悼仪式在斯坦福大学礼拜堂举行，葛瑞格·摩顿森买了他这辈子的第一套好西装，向霍尔尼的亲友和生前的同事们致悼词。

"吉恩·霍尔尼的远见，给我们带来了21世纪最先进的技术。"摩顿森对哀悼的人群说，"他不仅能洞悉未来，更能穿越历史，去帮助几百年来生活在贫困中的人们。"

十五　摩顿森在行动

没有千锤或百炼，但水的舞蹈

将卵石吟唱成完美

　　　　　　　　　　　　　　　　　——泰戈尔

凌晨三点钟，在地下室洗衣间改建成的中亚协会办公室里，葛瑞格·摩顿森从电话中得知，布劳渡河谷的小村庄恰克波，有一位"谢尔"（宗教领袖）对他宣判了"法特瓦"，也就是伊斯兰教的驱逐令。此时大约是斯卡都的下午时分，古拉姆·帕尔维对着摩顿森帮他安装的电话听筒大声吼着。

"这个毛拉根本不在乎伊斯兰！"帕尔维怒吼，"他只是个想要钱的恶棍！他没资格宣布'法特瓦'！"

从帕尔维愤怒的语气中，摩顿森可以猜到"法特瓦"这个词的严重性。但是远隔半个地球，在家里，身上穿着睡衣，人半睡半醒，双脚舒服地搁在暖炉上，摩顿森很难体会事情究竟有多紧急。

"你能和他谈谈吗，看看能不能把问题解决掉？"摩顿森问。

"你得到这里来。除非我带着一整袋子卢比，否则他是不会见我的。你要我那么做吗？"

"我们绝不贿赂，永远也不会。"摩顿森强忍住哈欠，免得对帕尔维失礼。"我们得找一位比他更有权力的毛拉谈谈，你认识这样的人吗？"

"也许认识。"帕尔维说，"明天照老规矩？还是这个时间打电话？"

"是的，就这个时间。愿真主祝福你。"

"先生，愿安拉与你同在。"帕尔维挂断了电话。

波兹曼和巴尔蒂斯坦之间有十三个小时的时差，所以摩顿森晚上9点钟上床之前，先打个"起床电话"到巴尔蒂斯坦；然后在凌晨两点到三点间起床，在巴基斯坦人下班前再电话联络一次。为了中亚协会的工作，他每天的睡眠很少超过五个小时。

摩顿森趿着拖鞋走到厨房煮好咖啡，然后回到地下室，开始写今天的第一封电子邮件。"寄给：所有中亚协会理事。"他敲着键盘，"标题：对葛瑞格·摩顿森宣告'法特瓦'。内容：在波兹曼向大家问好！刚和中亚协会的新任巴基斯坦项目负责人古拉姆·帕尔维通完电话。（他要谢谢大家，电话已经装好而且很好用！）帕尔维说当地的一位谢尔，因为不喜欢我们为女孩子提供教育机会，刚刚对我宣布'法特瓦'宗教判决，企图阻止中亚协会在巴基斯坦建立学校。"

"在我们工作的小山村里，一位当地的毛拉，即使是个坏人，他的力量也很大。帕尔维问我要不要贿赂他，我说不可能。但这个家伙可能真会给我们带来很多麻烦。我已经让帕尔维调查有没有地位更高的毛拉可以镇得住他，我会随时通知各位调查的结果。但我也必须尽快回到当地解决这个问题，如果安拉愿意的话。祝平安，葛瑞格。"

吉恩·霍尔尼在遗嘱中留给摩顿森22315美元，并让他负责管理中亚协会——霍尔尼在去世前刚刚给这个组织捐赠了近一百万美元。摩顿森请霍尔尼的遗孀珍妮弗·威尔森担任新成立的理事会的成员，同样担任理事的还有汤姆·佛汉，一位来自马林郡的胸腔科医生和登山者，是他的鼓励帮摩顿森熬过了在柏克莱期间最黑暗的日子。此外，蒙大拿州政府地球科学部主席安德鲁·马可仕博士也同意为协会服务。在理事会的成员中，最让人惊喜的一位是珍妮弗·威尔森的堂妹——茱莉亚·柏格曼。

1996年10月，柏格曼和一群朋友到巴基斯坦旅行，租了一架巨大的苏式MI-17直升机，他们从斯卡都出发，希望看一眼乔戈里峰。回程途中，直升机驾驶员问她们有没有兴趣参观当地的村庄，飞机降落的地点刚好是科尔飞不远处的村落。当地的孩子们发现柏格曼是美国人，兴奋地牵着她的手去看附近的一处新景点——另一个美国人在科尔飞村里盖的学校。

"我看见学校门口有个牌子，上面写着吉恩·霍尔尼捐赠，那正是我堂姐的丈夫。"柏格曼说，"珍妮弗跟我说过，吉恩要在喀喇昆仑山区的某个地方盖学校，山区绵延几千公里，直升机竟然刚好降落在那里，我觉得这不是单纯的巧合。我不是那种虔诚信教的人，但似乎有某种力量指引着我到那里去。我一直哭啊哭，怎么也停不下来。"

几个月之后，在霍尔尼的追悼会上，柏格曼见到了摩顿森。"我去过那里！"她用力拥抱这个第一次谋面的男子，摩顿森被她的热情吓坏了。"我看到你的学校了！"她说。

"你就是直升机里的金发女子?!"摩顿森惊讶地摇着头，"我听说有位外国女子去过村里，当时我还不相信呢！"

"这是注定的。"茉莉亚·柏格曼说，"我想帮忙，我能做什么?"

"嗯，我想收集一些书，帮科尔飞的学校建图书馆。"摩顿森说。

"我就是图书馆管理员。"柏格曼又一次震惊了，这一切绝不可能仅仅是个巧合。

把电子邮件发给柏格曼和其他几位理事后，摩顿森写信给他在上次旅程中遇到的一位热心的巴基斯坦政府部长，以及斯卡都的教育主任穆罕默德·纳兹，寻求处理"法特瓦"问题的相关建议。然后他借着桌灯昏暗的灯光跪在地上，从靠墙的书堆中翻出一本译自波斯文的学术书籍，内容是伊斯兰法律在现代社会的应用。他专注地读着，不知不觉连喝了四杯咖啡，直到头顶上方的厨房里传来塔拉的脚步声。

塔拉在餐桌前给阿蜜拉喂奶，又为自己煮了一大杯拿铁咖啡。摩顿森实在舍不得打破这宁静的画面，告诉她自己又要离开。他亲吻妻子道过早安，才强迫自己开口说："原定计划提前了，我得尽快回到那儿。"

斯卡都一个霜冷的早晨，支持摩顿森的伙伴们在印度饭店大厅喝茶会面，这里已经成了他们的非正式总部。斯卡都虽有很多观光度假村，但大多位于郊区，不方便集会。这间饭店干干净净，价钱又公道，而且就位于斯卡都的大马路旁，也就是常嘎吉的大房子和加油站之间，门口是固定往返于伊斯兰堡的贝德福德卡车站。

饭店大厅有张告示板，许多登山者都把最近拍的登山照片贴在上面。告示板下面是两张长木板桌，是镇上最佳的喝茶开会地点。这个早上，摩顿森的八位支持者围着一张桌子坐下，桌上摆满了美味的"恰巴帝"饼和中国

148

果酱,大家喝着帕尔维最喜欢的甜奶茶。

朋友们到得这么齐,摩顿森有点惊讶。他们都住在巴基斯坦北部的偏远地区,家里没有电话。从他请吉普车司机带信给这些人,到他们抵达斯卡都,中间可能要花上一个星期。

穆札佛和他的朋友们是从东边一百多公里远的胡歇艾河谷赶来的。穆札佛的朋友拉扎克从前也是高山协作,还当过大本营的厨师,很多人都知道他,叫他"阿波拉扎克",简称阿波,意思是"老人拉扎克"。在他们身旁,哈吉·阿里和塔瓦哈开心地吃着早餐,他们从科尔飞日夜兼程地赶来,村子现在还埋在冬雪之中。费瑟·贝格早上才抵达饭店,他从阿富汗边境的查普森河谷出发,足足赶了三百多公里的路。

摩顿森自己先坐了四十八个小时的飞机又坐巴士,在两天前抵达饭店,还带了一位新伙伴加入他的老团队。这是一位四十岁的拉瓦尔品第出租车司机,名叫苏利曼·敏哈斯。摩顿森被囚获释后,苏利曼在伊斯兰堡的机场载客时碰巧遇到他。

前往旅馆的途中,苏利曼听摩顿森讲述了在瓦济里斯坦被囚禁的经过,同胞对外来客人的无礼让他大为愤慨,他立即决定尽一切所能为摩顿森提供保护。他说服摩顿森在伊斯兰堡一处他熟识的宾馆投宿,比摩顿森原来打算去的地方安全得多——那附近经常会发生爆炸袭击事件。

苏利曼每天都到宾馆探望摩顿森,察看他的身体康复情况,并带些甜点和药品给他(摩顿森被囚在瓦济里斯坦时染上了寄生虫病),还带摩顿森去吃他最喜欢的"喀布里"串烧。摩顿森回国时,出租车在通往机场的路上被警察的路障拦下来,多亏了苏利曼警察才肯放行。擅长游说的魅力让摩顿森看中了他,于是邀请他担任中亚协会的总务工作。

印度饭店的大厅里,苏利曼微笑着坐在摩顿森身边。他把手插在开始发福的腰间,一边抽着摩顿森从美国带来的万宝路香烟,一边描述在大城市开出租车遇到的各种新鲜事儿。苏利曼属于占巴基斯坦人口多数的旁遮普族,从来没到过山区,也从没想到,北部山区的居民除了当地语言外也会说乌尔都话,所以他兴奋地讲个不停。

透过大厅的玻璃墙,他们看见穆罕默德·阿里·常嘎吉穿着白袍路过。阿波拉扎克朝前倾了倾身子,压低声音开玩笑地说,常嘎吉成功征服过来斯卡都的一对姐妹花，她们同是一支登山队的队员。

"没错。"苏利曼一边用乌尔都语说，还一边用力点头强调。一桌人哄堂大笑。

古拉姆·帕尔维平静地解释了"法特瓦"的事，当初的愤怒已经平息下来。他安排了摩顿森与萨耶·阿巴斯·瑞思维会面。阿巴斯是巴基斯坦北部地区的宗教领袖。

"阿巴斯是位好人，但是对外国人有戒心。"帕尔维说，"向他展示你对伊斯兰的尊重，以及我们所做的事。他或许能帮我们很大的忙，如果安拉愿意。"

还有另一位宗教学者，谢克·穆罕默德，也不喜欢恰克波那位谢尔，他和儿子一起请愿，希望中亚协会能在他的村庄喜玛斯尔建一所学校。他还写信到阿亚图拉最高宗教委员会，那里有全球什叶派地位最高的宗教神职人员，可以判决这个"法特瓦"究竟是否合理。

哈吉·阿里说他已经和各村的代表商量过，大家决定把第二所学校建在下游河谷的贫穷村庄帕克欧拉，整个工程由哈吉·阿里的朋友哈吉·穆新负责督导。

泥水匠玛克玛是科尔飞建校团队中表现最专业的人，他也请求在家乡朗嘎建立学校。他还表态说，他的家人都是技巧熟练的建筑工人，能很快把学校建好。

摩顿森想，霍尔尼如果能坐在这里，肯定会高兴得不得了。他脑海中不禁浮现出建第一所学校前，人人都想把学校迎进自己村里的景象。霍尔尼曾劝告他，不要厌恶这些积极争取的村民："那些请你吃饭、想贿赂你的村庄，村里的孩子们也需要学校。"

摩顿森想起他在常嘎吉家乡遇到的牧羊的孩子们，他们是那么渴望学习。摩顿森提议，在常嘎吉的村庄库阿尔都也盖一所学校，因为村里的人们已经同意捐地了。

"那么，葛瑞格医生，"古拉姆·帕尔维用笔尖轻敲着桌子，"我们今年先建哪一所学校呢？"

"全部都建，如果安拉愿意。"摩顿森说。

葛瑞格·摩顿森觉得生活节奏一下子变快了。他有一栋房子、一条狗、一个家庭，而且在离开美国之前，还和塔拉商量再添个孩子。他盖了一所学校，被一位愤怒的毛拉威胁过，筹组了美国的理事会，还有一个既不光鲜也不亮丽的巴基斯坦团队。他的帆布背包里有属于中亚协会的五万美元，银行里还有更多的钱。巴基斯坦的孩子们长久以来遭受的痛苦，已经堆得像布劳渡河周围的山峰一样高，但头上高悬着刀子一样的"法特瓦"禁令，谁晓得他还能在巴基斯坦工作多久？现在是全力以赴的时候了。

　　他花了四万八千美元，买了一辆军绿色丰田吉普，车子马力强劲，完全适合在路况复杂的喀喇昆仑地区行驶。他雇了一位经验丰富、头脑冷静的烟枪司机，名字也叫侯赛因。侯赛因很快买了一箱炸药放在乘客座位下头，以后如果遇到落石，他们不需要再等政府派修路工人，可以自己炸开道路。由帕尔维和玛克玛负责杀价，摩顿森在斯卡都购买了足够的建材，等到冻土一融化，就可以同时开展三所学校的建设工程。

　　四月里一个飘着细雨的下午，摩顿森在加油站的油泵旁边和萨耶·阿巴斯·瑞思维会面。帕尔维告诉他，在阿巴斯了解他之前，他们最好在公开场所碰面。加油站离饭店不远，人来人往十分繁忙，所以是最好的选择。

　　阿巴斯带着两名助手，两个人都蓄着大胡子，十分警惕地守在他身旁。阿巴斯瘦瘦高高，额头上缠着漆黑的头巾，胡须按什叶派学者的方式修剪得十分整齐。他透过老式方框眼镜，上下打量眼前身穿巴基斯坦服装的高大美国人，然后才伸出有力的右手同摩顿森握手。

　　"愿平安降临于您。"摩顿森把手放在胸前弯腰行礼，"很荣幸能和您见面，萨耶·阿巴斯。"他用巴尔蒂语说，"帕尔维先生对我形容过您的智慧，还有您对穷苦人民的同情。"

　　"有一些欧洲人到巴基斯坦是来毁灭伊斯兰教的。"萨耶·阿巴斯事后说，"我一开始也担心葛瑞格医生和他们一样。但那天在加油站里，我看清了这个人的心。虽然不是穆斯林，但他是个高贵的人，把自己的生命奉献给孩子的教育。我当即决定尽一切所能帮助他。"

　　摩顿森花了超过三年的时间，经历过错误、失败和耽延，才把科尔飞的学校从承诺变成现实。他从中学到了很多教训，加上终于有了足够的经费，还有更多朋友和热心人的帮助，这一次，中亚协会只用了短短三个月，就建成了三所学校。

玛克玛说话算话，他和家人们一起，带头建造朗嘎村的学校，只花十个星期就完成了工程，而且质量丝毫不比科尔飞的学校差。在房屋建造动辄要花几年时间的巴基斯坦地区，他们的速度前所未见。虽然朗嘎离斯卡都只有十二公里远，但除非孩子们自己承担到斯卡都私立学校就读的学费和交通费，否则就没有地方读书，因此朗嘎的孩子们绝大多数都没上过学。经过一个春天的辛勤工作，朗嘎村孩子们的命运从此改变。

帕克欧拉的村长，哈吉·阿里的朋友哈吉·穆新，同样全力以赴。他说服大部分村民，在学校建好之前不接任何登山队的向导和协作工作。他迅速组织起一支人数众多的建设团队，虽然没有经验，但热情洋溢。当地的建筑承包商扎曼推掉了军队的营建工程，带领大家在白杨树丛下建造了一所马蹄形的漂亮学校。"扎曼的工作成绩真是不可思议。"摩顿森说，"巴基斯坦北部最偏远的村落，竟然可以在十二个星期内盖好一所学校，而且品质很好。"

在常嘎吉的家乡库阿尔都，村里人坚定地表示，保证让学校建造成功。他们特别捐了一块儿位于村庄中央的土地，还拆掉一栋两层的石楼，这样学校就可以建造在黄金地段。库阿尔都学校的建筑远远超过了一般学校的标准。村民们先打好两米深的石头地基，又把学校的墙也砌成两倍厚，他们决心让学校永远骄傲地挺立在村子中心。

整个春天和夏天，摩顿森像个苦行僧一样，坐在丰田车里到处奔波。工地缺水泥，他就赶快补货送水泥；帕克欧拉村子的学校屋梁没有装好，他又忙着把玛克玛送过去补救；稍微有点空闲，还得赶到斯卡都的木匠工厂，查看五百套桌椅的赶制进度。

三所学校都即将提前完工时，摩顿森又展开了下一轮的计划。帕尔维告诉摩顿森，在印度河南岸一个叫托尔古巴拉的村子里，五十名女学生挤在一所只有一间教室的学校里上课。手头还剩不少建材，摩顿森决定帮那所学校加盖两间教室。

摩顿森在胡歇艾河谷参观过穆札佛的村庄哈尔德后，也答应村民明年在那里盖一所学校。他又听说附近康代村的学校遇到了危机，当地老师已经两年多没领到薪水了，而一位名叫古拉姆的老师，在这种情形下仍然努力教育九十二名学生。摩顿森听到这个消息后气愤不已，立刻垫付了古拉姆的薪水，并且又聘请了两名老师，以减轻古拉姆的教学负担。

摩顿森在巴尔蒂人中间留下的美名，很快传进了萨耶·阿巴斯耳朵里。阿巴斯寄了封信到印度饭店，邀请摩顿森到自己家中做客。

客厅里，摩顿森、帕尔维和阿巴斯三人盘腿坐在上好的波斯地毯上，阿巴斯的儿子奉上盛在粉红色瓷杯中的绿茶，以及用瓷盘盛着的甜饼干。

"我和恰克波的谢尔联络过，请他撤回'法特瓦'裁决。"萨耶·阿巴斯叹了口气，"但是他拒绝了。这个人没有遵循伊斯兰的教义，他只遵照自己的心意。他希望把你赶出巴基斯坦。"

"如果您认为我做了任何违逆伊斯兰的事，要我永远离开巴基斯坦，我会照做。"摩顿森说。

"继续做你的工作。但是离恰克波远一点儿。我想你现在应该没有危险，但我也不敢确定。"阿巴斯交给摩顿森一个信封，"我帮你准备了一封信，说明我对你的支持。遇到其他村子的毛拉时，这封信也许会有些帮助，如果安拉愿意。"

摩顿森小心绕过恰克波回到科尔飞，准备安排学校正式开学的庆祝典礼。他在屋顶上跟哈吉·阿里、塔瓦哈和侯赛因开会，莎奇娜和侯赛因的妻子哈娃也勇敢地坐在这群男人中间，请求说几句话。

"我们很感谢您为我们的孩子做的事。"哈娃说，"村里的妇女也想请您帮一个忙。"

"什么事呢?"摩顿森问。

"这里的冬天非常难熬，在寒冷的几个月里，我们像动物一样整天坐着，什么事都不能做。如果安拉愿意，我们想要有个妇女中心，一个能够聊聊天做做裁缝的地方。"

莎奇娜开玩笑地拉拉哈吉·阿里的胡子，补充了一句："还可以暂时离开我们的丈夫。"

那年八月，宾客们抵达科尔飞准备参加学校开学典礼时，哈娃也兴奋地管理起了科尔飞新设的妇女职训中心。哈吉·阿里家后面有间不用的空房间，现在成了职训中心的活动室。科尔飞的妇女们每天下午都聚在这里，学习使用摩顿森购买的四台缝纫机。斯卡都的裁缝师傅费达每次上山来，都给她们捎来一捆捆的布料、成箱的线材和机器零件。

"巴尔蒂人原本就有缝纫和织布传统，"摩顿森说，"她们只需要一点帮助，就能把这些日渐消失的技艺重新传承下去。哈娃的建议很快就被采用了，而且对妇女们真的有所帮助，所以我决定以后在盖学校的地方都组建职训中心。"

1997年8月初，葛瑞格·摩顿森的吉普车在一列车队的护送下，骄傲地驶上布劳渡河谷。绿色吉普车里坐着塔拉，她腿上坐着不满一岁的阿蜜拉·摩顿森。随行的人有警察、军队指挥官和当地政要，还有中亚协会理事珍妮弗·威尔森和茱莉亚·柏格曼。珍妮弗和茱莉亚花了好几个月的时间收集书籍，准备帮科尔飞建一所图书馆。

"我终于看到了葛瑞格几年来一直钟情的地方，那是难以形容的经历。"塔拉说，"那里占据了他生命很重要的一部分。对我来说，一切都变得更真实了。"

吉普车停在桥边，一行人下车上桥，科尔飞的村民们在另一头的悬崖上欢呼迎接。过了桥，学校奶油黄色的建筑映入眼帘，墙上挂着横幅和巴基斯坦国旗。

两年后，摩顿森的母亲洁琳也到科尔飞参观，她清楚记得看到儿子努力成果时震撼的心情。"我隔着很远就看到了那所学校，一路哭着走上去。"洁琳说，"我知道葛瑞格建这所学校花费的心血。当你的孩子完成了这样的成就，那比你自己做的任何事都有意义。"

"开学典礼那天，我们见到了哈吉·阿里和他的妻子。全村人都抢着抱阿蜜拉。"塔拉说，"她简直像是在天堂，成了每个人都想抱的金发宝贝。"

每间教室里都放了几十张全新的桌椅，地上还铺了地毯，免得孩子们的脚冬天受冻，墙上挂着彩色的世界地图和巴基斯坦领袖的肖像。学校的院子里临时搭起了讲台，挂着手写的"欢迎贵宾"的条幅。炙热的太阳下，六十个学生耐心地蹲着，聆听长达好几个小时的贵宾致辞。

"那是我生命中最兴奋的一天。"学校老师侯赛因的女儿泰希拉说，"帕尔维先生给我们每个人发了一套新课本，我都不敢翻开，它们太漂亮了。我以前从来没有过自己的课本。"

珍妮弗·威尔森写了篇长长的发言稿，还给每个学生发了一套全新的校服，全都整齐地折好放在透明的塑料套里。

　　"我根本没法把眼神从外国女士身上移开。"嘉涵说，"她们看起来好高贵。以前我看到从山下来的人，都会跑开，因为觉得自己的衣服很脏，很丢脸。但那天我怀里抱着干净的新衣服，第一套属于自己的衣服。我心想，也许我不应该再觉得丢脸，只要安拉愿意，也许有一天，我也能够成为伟大的女性。"

　　侯赛因，另外两位外聘的老师，还有哈吉·阿里以及每一位来访的贵宾都分别上台致辞。每个人都上了台——除了葛瑞格·摩顿森。

　　"当所有贵宾都上台致辞，葛瑞格却靠着墙站在人群里。"塔拉说，"他怀里抱着一个别人交给他的婴儿，那是我见过的最脏的小婴儿，但他完全不在乎，他只是高兴地站在那里摇晃着婴儿。我告诉自己，这就是真实的葛瑞格，你要永远记住这一刻。"

　　有史以来头一次，科尔飞的孩子们坐在坚固的教室里，开始每天固定的学习。摩顿森和珍妮弗·威尔森一起，把吉恩·霍尔尼的骨灰从桥上洒进布劳渡河的急流中。回到斯卡都后，摩顿森忙着给塔拉介绍他心目中的这个新故乡。

　　每当他们开车到南边山区的帕尔维家中用餐，或是到镇上的沙帕拉湖散步时，他都越来越确定，自己被政府的情报单位"三军联合情报局"跟踪了。

　　"奉命跟踪我的那个人职位一定不高。"摩顿森说，"他的跟踪技巧实在很拙劣。他有一头红发，又骑着他的红色铃木摩托到处晃，很难不注意他。而且每次我一回头，他总在那里，抽着烟假装没在看我。我没什么好隐瞒的，所以就决定让他继续跟着，把事实报告给他的长官。"

　　但是另一个斯卡都居民对这家人的偷窥，就没有这么容易原谅了。一个午后，摩顿森把塔拉和阿蜜拉留在后车座，自己到斯卡都的市场买矿泉水，塔拉就在车上给阿蜜拉喂奶。摩顿森回来时，一个年轻男子正把脸贴在车窗上，色迷迷地盯着塔拉。费瑟·贝格也看见了那个偷窥的家伙，在摩顿森过来之前就把他逮住了。

"费瑟把那个家伙拖到巷子的角落里，打昏了。"摩顿森说，"我赶快跑过去要费瑟住手，检查了一下那家伙的脉搏，还好费瑟没把他打死。"

摩顿森想把那男子送进医院，但贝格又对趴在地上的家伙踹了一脚，还吐了口唾沫，坚持让他躺在大街上。"那个坏蛋已经够幸运了，我没杀掉他。"贝格说，"如果真杀了他，斯卡都没有人会不同意。"几年后，摩顿森听说那人受到斯卡都人的唾弃，大家都鄙视这个对葛瑞格医生的妻子不敬的家伙，最后他只好搬到外地去了。

把妻子和女儿送上回家的飞机后，摩顿森又在巴基斯坦待了两个月。妇女职训中心的成功，让科尔飞的男人们也来寻求摩顿森的帮助，他们希望能多赚些钱。

摩顿森和塔拉的弟弟布伦特·毕夏一起开办了"喀喇昆仑协作训练及环保学校"，这是巴基斯坦第一所专门的高山协作培训学校。布伦特和他已故的父亲一样，都曾成功登顶珠峰，他又说服耐克公司为学校赞助了不少装备和资金。

"巴尔蒂协作在地球上最险恶的山区勇敢工作。"摩顿森说，"但在过去，他们却没有受过任何专业登山训练。"

由穆札佛领队，摩顿森、毕夏和八十名高山协作学员爬上巴托罗冰川，经验丰富的阿波拉扎克担任大厨。在冰川上，美国登山者们向学员们传授急救、冰缝救援、结绳和绳索操作的技术。

他们也努力修复登山活动给巴托罗地区环境造成的伤害，例如在大本营修建石头厕所，希望能借此减少冰川上一坨坨冰冻的粪便。

由于协作们下山时不需要负重，他们还制订了一个资源回收计划，第一年就从乔戈里峰、布洛阿特和加舒尔布鲁木峰群清除了一吨多重的罐头筒、玻璃和塑料垃圾。摩顿森把这些回收的垃圾运到斯卡都卖掉，让付出辛劳的协作们赚些额外收入。

顶着"法特瓦"禁令，摩顿森度过了一生中最忙碌的一年，直到冬天再次降临喀喇昆仑，他才回到波兹曼的地下室。

在每天打给巴基斯坦的夜间电话，写给理事会的电子邮件，以及无数杯提神的咖啡之间，摩顿森正计划着来年春天，要对巴基斯坦的贫穷宣战。

十六　红色的丝绒盒

没有人，没有任何生物能在永恒的天空下永远活着。

最美的女人，最博学的人，

即使是聆听过安拉声音的穆罕默德，都将枯萎死去。

一切皆为短暂。

只有天空，会在所有事物消失后仍然长存，

甚至包括苦难。

——巴尔蒂诗人保瓦·加哈尔，穆札佛·阿里的祖父

摩顿森想象着信使正快马加鞭地往东南方前进，最高宗教委员会的最后裁决就在他的鞍囊中，瘦小的山马从伊朗往阿富汗方向奔驰，绕过遍布地雷的舒马里平原，爬上兴都库什山脉的高山隘道，然后进入巴基斯坦。摩顿森又在心里拖延着信使的行程，沿途布置上落石和雪崩，希望他花上好几年的时间才把指令送到。因为万一他带来的是最坏的消息，摩顿森将永远无法再进入巴基斯坦。

而事实上，放着裁决结果的红色丝绒盒从库姆寄到了伊斯兰堡，然后搭乘巴基斯坦国际航空的波音737班机转到斯卡都，最后送到巴基斯坦北部地区最高神职人员的手中公开宣读。

最高宗教委员会在审理摩顿森的案件时，派遣了很多人员密访这名美国人在巴基斯坦从事的各项工作。帕尔维说："许多学校跟我报告说有陌生人到访，询问有关学校课程的事情。那些人想知道学校是不是鼓励学生变成基督徒，或是鼓励西方式的放荡行为。"

"最后，一位伊朗的毛拉亲自到我家拜访，他直截了当地问：'你有没

有见过这个美国人喝酒，或是引诱伊斯兰女子？'我忠实地告诉他，我从来没见过葛瑞格医生喝酒，而且他是位已婚男士，非常尊重他的妻儿，绝不会和任何巴尔蒂女子有不当接触。我也告诉他，欢迎他到我们任何一所学校去亲自调查。如果他想立刻出发，我可以安排车辆并支付所有费用。结果他说，'我已经看过你们的学校了。'非常客气地谢过我就离开了。"

1998 年 4 月的一个清晨，帕尔维出现在摩顿森下榻的印度饭店门口，告诉摩顿森他们两人即将被召见。摩顿森把胡子刮干净，换上他五套土黄色夏瓦儿卡米兹中最干净的一套。

他们将要前往伊曼姆巴拉清真寺。除了镶着扩音喇叭以便召集信徒的蓝绿色尖塔之外，清真寺高大的土墙上没有任何装饰。

寺中人员带着他们穿过院子，走进一处拱门。摩顿森拨开巧克力色的厚丝绒帘布，走进清真寺里的圣所——从来没有非穆斯林人士进去过的地方。为了表示尊敬，摩顿森进入圣所时特别先用右脚跨过门槛。

里面站着八位缠着黑头巾的宗教委员会毛拉，气势威严。萨耶·穆罕默德·阿巴斯·瑞思维十分严肃地跟他们打了招呼。摩顿森已经准备好了接受最坏的消息，他和帕尔维一起坐上织着葡萄藤图案的精美伊斯法汗地毯。萨耶·阿巴斯先招呼其他委员坐到地毯上，围成一个圆圈，然后才坐下，将红丝绒小盒子放在膝前的长羊毛绒上。

做完必要的仪式后，萨耶·阿巴斯把盒盖儿掀开，拿出一卷缠着红丝带的羊皮卷轴，慢慢展开，开始宣读摩顿森的未来。

"对贫苦人富有慈悲的阁下，神圣的《古兰经》告诉我们，所有孩子都应该受教育，包括我们的女儿和姐妹。您高贵的工作遵循了伊斯兰的最高原则，照顾穷人及病患。在神圣的《古兰经》中，没有律法禁止异教徒帮助我们的弟兄姐妹。因此，裁决的结论是，我们指示所有巴基斯坦的神职人员不得干扰您的高贵用心，您拥有我们的允许、祝福和祈祷。"

萨耶·阿巴斯把卷轴卷好，放回红丝绒盒里，微笑着递给摩顿森，然后伸出了手。

摩顿森和委员会的成员一一握手，脑子里一片晕眩。"这是不是说……"他几乎说不出话来，"法特瓦，是不是……"

"把小村庄的小心眼、小把戏都忘了吧。"帕尔维开心地说，"我们得到了伊朗'穆夫提'(教法说明官) 的祝福! 现在什叶派的穆斯林再也不会干扰我们的工作了，这是安拉所愿。"

萨耶·阿巴斯要人送茶来。"我想跟您谈另外一件事，一个小小的合作计划。"办完正事后，严肃的阿巴斯显得轻松了许多。

那年春天，裁决结果在巴尔带斯坦地区迅速传开，像高山冰川融化的雪水一样无孔不入。摩顿森仍然在印度饭店大厅举行固定的早餐会议，但参会的人与日俱增，最后只得搬到楼上的宴会厅。会议成员也越来越混杂，从巴尔蒂斯坦几百个偏远村庄来的代表，都想请他帮忙开展新计划，因为现在他有最高宗教委员会的同意作保证了。

摩顿森开始被迫在饭店的厨房里用餐，只有这样他才能把煎蛋或是咖喱蔬菜吃完，不必随时回应各式各样的请愿书，例如跟他申请贷款成立开矿公司，申请经费重建村里清真寺，等等。

当时摩顿森还没完全意识到，他的生命已经进入另一个阶段。他不再有时间跟每一个请他帮忙的人说话，时间完全不够用，仿佛每天都短了五六个小时。他忙着筛选不断涌入的各种申请。

影响力遍及巴基斯坦北部的萨耶·阿巴斯，对每个地区的需求有着敏锐的洞察。他告诉摩顿森，教育的确是克制贫穷的长远之计，但巴尔蒂斯坦的孩子们还有更急迫的需要。比如在希格尔下游河谷地区的春达村，有三分之一以上的新生儿活不到一岁，罪魁祸首就是不良卫生环境和干净饮用水的缺乏。

摩顿森把这个新方向和他的任务结合起来。孩子们得先活着，长到足够大的年龄，才能从学校获得帮助。在阿巴斯的陪同下，摩顿森拜访了春达村长哈吉·伊卜拉欣，他当场同意把村里的男人们组织起来。邻近四个村庄的居民们也主动参与进来，几百名工人每天挖掘十个小时。只花了一个星期，整个计划就完成了——借由摩顿森供应的数千米水管，五个村庄的公用水龙头都流出了干净的泉水。

"我十分尊敬阿巴斯，并且倚重他的远见。"摩顿森说，"他是令人钦佩的宗教领袖，他把对人民的同情付诸实际行动，而不只是空谈。他没有把自己埋在书堆里，而是卷起袖子去做事，让这个世界变得更好。因为他的努力，春达村的妇女再也不用长途跋涉去找干净水源了。一夜之间，一个两千人口的地区，婴儿死亡率立刻降低了一半。"

摩顿森离开美国之前，理事会已经通过了 1998 年春夏再建三所学校的提案。穆札佛的村子哈尔德在优先之列。摩顿森在先前的拜访中发现，穆札佛衰老了很多，体力已不复当年，听力也越来越差。像许多长年在严酷环境下靠劳力谋生的巴尔蒂人一样，穆札佛几乎是一夜间就老了。

哈尔德位于青葱的下胡歇艾河谷，什约克河与印度河交汇处的南岸。这是摩顿森在巴基斯坦见过的最完美的村庄。水从灌溉渠道涓涓流往河岸延伸出的一块块田地，道路两旁的杏桃和桑葚组成美好的林荫风景。

"哈尔德是我心目中的香格里拉，是那种我想带着一大摞书，把鞋子甩掉，在里头待上很久的地方。"摩顿森说。他当然没有那种奢侈的闲暇。而对穆札佛来说，登山生涯已经结束了，他想象着自己平静的晚年会在果树环绕的小房子里度过，跟他的孩子、孩子的孩子在一起，远离冰雪覆盖的山峰。

摩顿森、帕尔维和玛克玛现在已经制订出了一套完美的工作流程。在两片杏桃林中间的空地上，他们只花了三个月、一万两千多美元，就建起了一所有四间教室的坚固石造学校。穆札佛的祖父保瓦·加哈尔是巴尔蒂斯坦地区知名的诗人，而穆札佛成年后就一直从事向导工作，在村里没什么特殊地位。但自从他为村里带来一所学校，大家对这位善良的老人有了更深一层的尊敬，每当穆札佛挑着开采完的石头到学校工地，或是抬屋梁时，年轻人都会主动替他分担。

穆札佛和摩顿森一起站在学校前，看着村里的孩子们踮起脚尖儿，透过陌生的玻璃窗探视入秋后就可以在里面上学的神秘教室。他不由紧紧握住了摩顿森的双手。

"我在山上的日子已经结束了，葛瑞格先生。"他说，"我很想再为您多工作几年，但是安拉，以他的智慧，已经把我的力气取走了。"

摩顿森拥抱这位一路给他许多帮助的老人，穆札佛说话的声音已经很虚弱，但他的双臂仍然强壮得让大个子美国人喘不过气来。"今后你打算做什么呢？"

"我现在的工作，"穆札佛的回答很简单，"就是给树浇水。"

在穆罕默德·阿斯兰小时候，玛夏布洛姆峰的冰川阴影之下、胡歇艾河谷入口的高山附近还没有道路。河谷里村庄的生活，数百年来从未改变，单调得如同一日。夏季，男孩子们领着羊群到高山牧场放牧，妇女们忙着制作酸奶和奶酪。从最高处的牧场，孩子们能看到当地人称做"丘苟里"（大山）、外面人叫做乔戈里峰的巨峰，从玛夏布洛姆峰后面直入云际。

秋天时，阿斯兰和村里其他的男孩轮流驾着六头气喘吁吁的牦牛原地绕圈，让它们的重蹄帮刚收割的麦穗脱壳。漫长寒冷的冬天，他会尽可能地靠近炉火，跟他的五个兄弟、三个姐妹以及家里的牲畜们争抢最暖和的位置。

这就是生活，胡歇艾河谷每个孩子原本注定的生活。但阿斯兰的父亲苟罗瓦·阿里——胡歇艾的村长，对阿斯兰这个家里最聪明的孩子另有打算。

晚春时分，最可怕的天气已经过去，什约克河依旧带着融冰湍急奔流。苟罗瓦·阿里在第一道曙光出现前叫醒儿子，要他准备离开村子。阿斯兰听不懂父亲的意思，但看到父亲把他的行李都打好包，又在里面放了一块硬梆梆的羊乳酪"秋尔帕"时，他忍不住号啕大哭。

按照惯常的规矩，他不能询问原因，但阿斯兰还是忍不住开了口。

"为什么只有我要离开？"他转头看着母亲想寻求支持，但在昏暗的油灯下，母亲竟然也在哭泣。

"你要去上学。"

阿斯兰跟着父亲走了两天下山的路。和胡歇艾别的男孩儿一样，阿斯兰经常在狭窄的山路间漫游，光滑崖壁上那些狭窄的山路就像攀在石墙上的常春藤蔓。山下的土地是沙质的，而且没有冰雪，他从来没有离家这么远过。他所熟悉的世界的核心——巨大的玛夏布洛姆峰，在身后渐渐退去，隐没在群山中。

山路走到尽头，便是什约克河的河岸。苟罗瓦·阿里用绳子把一个装着两块金币的皮袋系在儿子脖子上。"只要安拉愿意，到了克伯卢镇上，你就会找到一所学校，把这些金币交给管理学校的先生，支付你的学费。"

"我什么时候可以回家？"阿斯兰努力控制着颤抖的嘴唇。

"你会知道的。"苟罗瓦·阿里吹胀六个山羊膀胱，把它们捆在一起做成一个"扎克斯"（皮筏），这是巴尔蒂人在水深时所用的传统渡河方式。

"好，现在抓紧。"父亲说。

阿斯兰不会游泳。"当父亲把我推进水里时，我忍不住哭了。他是个坚强骄傲的男人，但当我沿着什约克河往下漂时，我看到了他眼中的泪水。"

阿斯兰被什约克河卷走，远离了父亲的视线，他紧抓着皮筏在水中浮浮沉沉，冰冷的河水让他冷得发抖。现在没有人会看见了，他放声大哭。在泪眼朦胧的恐惧中，不知过了十分钟还是两个小时，河道开始变宽，他的漂移速度也慢了下来。阿斯兰看见远处河岸上有人，赶紧用力踢水往那个方向前进。他不敢用手划水，生怕把皮筏弄丢。

"一个老人把我从河里捞起来，用牦牛毛毯包住。"阿斯兰回忆说，"我那时还在发抖，不停地哭。他问我为什么要过河，我就把父亲的话告诉了他。"

"不要怕。"老人安慰着阿斯兰，"你是个勇敢的孩子，离家到这么远的地方来。你回家的那一天，每个人都会尊敬你。"他在阿斯兰手中塞了两张皱皱的卢比纸钞，然后牵着他的手走到去克伯卢的路上，再把他交到另一位能陪他一程的长者手上。就这样，阿斯兰在胡歇艾下游河谷得到了许多人的陪伴，每个陪他一程的人都捐了些钱给他。

"大家都对我很好，这给了我很大的鼓励。"阿斯兰回忆说，"我很快进了克伯卢的一所公立学校就读，尽可能用功读书。"

克伯卢是阿斯兰见过的最大的城镇，学生都很都市化，总有人嘲笑他的外表。"我穿着牦牛皮做的鞋子、羊毛织的衣服，而其他学生都穿着很好的校服。"

同情他的老师们凑钱帮他买了白衬衫、酒红色毛衣和黑色长裤。阿斯兰每天穿着校服上学，晚上就尽可能把衣服洗干净。一年后，他回到家中时，老人的话应验了。

"我走回山上的时候，"阿斯兰说，"整个人干干净净，穿着校服，每个人都盯着我看，说我变得不一样了。每个人都尊敬我，我也知道自己必须好好表现，才当得起那样的尊敬。"

1996年，阿斯兰以第一名的成绩从学校毕业，政府给他提供了一份公职。但阿斯兰决定回到胡歇艾河谷的家，父亲去世后，他就承担起了村长的职责。"我见过山下人的生活，我相信改善村民的生活是我的责任。"阿斯兰说。

阿斯兰说服当初给他提供职位的政府官员，开辟了一条直通胡歇艾河谷的道路。他不断跟政府申请经费，把一间通风良好的农舍改成小学，大约能容纳二十五名男学生。但要说服村民把孩子送来读书却并不容易，他们宁愿让孩子到田里帮忙。阿斯兰总会在路上被村民拦住，他们低声说愿意送给他奶油和面粉，只要他们的儿子可以不上学。

等到阿斯兰自己的孩子已届学龄，他意识到要想让孩子们都受教育，他必须找人帮忙。"我被祝福过九次。"阿斯兰说，"我有五个儿子和四个女儿，女儿夏奇拉最聪明。村里没有地方让她受教育，而她年纪又太小，还不能送走。多年来曾有几千名登山者经过我们村庄，但从没有人伸出援手帮助我们的孩子。后来我听说有个高大的'安格瑞兹'在巴尔蒂斯坦各地盖学校，而且同时欢迎男孩和女孩，我便决定去找他。"

1997年春天，阿斯兰坐了两天的吉普车来到斯卡都的印度饭店，想见摩顿森。但饭店里的人告诉他，摩顿森到布劳渡河谷去了，可能要好几个星期才会回来。"我留了一封信给这个'安格瑞兹'，邀请他到我们村子来。"阿斯兰说，"但是我并没有收到回信。"

1998年6月的某一天，阿斯兰在胡歇艾的家中，听到一位吉普车司机说那个"安格瑞兹"就在可安村，离他们只隔几个村庄的距离。

"那个春天我再度回到可安村，"摩顿森说，"打算召开一个'吉尔嘎'，也就是'大会'，让大家推翻将宗帕的提议，这样我才能在那里建学校。"

将宗帕一直想盖一间属于自己的登山学校，处处排挤摩顿森的建校计划，甚至突发奇想，联络了当地警察，指称摩顿森在边界地区进行情报活动。阿斯兰开着借来的吉普车抵达时，摩顿森正努力说服非要他交出护照检查的警察。阿斯兰便向他自我介绍。

"我是胡歇艾村的村长，已经找您一年了。"阿斯兰还记得当时说过的话，"晚上请您一定要到胡歇艾村来，参加我们的茶会。"摩顿森不喜欢可安村，虽然不至于像第一次到可安村时那样，希望"挂在峡谷上的满月坠落下来把村子压碎"，但也很高兴有个理由离开。

阿斯兰除了受过很好的教育，还相当有创意，他大胆地把家里的房子漆

163

上色彩鲜明的几何图案。那栋带着非洲风格的房子立刻让摩顿森有了回家的感觉。夜里，他和刚认识的村长朋友在屋顶上喝白玉茶，聆听他的求学故事。清晨时分，升起的太阳将玛夏布洛姆峰的冰川染成一片绯红，仿佛一张巨大的早餐甜饼，高挂在他们头顶。摩顿森同意把理事会批准在可安建学校的经费转给这个村庄，一个村长曾经跋涉百里下山求学的村庄。

"我在巴尔蒂斯坦四处找他，终于遇到他的时候，我非常惊讶。"阿斯兰说，"我以为我必须卑躬屈膝，向这位'安格瑞兹'恳求，但他像兄弟一样跟我说话。葛瑞格非常和善，心地温柔，让人很自然就会喜欢上他。第一次遇到他，我立刻就爱上了他的个性。我的孩子和全胡歇艾村的人都喜欢他。"

靠中亚协会提供的经费和帮助，阿斯兰和村民们在1998年夏天建成的学校，也许是巴基斯坦北部最美丽的学校。摩顿森把学校的设计工作交给了村长，从装饰在每扇窗、屋顶轮廓线和走廊上的鲜红饰条上，就能看出阿斯兰对学校的钟爱。学校围墙外种满了向日葵，在温暖的月份长得比最高的学生还高。从每间教室都能看到高耸的玛夏布洛姆峰，它所代表的"世界屋脊"的意义，让胡歇艾村的许多孩子立下了崇高的学习目标。

时至今日，阿斯兰的大女儿夏奇拉已经是克伯卢公立高中的高中女学生了。胡歇艾村小学的成立，为她开辟了通往外面世界的道路。夏奇拉盘腿坐在父亲身边，已经是位美丽端庄的少女，她戴着落叶图案的乳黄色头巾，说话时面带自信的微笑。

"我一开始去上学，村里的人都告诉我上学不是女孩子的事。"夏奇拉说，"他们说你最后还是会像所有女人一样，要到田里工作，所以何必要往脑袋里装书上说的东西呢？但父亲非常重视教育，所以我不让自己受他们影响，坚持我的学业。"

"我鼓励每一个孩子。"阿斯兰对夏奇拉的两位兄长点着头，他们现在已经是大学生了，也和夏奇拉一起住在克伯卢，顺便担任她的保护人。"但我从很早就发现，这个女孩对待上学的态度很不一般。"

夏奇拉害羞地用头巾把脸遮住。"其实我并不特别。"她说，"不过我在胡歇艾的学校总能拿到很好的成绩。"

最初夏奇拉并不适应克伯卢的生活。"那里的环境很特别，所有的事情速度都很快，而且好像什么都有。"她把最近的物理考试成绩拿给父亲看，因为只考了八十二分，她觉得很难为情。"这里的功课很难，但我正努力适应。"

有了直通山下的道路，夏奇拉的求学之路已不像她父亲当年那么艰难。这个女孩正以她自己的方式，为自己的未来开创道路。

"夏奇拉是胡歇艾河谷所有村庄里，第一位享有较高教育权利的女性。"阿斯兰骄傲地说，"现在，胡歇艾村的女孩子全都拿她当榜样。"

父亲的赞美再一次让夏奇拉躲进了头巾后面。"胡歇艾村人的观念慢慢改变了。现在我回到村里时，看到所有家庭都把女儿送去上学。"

夏奇拉的学习成绩不只影响了胡歇艾河谷的女孩子们，也影响了她的兄长。18 岁的雅古在拉合尔大学读了一年书，不过八个科目挂了六科。现在他转到克伯卢的地区学院就读，决定好好努力，争取日后在政府机关工作。

"我没得选择。"雅古害羞地扶了扶棒球帽，上面有颗金星，那是他妹妹在胡歇艾学校赢得的奖章，"妹妹一直在逼我，她很用功，所以我也得用功。"

阿斯兰仔细看过夏奇拉最近的课业成绩，发现有一科女儿考了满分——乌尔都语文测验。阿斯兰小心地捧着考卷，仿佛那是金子做的。"对于这一切祝福，我感谢全能的安拉，还有葛瑞格·摩顿森先生。"

1998 年的整个夏天和秋天，巴基斯坦北部的数千名民众，都像阿斯兰一样赞美着摩顿森。摩顿森再度回到巴基斯坦与阿富汗边境的白沙瓦——当年他曾在此死里逃生。如今，塔利班已经占领了阿富汗的大部分地区，东逃至此的难民的情形更为恶化。他参观了许多难民营，努力提供庇护和食物，还给成千上万的难民提供教育。在当时的混乱中建学校，无异于天方夜谭，但摩顿森却设法在白沙瓦西南方的桑夏图难民营，组织起八十位教师给四千名阿富汗学生上课。

巴基斯坦北部的居民多有严重眼疾，摩顿森安排了美国白内障专家乔夫·塔宾医生，帮斯卡都和吉尔吉特的六十位老人进行免费手术。他还把巴尔蒂斯坦唯一的眼科医生聂兹·阿里送到尼泊尔知名的堤朗加眼科医院接受特别培训，以便乔夫·塔宾医生回美国后，他可以独立进行白内障修复手术。

在孟加拉参加了一场开发专家会议后，摩顿森觉得中亚协会的学校应该着重鼓励女孩儿上学。

"男孩子接受教育后，通常会离开村子到城市找工作。"摩顿森解释道，"但女孩会留在村子里，成为社区的领导人物，并且把所学的东西传承下去。如果我们真想改变当地生活，让妇女获得力量，改善基本卫生环境，降低婴儿的高死亡率，就必须让女孩子受到更好的教育。"

摩顿森坐着绿色吉普车一路颠簸，走访了中亚协会赞助过的所有村庄，和村里人开会讨论。他开出了条件，如果学校希望继续获得中亚协会的赞助，村里人必须签字，同意增加百分之十的女孩入学率。

"如果女孩子们能至少念完五年级，"摩顿森说，"一切就会不一样。"

中亚协会的理事会组成也在改变。乔治·麦克考恩的妻子凯伦曾在旧金山湾区创立过一所高中，她加入了理事会。另一位新成员是旧金山城市学院的巴基斯坦教授阿都·贾巴。现在整个理事会都由专业教育人士组成。

中亚协会的十几所学校已经建好并顺利开学，茱莉亚·柏格曼在两位城市学院老师乔依·都里哈罗与鲍伯·厄文的协助下，每年夏天在斯卡都举办教师培训班，还为所有教师建了一座永久性的资源图书馆。那年夏天，帕尔维、柏格曼从美国带到巴基斯坦的培训班讲师、中亚协会薪资单上的所有巴基斯坦教师云集斯卡都，同摩顿森一起研究制定了中亚协会的教育原则。

中亚协会学校的教学课程将与公立学校完全一致，不涉及任何宣传西方文化的内容，任何保守宗教人士都无法指控他们有"反伊斯兰教"的嫌疑，这样他们就没有理由关掉学校。同样，他们也不会教授许多宗教学校里的课程。

"我不希望巴基斯坦的孩子们像美国人一样思考。"摩顿森说，"我只希望他们能得到平衡、不走极端的教育，这个想法是我们一切行动的核心。"

每一项成功完成的计划都增加了摩顿森的声誉。他的照片开始出现在一些家庭的壁炉旁，吉普车司机的仪表板上。

摩顿森的传奇——一个为人和善、为贫苦人民做了很多好事的非穆斯林人士——正穿过无边无际的沙丘，穿过曲折蜿蜒的峡谷，随着光阴的流逝越传越广。

十七　沙地上的樱桃树

今天世界上最危险的地方，应该要数印度次大陆以及克什米尔
控制线。

　　——美国总统克林顿前往印巴进行外交访问之前的演讲

法蒂玛·巴图尔还记得第一次听到那"轰"的爆炸声从印度炮兵阵地
传来的情景；她也记得炮弹从蓝天落下时的呼啸声；她更记得在田里收割燕
麦的姐姐阿米娜和自己，在第一声爆炸响起时面面相觑的神情。

她们居住的布罗尔摩村位于古尔托瑞河谷，在边界另一边印度士兵的随
身地图上，属于"巴基斯坦控制的克什米尔"。在此之前，这里从来没发生
过新鲜事——至少对10岁的法蒂玛来说是如此。天空中传来了她们从没听
过的呼啸声，她在姐姐脸上看到了和自己一样的惊讶神情，"这是什么
东西？"

第一批155毫米榴弹落下之后，法蒂玛选择尽可能遗忘一切。记忆中的
影像就像烧红的火炭，炙热得根本无法碰触。躺在麦田里的尸体，残骸，震
天的轰响，呼啸，爆炸——一切都太快，太近，最后汇聚成一股尖叫。

阿米娜急急抓住法蒂玛的手，加入四处惊恐奔逃的村民中间，用最快的
速度——虽然永远都不够快——奔向能遮蔽天空的洞穴。

在避难所的黑暗之中，法蒂玛不记得（或是不想记得）阿米娜为什么
又回到了爆炸声中。她想，姐姐是回去带小孩子们进来——那是阿米娜的个
性。至于那颗正落在洞口的炮弹，法蒂玛却一点儿记忆都没有。她唯一能说
的，是在那颗炮弹爆炸之后，姐姐的灵魂完全破碎了，她们两人的命运也永
远改变了。

1999 年 5 月 27 日，蒙大拿的午夜时分，摩顿森在地下室里焦急地翻阅着各国通讯社的新闻，想了解在克什米尔突然蔓延的战乱细节。

大英帝国最后一位驻印度总督蒙巴顿伯爵随手划下的边界线，像是永远无法愈合的伤口。

摩顿森焦急地给巴基斯坦军队中的朋友打电话，那边传来的消息让他更加无法入眠：成千上万的难民徒步越过高山隘口往斯卡都前进，他们筋疲力竭，夹带着很多伤员，急需人道救助，但巴尔蒂斯坦地区却无法提供他们需要的基本保障。摩顿森无法再从墙边的书堆中寻找答案，他要找的答案在巴基斯坦。

摩顿森订了机票。

吉普车朝巴尔蒂斯坦的方向稳稳爬升，摩顿森忍不住感叹，六月的代奥赛高原真是地球上最美丽的地方。群山之间的高山草甸，满目都是大片大片的紫色羽扇豆，还有成群的巨角岩羊悠游自在地看着车辆经过。摩顿森眺望着南伽峰的鲁帕尔岩壁，那是全世界最大的连续岩壁，让曾经爱好攀登的他几乎挪不开视线。

侯赛因、阿波、费瑟都到伊斯兰堡机场迎接摩顿森。阿波说服摩顿森改走这条穿越代奥赛山脉的新路线，因为喀喇昆仑公路已经挤满了军用补给车辆，以及载满殉难士兵遗体的卡车。

摩顿森本以为在这条平均海拔四千多米，紧临印度边界的高原公路上，他们的吉普会是唯一的车辆。然而一路上，公路两边都行驶着一列列塔利班的丰田卡车，无论正前往卡吉尔还是刚从那边回来，都载满了头戴黑巾蓄着胡须的士兵。往东北去的士兵们，会车时总是挥舞着手中的苏制冲锋枪和火箭炮；往西南方向走的伤兵们，则骄傲地举着扎满绷带的手。

"阿波！"摩顿森用力喊着，企图压过车子的引擎声，"你以前见过这么多塔利班战士吗？"

"这些'卡布里斯'一直都会来。"阿波说的词是"外地人"的意思，带有轻蔑之意，因为他觉得正是这些人把暴力带进了巴尔蒂斯坦。"但从来没有这么多。他们一定是在赶路，"他嚼着摩顿森从蒙大拿带来的哥本哈根烟草，对着车窗外吐了一大口唾沫，"赶着去当烈士。"

他们抵达斯卡都时，整个城镇都陷在战争的狂热中。从前线来的贝德福德卡车载着盖有巴基斯坦国旗的棺木，辘辘驶进城里，空中则盘旋着数目惊人的深绿色直升机，摩顿森从没见过这样的景象。四处流浪的勾扎尔牧羊人安抚着被来往军车吓慌的羊群，领着它们走上去往印巴边境的漫长旅程——去充当士兵们的食物。

印度饭店门口停着两部镶有沙特阿拉伯浅蓝色车牌的黑色丰田卡车，车门印着模糊的"冲浪"字样。这两部车的车尾伸进了车道，挡住了来往吉普车的路，但没有司机敢按喇叭抗议。摩顿森跟帕尔维和他弟弟纳兹尔见面拥抱时，从两人肩膀上方望过去，看见两个大胡子男子在另一张长桌边喝茶，他们身上的衣服也和摩顿森的一样沾满尘土。

"那个块头很大的家伙抬头看到我，说了声'茶'，然后就招手示意我过去。"摩顿森回忆道，"我估计他大概五十多岁，身高至少有两米，这让我很惊讶，我还以为自己是巴尔蒂斯坦地区最高的人。他有……该怎么说呢，有个双下巴，还有一个大肚子，绝对不可能自己徒步爬上海拔五千米的山路，所以我想他一定是个军官。"

帕尔维把背对着那两个人，对摩顿森挑了挑眉，表示警告。

"我知道。"摩顿森走向那两名男子。

他和那个大块头以及他的同伴分别握了手。大块头的同伴胡子乱糟糟的，几乎长到了前臂和腰际，捆扎起来像根风干的木头。摩顿森走近时，看见两人脚边的地板上放着上好油的 AK-47 步枪。

"佩赫依尔拉吉。"男子用帕施图语说，"欢迎。"

"赫依尔欧塞。"摩顿森也用帕施图语回答，以表达他的尊敬。自从在瓦济里斯坦被关了八天后，他就开始学习帕施图语。

"肯那斯泰尔！"指挥官下了命令，"坐！"

摩顿森照做，然后换回熟悉的乌尔都语，以免自己说错话。为了防止代奥赛高原上的风尘灌进嘴里，摩顿森戴着沙特阿拉伯的传统方格子头巾，就像阿拉法特戴的那种。但这两个人以为摩顿森戴头巾是为了表明政治立场，所以才请他喝茶。

"大块头率先自我介绍，说他叫古尔·穆罕默德。"摩顿森回忆，"然后

169

问我是不是美国人。我想他们迟早也会知道，所以告诉他们自己的确是美国人。"摩顿森用几乎难以察觉的方式，对着保镖费瑟·贝格点了点头。贝格离桌子只有几步远，正保持着高度警惕，见摩顿森点头，就退回阿波和帕尔维那一桌坐下。

魁梧的古尔把手赞赏地放在摩顿森肩上，浓重的体味儿和烤羊肉气味儿对着摩顿森袭来。"你是个军人。"古尔说，他用了肯定句而不是询问的语气。

"曾经是。"摩顿森回答，"但那是很久以前。现在我的工作是帮孩子们盖学校。"

"你认识萨姆埃尔·史密斯中校吗？德州渥斯堡来的？"另一个男子开口问，"他也是美国军人，我们在巴尔达克像捏虫子一样，把苏联人打得落花流水。"他一边说，一边用力扭踩着战斗短靴。

"对不起，"摩顿森说，"美国很大。"

"又大又强。不过在阿富汗，我们有安拉的保佑。"古尔咧着嘴笑。

摩顿森问他们是不是刚从前线回来，古尔·穆罕默德就开始描述他在当地看到的情况。他说对抗印度的圣战士英勇战斗，但自从印度空军学会从高空投掷炸弹击毁导弹发射架后，死守山顶的战士们就死伤惨重。

"还有他们的无后坐力炮很厉害。"古尔解释。

两名男子进一步打听摩顿森的工作，得知摩顿森的协会曾为白沙瓦的阿富汗难民提供教育，赞同地点了点头。古尔说他居住的达瑞里河谷也需要一所学校。

"我们河谷相当需要学校。"古尔说。"你为什么不跟我们一起回去，在那里盖个十所二十所的学校？甚至是让女孩子上学，没有问题。"

摩顿森跟他解释，中亚协会的预算有限，而且建校计划都要事先经过理事会核准。他答应在下一次理事会议上提议在达瑞里河谷建学校。

晚上九点不到，印度饭店的大厅里仍然弥漫着紧张气氛，摩顿森却开始觉得眼皮发沉。跨越代奥赛高原的旅程中，他基本没睡。两位普什图族军官十分客气，问摩顿森要不要睡在他们的房间。由于帕尔维已经帮摩顿森订好了客房，摩顿森谢过他们的好意，把手放在心口致意，然后鞠躬离去。

回房间的路上，一个满头红发、蓝眼凸出的瘦小男子从厨房里冲出来，紧抓住摩顿森的衣袖。那是阿迦·阿哈玛。阿迦在饭店厨房负责打杂搬垃圾，脑子不是很健全，他刚才一直从厨房的门缝偷看大厅的情况。"葛瑞格医生！"阿迦嘴角冒着白沫，惊恐的声音大到整间饭店都听得见，"是塔利班！"

"我知道。"摩顿森微笑着回答，然后拖着疲惫的脚步回房睡觉。

第二天早晨，萨耶·阿巴斯亲自到饭店来见摩顿森，摩顿森从来没见过他那么沮丧。阿巴斯平时总是保持严肃的神情，说话时不紧不慢地斟酌适当的用词，但今天早上，他的话却像急流一般，涌出来就再也收不住。这场战争对古尔托瑞的平民是一场浩劫。没有人知道导弹和炮弹造成了多少村民死伤，但抵达斯卡都的难民人数已经超过两千，而且还有几千名正躲在战区的洞穴里，等到情况稍微缓和就会逃亡过来。

萨耶·阿巴斯说他跟巴基斯坦北部政府，还有联合国难民事务高级专员公署都提出过援助申请，但地方政府说他们没有资源处理这样的危机，而联合国则说他们无法协助古尔托瑞的难民，因为他们并没有跨过国界。

"他们需要什么？"摩顿森问。

"什么都需要。"阿巴斯说，"最首要的是饮水。"

萨耶·阿巴斯用车把摩顿森、阿波、帕尔维载到斯卡都西郊的难民营，这里已经搭满了破旧褪色的帆布帐篷，一直延伸到机场附近的沙丘。巴基斯坦空军的幻影战机在空中盘旋，机场周围布满了高射机枪阵地，枪手们仔细地监视着飞机上涂装的花纹。

难民们只能在无人居住的沙丘中间安身，自然没有水源，而且这里离印度河至少有一个小时的路程。摩顿森的头阵阵抽痛，一方面是因为沙丘反射的阳光太热太毒，更重要的是，眼前的任务实在太艰巨。

"怎样才能把水带到这里来？"他问，"这里离水源太远了。"

"我知道伊朗有一种项目，"萨耶·阿巴斯说，"叫做'上水工程'。我们得挖很深很深，找到地下水，然后用水泵把水抽上来。有安拉的协助，这是有可能的。"

阿巴斯奔过沙丘，黑袍在风中飘动，指着他认为可能有地下水的地方。"我希望误解穆斯林的西方人能看到萨耶·阿巴斯那天的行动。"摩顿森后来回忆，"他们会看到大部分真正实践伊斯兰教诲的人，即使是像萨耶·阿巴斯这样的保守毛拉，都相信和平与正义，而不是恐怖主义。犹太律法和《圣经》都教导我们关心不幸的人，《古兰经》也教诲所有穆斯林，要优先照顾孤儿寡妇及难民。"

整座帐篷城乍看之下如同荒废了一般，难民都在帐篷里躲避太阳。阿波忙着拜访一间又一间的帐篷，记录他们急需的生活补给品。

摩顿森、帕尔维和阿巴斯站在难民营中间的空地上，讨论上水工程的具体细节。如果中亚协会同意购买水管和水泵，帕尔维相信他能说服斯卡都公共工程部的主任，把挖掘用的机械设备借给他们。

"现在这里住了多少人？"摩顿森问。

"现在只有一千五百人多一点。"阿巴斯回答，"大部分都是男人，他们先到这里找工作，安顿下来，然后就会把家里的女人和小孩儿接过来。几个月之内，难民人数可能会增加到四五千人。"

阿波拉扎克从帐篷里钻出来跑向他们。这位老厨师辛苦了一辈子，无论要喂饱多庞大的登山队伍，他眼里都满含着笑意，仿佛任务轻而易举。但此时他脸上的神情却是不寻常的严肃，紧闭的嘴角像花岗岩一样凝重。他一针见血地指出："葛瑞格医生，说得够多了。你不跟这些人谈谈，怎么会知道他们需要什么？"

布罗尔摩村的毛拉古尔扎戴着无边帽坐在帐篷里，阿波领着摩顿森进来时，他挣扎着移动双脚，好挪出空间让客人坐下。他握着摩顿森的手，很抱歉没法请客人喝茶——因为什么器具都没有。大家盘腿坐在铺着桌布的地上（这是为了隔绝沙地的热量），阿波催促毛拉把他的故事告诉大家。

蓝色的帆布挡不住强烈的阳光，光线反射在古尔扎的大号眼镜片上。摩顿森感觉像在聆听一位戴着不透光蓝镜片的盲人说话，心里有一种不安。

"我们并不想到这里来。"古尔扎捻着胡子说，"布罗尔摩是个好地方，或者说曾经是个好地方。我们尽可能想留在那里，白天躲在洞里，晚上在田里工作。如果我们是在白天工作，没有一个人能活到今天，炮弹实在太多了。可是最后，所有灌溉沟渠都被破坏，所有田地都被摧毁，所有的房子也都炸碎了。我们知道如果不采取行动的话，家里的妇女和小孩儿都会死掉，

拉朗德学校的学生、9 岁的阿富汗女孩儿赛达。(托尼·奥布莱恩摄)

萨耶·阿巴斯，巴基斯坦北部地区伊斯兰教什叶派宗教领袖，摩顿森使命的主要支持者。(葛瑞格·摩顿森摄)

摩顿森与塔瓦哈在科尔飞，在塔瓦哈父亲哈吉·阿里的墓前。(大卫·奥利佛·瑞林摄)

摩顿森与科尔飞的孩子们。(大卫·奥利佛·瑞林摄)

胡歇艾下游河谷。(大卫·奥利佛·瑞林摄)

胡歇艾村村长阿斯兰和他的女儿夏奇拉——胡歇艾河谷第一
位接受教育的女性。(大卫·奥利佛·瑞林摄)

瑞林与胡歇艾村的长者伊布拉欣。(大卫·奥利佛·瑞林摄)

嘉涵，布劳渡河谷第一位接受教育的女性。（大卫·奥利佛·瑞林摄）

摩顿森向美国国会众议员玛丽·波诺介绍中亚协会在阿富汗的最新进展。（大卫·奥利佛·瑞林摄）

瑞林，在伊斯兰堡穆沙拉夫的专用停机坪上，准备乘越战时代的云雀直升机前往
北部地区采访。（大卫·奥利佛·瑞林摄）

摩顿森与阿富汗巴达赫尚省军阀萨哈·卡恩。（葛瑞格·摩顿森摄）

所以我们翻山越岭走到斯卡都来。我已经不年轻了，这段路很辛苦。"

"我们到斯卡都镇上后，军队叫我们来这里重建自己的家。"他继续说，"可这个地方都是沙子，所以我们决定回家。可是军队不准我们回去，他们说，你们没有家可以回了，都给炮弹炸碎了。但如果可以，我们还是想回去，因为这里根本无法生活。现在我们的女人和孩子很快就要跟过来了，我们要怎么跟她们说？"

摩顿森用大手握住了老人的双手。"我们会帮你们和家人解决水源问题。"

"我为此感谢全能的安拉。"毛拉说，"但水只是个开始。我们需要食物和药品，小孩也要受教育，因为现在这里是我们的家了。跟您要求这么多，我很羞愧，但我们的确没有办法。"

年老的毛拉仰头朝天，反射在镜片上的亮光消失，摩顿森看到他的眼角湿了。

"感谢您的好心让我们的祈祷应验，而我们什么都没有，什么都给不了您。"古尔扎抱歉地说，"甚至连杯茶都没有。"

巴基斯坦北部地区的第一项上水工程，在八个星期之后完工了。信守承诺的帕尔维说服了他的邻居，斯卡都公共工程部的主任。他除了同意免费借出他们挖土用的设备，还捐赠了计划需要的全部水管材料。军方也免费借给他们十二辆拖拉机，运输挖出的沙石。摩顿森一趟趟跑电信局，终于打通了旧金山的电话，申请花六千美元赞助这项计划，获得了理事会的批准。

摩顿森从吉尔吉特订购了大功率水泵和本田发电机。在所有前布罗尔摩村民的努力下，他们建好了一座巨大的混凝土水塔，足以满足五千名难民的饮水需求。挖掘深度接近四十米的时候，他们找到了地下水源，把水抽上来灌满了水塔。难民们开始建造泥土房舍，准备把这片沙漠荒地变成新家。但是首先，妇女和孩子们得活着抵达斯卡都。

法蒂玛·巴图尔躲在山洞里，两只眼睛哭得通红。而阿米娜，从来都对妹妹百般照顾的她，现在连自己都没法儿照顾好。阿米娜被弹片炸伤的情况并不严重，但那刺穿肌肤、深入心灵的伤痛却永远无法复原。那天炮弹在洞口附近爆炸，阿米娜只发出一声混杂着惊恐和痛苦的尖叫，就昏了过去，从此一句话也说不出来了。好几个炮火特别猛烈的清晨，妇女孩子们抱成一团躲在洞里，阿米娜全身发抖，像可怜的小动物一样发出哀求的呜咽声。这让法蒂玛心里更加难过。

"躲在洞里的日子非常严酷。"法蒂玛的朋友娜尔吉兹·阿里回忆，"我们的村庄布罗尔摩是个美丽的地方，在印度河畔的山坡上，我们有杏桃树，甚至还有樱桃树。但是躲在洞里，我们只能偶尔往外看一两眼，看到那些树被炮弹炸飞。那时候我还是个小女孩，每次炮弹掉下来的时候，我的亲戚们得赶快把我带进洞里。我不能到外面去，也不能照顾我们的牲畜，甚至去摘那些成熟的果实，只能眼睁睁看着它们烂掉。每逢雨雪天，在洞里煮饭睡觉都很困难，但我们得待上很长一段时间，因为峡谷那头就是印度，暴露在空旷的地方非常危险。"

娜尔吉兹说，她的叔叔哈瓦尔达·易卜拉辛回到炸碎的家中寻找补给品时，被炮弹击中了。

"他是个非常好的人，我们都想赶快跑去救他，可是我们得一直等到晚上，确定没有炮弹会掉下来的时候，才能把叔叔抬进来。"娜尔吉兹回忆，"通常有人过世后，我们会帮他们清洗遗体，但叔叔的身体都被炸碎了，我们根本没办法帮他清洗，只能把他的身体尽量拼在一起，然后帮他穿上衣服。"

留在布罗尔摩的少数男人开了会，然后对孩子们宣布，离开山洞的时候到了。他们得冒险走到外面，踏上漫长的逃亡之旅，因为继续躲在洞里根本活不下去。

他们在残破的家园搜寻所有可用的东西，在午夜时分动身离开，先走到附近的一个村庄，那里离印度的炮兵阵地很远，他们觉得足够安全。那天早上，几个月来头一次，他们在户外看到了日出。但当他们开始生火准备烤"库尔拔"以便路上食用时，炮弹又从河谷高处朝他们飞来。

"每当炮弹掉下来炸开的时候，阿米娜就会全身发抖，然后哭泣着倒在地上。"法蒂玛说，"那个地方没有洞穴，我们唯一能做的事情就是拼命跑，我很羞愧，我实在太害怕了，就没拖上姐姐，只管自己逃命。我很害怕她会死掉，但是对姐姐来说，一个人留在那里或许比被炸着更恐怖，所以她也爬起来跟着人们一起跑。"

　　整整三个星期，布罗尔摩的幸存者们一直往西北跋涉。"我们常常是走在动物走的山路上，从来没有人走过那些路。"法蒂玛说，"一旦炮弹开始往下掉，我们就只能丢下火上烤着的面包逃命，所以肚子非常饿。大人们砍野生植物当食物，我们就吃小野莓，虽然吃那些东西会肚子痛，但为了活下去，我们没别的选择。"

　　历尽艰辛活下来的布罗尔摩村民们，抵达斯卡都时已经憔悴不堪。最后一批难民抵达后，军队把他们带到了他们的新家。在机场旁的沙丘地，法蒂玛和其他幸存者们开始学着忘记过去，重新开始——但这并不包括阿米娜·巴图尔。

　　"当我们到达新的村子时，阿米娜倒下了，再也没爬起来。"法蒂玛说，"没人能让她活过来，尽管我们终于安全了，而且和父亲、叔叔重新团聚，还是没办法让她开心起来。几天之后她就死了。"

　　1999 年夏天，中亚协会在斯卡都机场附近的沙丘建起了"古尔托瑞难民营女子学校"。时隔五年，15 岁的法蒂玛坐在五年级的教室里，在描述"卡吉尔冲突"的时候，她用白色的头巾把脸遮起来，想躲避那些让她痛苦的问题。

　　14 岁的娜尔吉兹·阿里接着往下说，说明自己为什么会坐在这间教室，坐在彩色的世界地图下面，坐在书桌前，拥有全新的笔记本、铅笔和削笔刀。这个让她们拥有学习机会的慈善机构，总部位于地图上她怎么找也找不到的地方——蒙大拿的波兹曼。

　　"我们走了很久的路才来到这里，见到家人当然很高兴。"娜尔吉兹说，"但看到这个地方，我又害怕又担心。这里没有房子，没有树，没有清真寺，什么都没有。萨耶·阿巴斯带了一位外国人跟我们谈话，他说只要我们愿意努力，他会帮我们盖学校。结果他真的遵守了承诺。"

　　难民营女子学校的五年级学生，大多是像法蒂玛和娜尔吉兹这样的孩子，她们平均年龄 15 岁，学习比别的孩子落后许多，因为她们是在离开家乡后才开始上学的。附近村庄的公立学校愿意接受大部分难民男孩儿入学，于是她们的兄弟每天往返两个小时去上课。但对于这 129 位古尔托瑞女孩儿来说，如果没有来到斯卡都，她们可能一辈子都没有读书的机会。这所学校是她们穿过恐惧与逃难后，照亮黑暗的明灯。

最近几年，部分难民决定回到古尔托瑞，中亚协会就帮他们在洞里建了两所学校，让学生们能够安全上课——每当印巴关系一紧张，炮弹又会从天上掉下来。娜尔吉兹和法蒂玛却决定留在这里，她们说，现在这里是她们的家了。

在学校的沙地院子外面，整齐的土砖房一排排朝地平线方向延伸，有些还装着卫星天线。遮着房子的是一棵棵樱桃树，它们在曾经的沙丘上苗壮生长。"上水工程"提供的水源灌溉着这些树，让它们枝繁叶茂，奇迹般地在沙漠中开了花——就像那些放学回家，走在樱桃树下的女孩子们。

十八　裹尸布里的人

不要让任何事物扰乱你、吓倒你，一切都会过去。

神不会改变，耐心能让你完成一切。

——德兰修女

摆好两百张椅子所花的时间，比摩顿森预期的要久。大多时候，无论是在户外场地，在教堂还是学校，他准备演讲时总有人帮着布置会场。但今天他是要在明尼苏达州苹果谷的"运动先生"零售店里演讲，店员都在清点存货，准备圣诞节后的大促销，摩顿森只好一个人摆椅子。

时间是 6 点 45 分，离活动开始还剩 15 分钟，椅子却只摆完了一半。他还需要把近百张折叠椅打开，排在展示卫星定位系统、高度计、雪崩信标的展柜跟羽绒睡袋架之间。他逼自己加快速度——像在科尔飞盖学校时一样——把椅子张开，一次摆好。

摩顿森很快就满头大汗。从乔戈里峰回来后，他的体重迅速增加，所以他很不情愿脱下宽松的绿色运动服，因为屋里很快就会挤满体格健美的户外运动爱好者。7 点 2 分，他终于摆完了最后一排椅子，连气都来不及喘，又快步在椅子间往返，把中亚协会的新闻通讯册放在每张椅子上面。每份小册子后头都订着捐款信封，收信地址是中亚协会在波兹曼的邮政信箱。

这些信封可能带来的收获，支撑着摩顿森继续忍受无聊的幻灯片演讲。他最讨厌的事情不仅包括在众人面前讲话，还包括谈论自己。但由于中亚协会的财务状况越来越糟糕，摩顿森不在巴基斯坦的时候，几乎每星期都会做一场演讲，即使是最糟的夜晚（通常只有几百美元的捐款），也能给巴基斯坦的孩子们带来更多的学习机会，所以他还是一次次地拖着行李箱前往机场。

他再次检查刚用胶布修好的旧幻灯机，确定幻灯片转盘安放正确，又拍拍长裤口袋，确保当教鞭用的激光笔还在里面，然后转身面对听众。

他面前是两百张空椅子。

之前他在附近的大学校园贴了很多海报，也请地方报纸的编辑帮着宣传，还在一大清早的上班时段接受电台采访，摩顿森还以为今晚的活动会爆满。他颓然靠在自动充气垫展架旁，等着观众们到来。

一位穿橙色防寒外套，银白长发编成发辫盘在头上的妇女走了进来。摩顿森冲她微笑，但她略带歉意地回避着，看了看一条茄色睡袋上的温标后，就抱着它到收银台去了。

7点30分，他还是一个人对着两百张空椅子。

一位店员通过店里的扩音器努力邀请着店里的顾客们，引导他们穿过展示架坐到椅子上。"各位，我们有位世界级的登山者，正要放映乔戈里峰的惊人幻灯片给大家看！来吧，一起来看看！"

两位穿着绿色工作背心的销售员完成了盘点工作，坐到最后一排。

"我该怎么办？"摩顿森问自己，"还是照计划开始吗？"

"这跟爬乔戈里峰有关，对不对？"其中一个留胡子、戴银白色羊毛帽的年轻售货员问，他的金发从帽沿儿冒出来，整个脑袋看起来就像一盘爆米花。

"有一部分是。"摩顿森回答。

"好极了，老哥。"爆米花头说，"那就开始吧！"

摩顿森首先放映乔戈里峰的照片，详细说明自己七年前失败的登顶经历，接着继续尴尬地放映中亚协会赞助的十八所学校的照片，特意在最近拍的照片上停留久一点——那两所位于古尔托瑞河谷山洞里的学校。

当他放映一个月前摄于"古尔托瑞难民营女子学校"的照片时，摩顿森注意到一位专业人士模样的中年顾客靠在角落，研究旁边的多功能电子表。摩顿森停下来冲他微笑，男子坐了下来，专心看着投影屏。

观众人数一下子增加了百分之五十，摩顿森兴奋得多讲了半个小时，仔细解释喀喇昆仑山区的孩子们面临的可怕的穷困，以及次年春天在巴基斯坦北部边境的建校计划。

"和当地社区建立关系，让社区提供土地和人力，就能建起一所学校，教育几千个孩子，这一切只需要不到两万美元。这些钱是巴基斯坦政府公立学校建设费用的一半，是世界银行完成同样计划所需经费的五分之一。"

那天晚上，摩顿森引述德兰修女的话作为结论，那是他最喜欢的一句话。"我们要做的事也许只是落入大海中的一小滴水。"他对着三位听众微笑，"但如果没有那一小滴水，大海就会小许多。"

摩顿森谢过掌声，虽然鼓掌的只有六只手，他还是为演讲终于结束而松了口气。他关上幻灯机，把空椅子上的小册子一本本收回来，两位店员也过来帮忙，还问了些问题。

"你们在那里有没有什么志愿者计划？"爆米花头问，"我做过营建工作，我想，呃，到那里去帮忙钉几根钉子。"

摩顿森解释，中亚协会的预算有限（"而且这阵子比从前更有限了。"他心想），无法承担将义工送到巴基斯坦的费用。然后提供了几个在亚洲地区接受义工服务的非政府组织的资讯。

爆米花头从胸前的口袋里掏出一张十元美钞递给摩顿森。"我本打算在下班后去喝几杯啤酒的，"他说着，一边不安地挪动着双脚，"可是，你知道……"

"谢谢。"摩顿森诚恳地说。跟年轻人握完手，他把纸钞折好，放进信封里，又动手把最后几本小册子塞回行李袋。他扛着这行李袋飞越了半个美国，却只募到了十块钱。他叹了口气，现在又得把袋子扛回去了。

在电子表展柜旁边最后一排的最后一张椅子上，摩顿森发现了一个从小册子背面撕下来的信封，里面是一张两万美元的支票。

摩顿森并不是每周都会遭遇这样的冷场。在太平洋沿岸的美国西北部地区，当他的故事慢慢流传，渐为大众所知之后，户外运动界开始拥戴这位英雄。1999 年 2 月，《俄勒冈人》报率先刊载了摩顿森的故事，户外专栏作家泰瑞·理察告诉他的读者们，这位昔日的登山者已经登上了另一座高峰，那远比攀登自然界的山峰更为艰难。

"那个世界并不欢迎美国人，"泰瑞·理察写道，"除了葛瑞格·摩顿森——一位家住蒙大拿的 41 岁的美国人，他的终生事业是在巴基斯坦的偏远地区建设学校。"

理察向读者解释，援助远在半个地球之外的地区，对一个美国人的生活，有远比普通人所想的更深远的影响。他引用摩顿森的话说："我们在当地增加识字率，可以缓解他们跟我们之间的紧张关系。"

《旧金山观察家》报旅游专栏的作家约翰·弗林也介绍了摩顿森非凡的人生故事，他在结论部分写道："下次我们再问自己，一个人究竟能够改变什么？他的故事值得我们重新思考这个答案。"那个冬天，摩顿森在波特兰和旧金山的演讲场场爆满，主办方不得不拒绝几百位热心的听众入场。

在千禧年之前，摩顿森和他的中亚协会已经成了美国登山界许多精英人士聚会的理由。摩顿森的邻居兼好友艾力克斯·罗威，在希夏邦马峰因雪崩不幸遇难前，或许堪称全球最受尊敬的登山家。他在蒙大拿的募捐活动中这样介绍摩顿森："当我们大部分人还在寻找新的攀登路线时，葛瑞格已经一个人悄悄转向了更高的山峰。凭着毅力和决心，他取得了令人难以置信的成就。他所攀登的高峰，是我们每个人都该去尝试的。"

罗威的话引发了整个登山界的强烈反响。"我们当中许多人只会空口去说，说想帮助别人，摩顿森却是脚踏实地去做。"这是著名登山家杰克·塔科的话。他捐了两万美元，协助中亚协会在希格尔上游河谷修建加法拉巴德女子学校。

摩顿森受到巴基斯坦人的爱戴，在登山界也赢得了越来越多的赞扬，但与此同时，跟他一起工作的人对他却没那么满意。

如果摩顿森不在巴基斯坦的山路上奔波，不用拖着行李在美国各地演讲，他最多的时间是花在地下室，在书堆和电话之中度过。

"即使他在家，我们也常常一连几个星期听不到他的消息。"中亚协会前任理事长汤姆·佛汉说，"他从不回电话或邮件。理事会曾经讨论过，要葛瑞格解释他的时间花在了哪里，但我们都知道那行不通，葛瑞格只做他想做的事。"

"我们真正需要的，是训练几个人成为葛瑞格的分身。"吉恩·霍尔尼的遗孀珍妮弗·威尔森说，"一些葛瑞格可以把工作交代给他们的人。但是他不肯，他说没钱租办公室聘员工，结果每当他一头栽进一个计划时，就顾不了另一个了。这也是后来我远离中亚协会的原因。他做了很多，但我觉得如果葛瑞格能把中亚协会管理好，他就能做得更多。"

"说句实话，"汤姆·佛汉说，"中亚协会就是葛瑞格。我不介意为他想做的任何事情盖章，但假如没有葛瑞格，中亚协会就完蛋了。他在世界另一边所冒的风险我了解，那是这份工作的一部分，但是他从不好好照顾自己，这让我越来越生气。他不再登山，不再运动，甚至不睡觉！他的体重增加到你再也看不出来他曾经是个登山者。我了解他对这份工作的全心投入，但如果他突然心脏病发作倒下了，这一切又有什么意义？"

摩顿森终于勉强同意聘请一位助理——克莉丝汀·史劳德，她每天和他一起工作几个小时，整理他的地下室——那里乱得连他自己都不好意思。但整个 2000 年冬天，中亚协会急速减少的经费让摩顿森很焦虑，他根本不敢想扩充办公室的事，因为银行存款只剩不到十万美元。

"那时候我的想法是，我们只花一万两千美元就能把学校盖好，教育整个村庄好几代的孩子。"摩顿森说，"而我们在巴基斯坦的大部分员工，一年赚四五百美元就高兴得不得了。对我来说，要付美国标准的薪水聘请一位员工，真是很难的决定，因为同样的钱在巴基斯坦能做更多的事。"

摩顿森当时的年薪是两万八千美元，他的薪水加上塔拉在蒙大拿州立大学做兼职临床心理师的微薄收入，勉强能对付每个月的生活开销。由于中亚协会面临严重的财务危机，尽管理事会主动提出给他加薪，摩顿森却说良心无法让他接受更多的钱。

只要某个有钱的捐款人愿意大笔一挥，写张支票，财务问题就都解决了，这样的想法一直在摩顿森的脑海中萦绕。不过，有钱人并不愿意跟钱说再见，他早就从五百八十封信的经验中学到了教训。但吉恩·霍尔尼也让他了解到，一大笔捐款能带来什么样的改变。因此，当一位可能会捐款的寡妇打电话到中亚协会办公室，用她的捐款当做诱饵时，摩顿森一口咬下了钓钩，订了机票飞往亚特兰大。

"我存了一辈子的钱。"年老的寡妇在电话中告诉摩顿森，"我累积的财富数字至少超过七位数。我听说了你的故事，才了解到自己为什么要存这些钱。到亚特兰大来，谈谈捐款的事。"

在亚特兰大机场大厅，摩顿森收到一条电话留言，告诉他先坐机场大巴到十五分钟车程外的饭店，然后再走到饭店远处的停车场。

在停车场，摩顿森见到了78岁的维拉·库尔兹。她驼着背，开一辆福特老爷车，车子后座和后备箱塞满了报纸和废罐头，摩顿森只好爬进副驾驶座，把随身行李抱在胸前。

"她让我这样跑来跑去，是因为不在机场停车场停车，她就可以少付几块钱停车费。当我看到她连旧报纸和罐头盒儿都舍不得丢的时候，我就该立刻搭飞机回家。但七位数儿捐款的诱惑让我完全丧失了判断能力，我竟然上了车，还把车门关好。"

摩顿森和行李箱挤成一团的时候，维拉开错方向逆向进入了单行道，还对朝她按喇叭的司机猛挥拳头。到了她1950年代风格的农舍里，摩顿森小心翼翼，免得踩到屋里堆积如山的旧报纸和杂志，终于走到了她的餐桌旁。厨房的水槽不知堵了多久，不仅积满了污水，上面还浮着一层油光。

"她打开好多年前从飞机上收集的小瓶儿威士忌，给我们俩倒了酒后，递给我一束看起来像是回收的二手玫瑰。"摩顿森回忆，"那花发黄，都快枯死了。"

等了很久，摩顿森试着将话题引向捐款的事儿，但他的主人却有自己的安排。她把接下来三天的活动都说明清楚，除了参观亚特兰大艺术博物馆，还要去亚特兰大植物园散步，然后是她帮摩顿森安排的三场演讲，分别在当地的图书馆、社区大学和旅游俱乐部。摩顿森不想这么无聊地度过七十二个小时，正在斟酌是否该放弃募款打道回府时，忽然传来一阵敲门声，原来是维拉请的男按摩师来了。

"葛瑞格，你工作太辛苦了。"维拉对他说，"应该放松一下。"

"他们两个人仿佛都等着我当场把衣服脱光。"摩顿森说，"我跟他们说对不起，躲进浴室想了一下。我想到自己为中亚协会吃了那么多苦，接下来的三天何不照维拉的计划放松一下，尤其是最后还可能募到一大笔捐款。"

摩顿森在她的柜子里到处搜，想找一件够大的毛巾把腰包起来。维拉储藏了成堆的毛巾，上头都有褪色的饭店商标，但都太小了。最后他只好拉出一条灰色床单，在腰间尽量扎紧，然后拖着脚走回客厅忍受按摩。

那天晚上维拉坚持自己睡沙发，把床让给摩顿森。半夜两点，摩顿森在下陷的床垫上正睡得不省人事，突然亮起的电灯把他惊醒了。他睁开眼，看见了噩梦般的景象——78岁的维拉只穿着睡袍站在床前。

"她就站在我面前。"摩顿森回忆，"我吓得连话都说不出来了。"

"我来找我的袜子。"维拉开始在衣柜的每个抽屉里没完没了地翻找起来。摩顿森只能拿枕头把头盖住，整个人缩成一团。

摩顿森空手飞回波兹曼。后来他终于想通了，这位女士从来没打算捐钱。"关于我的工作或是巴基斯坦的孩子，她甚至没问过一个问题。她只是个寂寞的老人，想有个客人去看她。我只能警告自己以后学聪明些。"

但摩顿森别无选择，只能继续吞下各种各样的捐款诱饵。他在加拿大班夫的登山电影节上演讲之后，接受了当地富商汤姆·朗格的邀请，因为朗格暗示要捐一大笔钱，并愿意在第二天晚上帮他办一场募款餐会。

从大客厅的人造大理石墙片，一直到壁炉两旁三米多高的狮子狗石膏像，朗格那栋近三千平方米的房子是他亲自设计的。

朗格把摩顿森介绍给宾客时的那种自豪感，跟他介绍壁炉旁的狮子狗时没什么两样。虽然摩顿森在餐桌上显眼的地方放了一大叠中亚协会宣传册，但直到餐会结束也没募到一分钱。

已经有过教训的摩顿森，不停地向朗格询问着捐款的细节。"我们明天再处理那些事儿。"朗格说，"但是在那之前，你得先玩儿一趟狗拉雪橇。"

"狗拉雪橇？"

"到加拿大来怎么可以不体验一下呢？"朗格说。

第二天，摩顿森一个人坐在哈士奇狗队拉的雪橇上，在森林中转得头昏脑涨之后，又在距班夫一小时车程的温暖小屋里，花了一下午听这位建筑大亨夸耀自己白手起家的丰功伟业——一个凭着胆量和决心的勇敢承包商，如何征服整个班夫的房地产市场。

摩顿森的母亲洁琳从威斯康星飞到班夫听他演讲，但那三天里，她几乎没见到自己的儿子。毫无意外地，摩顿森这次又是两手空空。

"葛瑞格朝那些有钱人点头哈腰的样子我真看不下去。"洁琳·摩顿森说，"应该是那些人朝他鞠躬才对。"

就在 2000 年春天来临之前，塔拉·毕夏也受不了丈夫不是在巴基斯坦，就是在美国飞来飞去徒劳无功找钱的生活。当时怀第二个孩子已经七个月的塔拉，在餐桌旁跟摩顿森开了一场严肃的家庭会议。

"我告诉葛瑞格，我爱他对工作的热情。"塔拉说，"但我也告诉他，他对家庭也有责任。他需要多睡点觉，做些运动，多花些时间过家庭生活。"

在此之前，摩顿森每趟去巴基斯坦都是三四个月。"我们商量了一下，他每次待在巴基斯坦的时间上限是两个月。"塔拉说，"因为每当他离家超过两个月，一切就开始变得很怪。"

摩顿森也答应妻子，要学着更有效率地管理时间。中亚协会的理事会每年拨一小笔预算让他修习开放性的大学课程，包括管理、经济发展和亚洲政治。"我一直没时间去上课。"摩顿森说，"所以我把那些钱都拿去买书。很多时候，别人以为我坐在地下室什么都没干，而其实我是在读书。我每天凌晨三点半起床，研究经济发展理论、财务，以及如何做一个更好的管理者。"

但他在喀喇昆仑山脉已经学到，许多答案是课本上找不到的。所以摩顿森自己设计了一套经济发展速成课程。他认为当时世界上最成功的两项乡村发展计划，一项在菲律宾，一项在孟加拉国。有一整个月，他难得地把巴基斯坦和蒙大拿都放在一边，飞到了东南亚。

在马尼拉南边的甲米地，摩顿森拜访了"乡村改造学院"，该组织的负责人是丽拉·毕夏的朋友约翰·瑞格比。瑞格比教摩顿森如何协助乡村的穷人做小生意，包括自行车载客服务和小香烟摊儿，只要很少的投资就可以很快获得利润。

在一度被称为"东巴基斯坦"的孟加拉国，摩顿森拜访了"孟加拉乡村改造协会"。

"很多人因为当地人民的赤贫状态，就认为孟加拉是全亚洲最糟糕的地方。"摩顿森说，"但是在那里，推动女孩子受教育的计划相当成功。我拜访那些致力于女性教育多年的非政府组织，看到妇女们在村子里主持会议，并且努力教育她们的女儿。我的想法和他们一样。诺贝尔奖得主阿马蒂亚·森认为，为女孩子受教育提供条件，让她们能够长大之后帮助自己，这样就能改变一种文化。看到自己的想法在孟加拉付诸实践，他觉得很受鼓舞，而且只经过一代人时间，结果就那么成功。这更激励了我为巴基斯坦女孩儿受教育而奋斗的决心。"

从孟加拉国首都达卡飞到印度加尔各答的颠簸航程，让摩顿森更坚定了全力推行乡村女孩儿教育的想法。由于他是飞机上唯一的外国人，空中小姐自动把他升等到头等舱，让他坐在十五位穿着印度莎丽服的孟加拉少女中间。

"那些女孩子都吓坏了。"摩顿森说，"她们既不知道怎么系安全带，也不会用刀叉。飞机降落后，我无助地看着腐败官员和海关警卫把她们带下飞机，然后带走。我什么忙也帮不上，只能难过地想象她们即将面对的可怕生活。"

在加尔各答国际机场的书报摊，摩顿森看到了报纸的头条新闻，他的偶像德兰修女在久病后过世。摩顿森在加尔各答有几个小时转机时间，因此决定亲自去向她吊唁致敬。

"大麻？海洛因？女子按摩？男子按摩？"出租车司机在入境大厅拉着摩顿森的手问，按照机场规定，他是不能进到这里拉客的。

摩顿森不禁笑了起来。"德兰修女刚过世，我想去吊唁，你能带我去吗？"

"没问题。"司机帮摩顿森拿行李，还一边摇头晃脑。

他们爬进黑黄相间的印度国产汽车后，司机开始疯狂地抽烟，摩顿森只能尽量躲着，整张脸几乎贴在车窗上，因此也更清楚地看到了加尔各答恐怖的交通状况。经过一处花市时，摩顿森给了司机大约相当于十美元的卢比纸钞，请他帮忙买一束合适的花。

"他把我留在车上汗流浃背等了半个小时才回来，手上抱着一束巨大的花束，又有康乃馨，又有玫瑰。"摩顿森说，"大得后座差点儿都塞不下。"

黄昏时分，在仁爱传教修女会的总院，几百名追悼者手中拿着蜡烛安静地挤在门前，在人行道上摆放献花和献香。

司机下了车，用力拍着会院的铁门。"这位先生老远从美国来，要向德兰修女致敬！"他用孟加拉语大声喊道，"开门！"

年迈的门房站了起来，回来时带了一位穿着修女服的年轻修女。她打量着眼前这位风尘仆仆的旅行者，还有他手里那束大得吓人的花，过了好一会儿才招手让摩顿森进去。进了会院，穿过阴暗的回廊，远处传来祷告的回声，修女带着摩顿森来到一间盥洗室。

"你先清理一下吧。"她用带着斯拉夫口音的英语说。

在一间满是摇曳烛光的房间中央，德兰修女躺在简单的护栏里。摩顿森轻轻把旁边的花束移开了一点，好给那束巨大的花挪出位置，然后坐到靠墙的一张椅子上。年轻的修女转身离去，留下他一个人和德兰修女在那里。

"我坐在角落里，完全不知道该怎么办。"摩顿森说，"从我孩童时起，她就是我的英雄。"

德兰修女原名艾格莉斯·龚莎·包雅舒，出生在科索沃一个阿尔巴尼亚天主教家庭，父亲是个成功的承包商。从 12 岁开始，德兰修女就受感召为穷人服务，同时开始接受传教训练。18 岁时，她加入了爱尔兰的洛雷托女修会，因为女修会致力于为女孩子提供教育。之后的 20 年里，德兰修女在加尔各答的圣玛莉罗雷托修会中学教书，最后成为校长。

但在 1946 年，她说上帝召唤了她，要她为"穷人中最穷的人"服务。1948 年，教宗庇护十二世颁给她以自由修女身份行善的特许状后，她为加尔各答流浪街头的孩子们建了一所露天学校。1950 年，德兰修女获得梵蒂冈的许可，成立了自己的修女会——仁爱传教修女会。德兰修女说，她们的工作是要照顾"饥饿者，赤贫者，无家可归者，残疾者，麻风病患者，所有被整个社会遗弃、无人关爱的人，以及成为社会负担、人人闪避的人"。

同样关心弱势群体的摩顿森，对德兰修女决心为被世界遗弃的人服务相当感佩。少年住在非洲摩西时，他就知道德兰修女在印度以外地区的第一项计划，位于坦桑尼亚首都达累斯萨拉姆的"垂死者之家"。德兰修女于 1979 年获得诺贝尔和平奖，她的名声更有助于推动仁爱传教修女会在全世界孤儿院、收容所和学校进行的慈善工作。

德兰修女去世前几年里，摩顿森曾听说过一些人对她的批评，因为她会接受不当来源的捐款：毒贩、企业罪犯、腐败政客，许多人想通过捐款换取灵魂的救赎。摩顿森自己也在为巴基斯坦孩子辛苦募款，完全能理解德兰修女那句著名的反驳之词："我不管那些钱是从哪里来的，在为神做事时，它们都被净化了。"

"我坐在角落，看着包在裹尸布里的她。"摩顿森说，"穿着修女服的她看起来非常瘦小。我想，为什么这么瘦小的一个人，对提升人性竟有这么大的影响。"

房里陆续进来一些修女，她们跪下后触摸德兰修女的脚，包在她脚上的棉布已经因为几百双手的触摸而褪色。摩顿森觉得去摸她的脚不太好，于是就跪在冰冷的地砖上，把他的大手盖在她手上。

带他进来的那位修女回到房内，发现他跪在地上，便对他点了一下头，仿佛在问"好了吗？"摩顿森跟着她走回阴暗回廊，重新扎进加尔各答的闷热和喧嚣中。

原本蹲在地上抽烟的出租车司机，看见他的客人出来，立刻跳了起来。"怎么样？成功吗？成功吗？"他领着摩顿森穿过一条挤满人力车的街道，走回出租车。"现在，"他说，"你要不要享受一下按摩？"

回到美国后，在2000年冬天，摩顿森偶尔还会回想起跟德兰修女在一起的短暂时光。摩顿森惊觉，她从未像他一样长途旅行，暂时离开那些悲惨受苦的人，等自己好好休息后再重新出发为那些人奋斗吧。那年冬天，摩顿森觉得身心俱疲。先前在思尔山滑坠造成的肩伤（也就是克莉丝塔过世那天发生的意外）一直没有复原，他试过瑜伽和针灸，都没什么效果，有时候疼痛难忍，他就会服用超剂量的止痛片，把痛楚强行压下去，好让自己专心工作。

另一方面，对自己渐渐成为公众人物这个令人不舒服的事实，他也同样处理得不甚成功。那些从四面八方涌来的各色人等，每个人都想从他身上得到些什么，而他的处理方式就是躲进地下室，逃避每天响个不停的电话，以及几百几千封的电子邮件。

许多登山者跟他联络，希望他能帮忙安排到巴基斯坦的登山远征队，当他表示无法提供协助时，他们就很不高兴甚至恼怒。新闻记者和电影工作者不断打电话来，希望摩顿森下趟旅行能带他们一起去，好借助摩顿森过去七年来建立的关系，抢先竞争对手一步深入巴基斯坦。医生、冰川学家、地震学家、人类学家、野生动物学家写来了一封封冗长的信，用一般人看不懂的专业用语，询问与巴基斯坦有关的各种学术问题。

塔拉把她的一位心理医师同行介绍给丈夫，让他在家时定期进行心理咨询，谈谈为什么不在巴基斯坦的时候他总想躲起来。治疗师也针对摩顿森日渐增加的愤怒（针对那些想占据他更多时间的人），提供了一些建议，教他如何调整情绪。

岳母丽拉·毕夏的家渐渐成为他的第二个避风港，特别是她的地下室。摩顿森会花上好几个小时待在那里，阅读贝瑞·毕夏的登山藏书。

直到准备吃晚餐时，摩顿森才舍得放下书。丽拉·毕夏对摩顿森的看法和塔拉一样："我必须承认塔拉说的对，他是个完美丈夫。"她和女儿对摩顿森下了同样的结论：这位住在两条街外、个性温和的高大男人，是属于另一个世界的人。"有个下雪的晚上，我们正在烤肉，我要葛瑞格到外头去把鲑鱼翻个个儿。"丽拉说，"过了一会儿，隔着玻璃门我看见他赤脚站在雪地上用雪铲翻鱼，好像那是再正常不过的事儿。然后我想，这对他来说的确很正常，那时我才真正了解他和我们不一样，他就是他自己。"

那个冬天里，摩顿森在自家地下室拼命阅读阿富汗北部正在发生的灾难的细节。超过一万名阿富汗人（大部分是妇女和小孩）为了躲避逼近的塔利班军队，往北逃到塔吉克斯坦边界，直到无处可逃为止。难民们在阿姆河的沙洲上用双手挖出临时的泥土屋，最后慢慢饿死——绝望之际，他们甚至吞食河岸上的杂草维生。

难民纷纷病倒死去之际，塔利班士兵却把射杀他们当做运动取乐，对着惊恐不已的难民们发射火箭弹。他们抱着木头划水过河，企图逃到塔吉克斯坦去。

"自从开始在巴基斯坦工作后，我就睡得不多。"摩顿森说，"但是那年冬天，我完全没法儿睡觉，整夜醒着在地下室走来走去，拼命构想帮助他们的计划。"

摩顿森写了一封又一封的信给报纸记者和国会议员，希望能唤起人们的愤慨不平。"但没有人关心。白宫、国会，全部保持沉默。我甚至突发奇想，自己拿着 AK－47 步枪，找费瑟·贝格然后召集几个人，跨过边界到阿富汗去帮助难民。"

"最后我失败了，我没办法让任何人在乎那些人。塔拉说，在那段时间，我对她来说也是个噩梦。我当时满脑子都是那些永远没机会长大的孩子。河两岸都是拿枪的人，冻坏的他们不是喝了河水腹泻而死，就是活活饿死。我当时的确是有点疯了，神奇的是，塔拉竟然整个冬天都能忍受我。"

直到 2000 年 7 月 24 日，摩顿森的心情才稍微好转。那一天，他跪在厨房地板上，舀着温水冲洗塔拉的背部，给她按摩肩膀上紧绷的肌肉，不过塔拉的心思却完全不在他的手劲儿上，临产的阵痛已经让她没力气注意其他事情了。助产士维琪·凯恩建议塔拉生第二胎时采用水中生产法，但他们家的澡盆不够大，维琪特地把她家的超大浅蓝色马槽带来，放在摩顿森家的水龙头和餐桌之间，然后装满温水。

他和塔拉给刚出世的儿子取名开伯尔·毕夏·摩顿森。三年前在科尔飞学校落成典礼前，摩顿森曾带着妻子和一岁大的女儿去看开伯尔山口。那一年他们寄给亲友的圣诞贺卡，就是用在山口拍的照片制作的，两人穿着当地的传统服装，手上除了抱着阿蜜拉，还拿着驻军借给他们的两把 AK – 47 步枪，贺卡上写着"世界和平"。

浮在马槽中的儿子被捞出来，正式进入世界两个小时之后，摩顿森终于感受到了几个月来难得的快乐，单单把手放在儿子头上，他就能感到满足的电流涌向自己。在女儿的幼儿园上"秀宝贝、讲故事"课时，摩顿森把儿子用毛毯包起来，带到她的教室，让阿蜜拉跟班上同学介绍她的小弟弟。

小开伯尔被父亲像抱橄榄球一样捧着，阿蜜拉兴奋地向全班介绍弟弟神奇的小小手指和脚指头。

"他这么小，又皱皱的。"一个扎着辫子的金发女孩儿说，"这么小的婴儿会长得和我们一样大吗？"

"印沙安拉（如果安拉愿意）。"摩顿森说。

"什么？"

"我希望如此，亲爱的。"摩顿森告诉她，"我当然希望。"

十九 一个叫纽约的村子

学习算术和诗歌的时间已经结束了。现在，我的兄弟们，该学着使用 AK-47 步枪和火箭炮了。

——科尔飞学校院墙上宗教极端分子的宣传语

"那是什么？"摩顿森问。

"一所宗教学校，葛瑞格先生。"阿波回答。

摩顿森请侯赛因把车子停下来，让他仔细看看那栋新建筑。他把身子探出吉普车，半个身子趴在车顶上。没事儿做的侯赛因点了根烟，漫不经心地把烟灰弹到双脚间，落在了装炸药的木箱上面。

摩顿森很欣赏侯赛因的开车技术，即使在巴基斯坦路况最糟的地方，他也能把车开得很稳，几千公里的山路上从来没发生过一次意外。这也是摩顿森不太想责怪他的原因，但是把烟灰弹到炸药上可能酿成大祸，容不得忽视。摩顿森决定等他们一回到斯卡都，就用塑料布把炸药包起来。

他咕哝了一声，把身子完全伸直，开始仔细研究古拉波尔镇上这栋全新的建筑物。阔大的宅院有几百米长，占据了整个希格尔河谷西侧，四周环绕着七米高的围墙，行人根本看不见里面。

"这是新盖的。"阿波说，"宗教极端分子建的宗教学校。"

"他们为什么要这么大的地方？"

"这些宗教学校就像……"阿波试着找个合适的英文单词形容，最后决定发出一阵嗡嗡叫的声音。

"蜜蜂？"摩顿森问。

"对，就像蜂窝，这些学校里面学生很多。"

摩顿森爬回车里,坐在炸药后头。

在斯卡都东边一百二十公里的地方,摩顿森注意到一个名叫于古的贫穷村庄的外围,多了两座漂亮的大学校,矗立在农田之间。

"那里的人怎么会有钱盖这么大的学校?"

"那也是那些人盖的。"阿波说。

二十分钟过后,摩顿森看到另一个贫穷的村庄克什尔德也和于古村一样,建起了一座全新的学校。

"这里也是他们盖的?"

"是的,葛瑞格。"阿波嘴里塞满了哥本哈根烟草,"到处都是。"

9月9日,摩顿森坐在绿色吉普车后座上,正往巴基斯坦最北端的查普森河谷前进,坐在副驾驶座上的乔治·麦克考恩不断赞叹着亨札河谷的壮丽风景。

"我们从中国的红其拉甫山口过来。"麦克考恩说,"那简直是地球上最美的旅程,车子还没开到巴基斯坦高山峻岭的时候,成群的骆驼在荒野间漫游着。"

他们准备前往祖德卡恩村,也就是摩顿森随身保镖费瑟·贝格的家乡,为中亚协会刚完成的三项工程举办落成典礼,包括给水工程、水力发电厂和卫生所。麦克考恩捐了八万美元赞助这三项工程,现在他要去看看自己的捐款为当地村民生活带来的变化。麦克考恩的儿子唐和儿媳苏珊也随行,坐在后面一辆吉普车里。

一行人在苏斯特过夜。摩顿森打开新购置的卫星电话,跟在伊斯兰堡的朋友巴希尔准将联络,确保两天后直升机会到祖德卡恩村接他们。

第二天,一行车队继续在查普森河谷爬行,兴都库什山脉红褐色的山脊在冷冽的空气中显得分外清晰。吉普车时速二十公里,在泥巴路上挣扎前进,两旁海拔七千米的群峰仿佛巨鲨的利齿,吞咬着破碎的冰川。

祖德卡恩村,巴基斯坦境内最偏远的村落,终于出现在河谷尽头。暗褐色的泥砖房舍和灰褐色的深谷几乎融为一体,直到快走进村里,他们一行人才发觉原来已经到达目的地。村里的马球场上,摩顿森的保镖费瑟·贝格骄傲地站在村民中间,欢迎客人们的到来。贝格穿着瓦希族的传统服装:棕色的粗羊毛背心,软羊毛帽"司基得",配上长统马靴。他还戴着摩顿森送给

191

他的深色航空眼镜，高大的身躯站得直挺挺的。

乔治·麦克考恩个子也算不小，但贝格紧紧拥抱他时，毫不费力地就把他抱离了地面。

"贝格真是难得的好人。"麦克考恩说，"自从上回的乔戈里峰之旅后，我们一直保持着联络。他把我和我那不中用的膝盖带下了巴托罗冰川，还救了我女儿爱咪一命——她那时候生病，贝格几乎是一路把她背下山。回到村子里，他骄傲地带我们到处走访，还安排了盛大的欢迎活动。"

一群吹着号角、打着鼓的乐师一路随客人前行，后面跟着前来接待的三百名村民。摩顿森被村民们当成了家人。男人们热烈地拥抱他，瓦希族的女人们则用"达司巴"表示欢迎——把手掌轻轻放在客人脸颊上，然后再亲吻自己的手背。

贝格领着摩顿森和麦克考恩参观新建的工程。最近铺设完工的水管管线，能将河谷北边的高山溪水引下来，储存在村里一口很深的涵洞内。一旁安装着一台小型发电机，它足以让村里几十户人家新装的电灯每天亮上几个小时。

摩顿森在新建的卫生所流连不去。祖德卡恩村的第一位卫生员阿姿札·侯赛因刚完成培训课程，回到村里负责卫生所的工作。在中亚协会的赞助和安排下，阿姿札·侯赛因到一百五十公里外的"古尔密医疗诊所"接受了六个月的医护培训，中亚协会还帮她家加盖了一间房，作为村里的卫生所。28岁的阿姿札一边抱稳腿上的小儿子，让两岁的女儿攀在她脖子上，一边骄傲地指着中亚协会掏钱买的医药箱，里面装满了抗生素、止咳糖浆和生理盐水。

祖德卡恩村离最近的诊所有两天车程，山路又经常受阻不通，生病的村民往往会因此延误病情而丧命。卫生所开办之前，这个小小的村子一年内就有三名妇女死于难产。

"还有很多人死于腹泻。"阿姿札说，"我接受了培训，再加上葛瑞格医生提供的医药，我们已经能控制这些问题了。过去五年来，一方面我们有了干净水源，另一方面我们也教导村民食用干净食物，给孩子洗澡，所以不再有村民因为这些问题死亡。我最希望的就是继续在这个领域发展，把我的知识传给更多女性。现在我们已经取得了很好的成绩，村里再也没有人反对女性受教育了。"

"我们的捐款在葛瑞格手里能做很多很多的事。"麦克考恩说，"在我生活的环境中，大公司往往会拿出几百万美元试图解决问题，结果什么也没改变。但是在这里，葛瑞格用在美国买辆便宜车的钱，却能改变所有人的生活。"

2001年9月11日，全村人聚集在马场边的舞台前。在写着"欢迎贵宾"的横幅下方，摩顿森和麦克考恩坐着观赏老人们的表演——这些被称为"帕普司"的老人们蓄着大胡子，穿着绣有粉色花朵的白色长袍，跳起了瓦希族的欢迎舞。摩顿森笑得合不拢嘴，起身加入他们，虽然块头很大，他却很快学会了舞姿，全村的人都报以热烈的掌声。

庆祝活动以一场马球比赛作为结束。他们从河谷底下的八个村庄分别找来八匹矮小结实的高山小马，表演当地特有的一种马球活动——困难得就像他们的生活一样：骑在马背上的选手在空地上飞驰，追逐"马球"——山羊头骨，他们一边对着其他选手挥击球棍，一边骑马彼此冲撞。每当选手们奔驰而过，全场观众欢声雷动，直到最后一抹日光隐入阿富汗的山脊，骑士们才下马，人潮也渐渐散去。

费瑟·贝格买了瓶高粱酒让美国客人享用，不过他自己和摩顿森仍然滴酒不沾。就寝前，他们和村民聊起了阿富汗。如果连阿富汗的最后一块净土也落进塔利班政权手里，村民的命运将会从此改变——边界会被封锁，传统的贸易路线会被阻断，他们与国境线对面游牧族人之间的联系也会被完全切断。

去年秋天，摩顿森就曾体验过阿富汗与此地紧密的地缘关系。当时在贝格的陪同下，摩顿森爬上村旁的高地，恰好有十几名大胡子男子从艾尔沙德山口骑马驰下，所经之处沙尘飞扬。等这些人近了，摩顿森才发现他们胸前鼓着子弹带，足蹬过膝的手工长马靴。一看到摩顿森，他们就掉转马头直奔过来。

"他们跳下马，直奔我走来。"摩顿森说，"他们的眼神是我见过的最狂野的，在瓦济里斯坦被囚的经验立刻闪进脑海，我心想，'又来了！'"

领头的人肩上扛着猎枪，大步朝摩顿森走来，贝格立刻挡在两人中间，准备用性命保护摩顿森。但一转眼，两个大男人竟开始拥抱，兴奋地说起话来。

"我的朋友。"贝格告诉摩顿森，"他正到处找你。"

原来这些人是阿富汗瓦罕走廊的游牧民族吉尔吉斯人。从地形上看，阿富汗东北地区凸出的瓦罕走廊，像兄弟之手般搂着巴基斯坦的查普森河谷，这条河谷自然也就成为吉尔吉斯人的游牧区。吉尔吉斯人在巴基斯坦与塔吉克斯坦两国间的荒凉走廊流浪，得不到自己国家的帮扶，更别说其他国家的援助。听说摩顿森要到查普森河谷来，他们骑了六天的马到这里来找他。

领头男子走近摩顿森。"对我来说，苦日子不是问题。"贝格做俩人的翻译，"但是对孩子很不好。没什么食物，没有房子，连一间学校也没有。我们听说葛瑞格医生在巴基斯坦盖学校，您能不能也来帮我们盖所学校？我们可以提供土地、石头、人，只要我们有的都行。请您现在跟我们回去，我们在冬天好好讨论盖学校的事好吗？"

摩顿森想到了这些人西边的邻居，一万名在阿姆河沙洲上挣扎，他却没办法搭救的难民。尽管如此，尽管阿富汗正在战乱中，推动任何计划都非常困难，但摩顿森暗暗立誓，一定要设法帮助这些阿富汗人。

摩顿森不忍心解释，自己答应妻子几天后就要回家，而且中亚协会的计划要事先获得理事会同意。他把手放在那人肩上，重重地压了压他满是沙尘的羊毛背心。"我现在得回家，而且对我来说在阿富汗工作十分困难。但我答应尽快前去拜访，讨论建学校的可能性。"

吉尔吉斯男子仔细聆听，眉头因为太专心而微微皱着，饱经风霜的脸上逐渐绽开了笑容。他也把结实的手放在摩顿森肩上，接受了他的承诺，然后跨上马背，一行人跨过兴都库什山脉，开始漫长的返乡旅程。

时隔一年又回到贝格家中，麦克考恩在窗边的床上打着鼾，他儿子唐和儿媳苏珊也已睡熟，摩顿森舒服地躺在贝格为客人准备的吊床上，一边听着村里长老们的谈话一边打瞌睡。半梦半醒之际，他想起一年前自己对骑马男子的承诺，不禁担心阿富汗的形势会让他无法实现诺言。

贝格吹熄烛火。黑暗中，摩顿森最后隐约听见贝格的祷告声，请求安拉赐予贵客们平安。

凌晨四点半，摩顿森被贝格摇醒。贝格正把耳朵贴在前苏联产的短波收音机上，借着收音机转钮微弱的绿光，摩顿森看见他英俊的脸上浮现出从没有过的恐惧。

"医生先生！医生先生！出大事了！"贝格摇晃着他。"起床！起床！"

才睡了两个小时的摩顿森立即跳下吊床。"愿安拉赐你平安，贝格。"摩顿森努力揉掉眼里的睡意，"怎么了？"

贝格紧咬牙关，许久说不出话，他牢牢盯着摩顿森的脸，半天挤出一句："我很抱歉。"

"为什么？"摩顿森这才注意到自己的保镖手里，不知什么时候多了把AK－47步枪。

"一个叫纽约的村子被炸了。"

摩顿森抓了条毯子披在肩上，穿上结冰的凉鞋冲到屋外。在日出前的寒夜里，他看见房子四周安排了严密的防卫：贝格金发蓝眼的弟弟艾兰·将手中端着AK－47，负责看守屋子唯一的窗户；村里的毛拉海达尔正在一旁观察阿富汗那边的动静；瘦长的沙尔法拉兹，以前曾是巴基斯坦的突击队员，负责守卫村里的主要道路，察看是否有车辆驶近，手中还拨转着自己的短波收音机。

摩顿森后来才知道，会说五六种语言的沙尔法拉兹，在收听中国维吾尔语频道时，广播上说有两栋很重要的塔楼倒塌了。沙尔法拉兹并不清楚那是什么意思，但知道恐怖分子杀死了很多很多美国人。他想听更详细的新闻，但频道转来转去，却只能收到中国喀什电台播放的维吾尔语音乐。

但费瑟·贝格不需要更多的信息了。一手拿着AK－47步枪，一手握拳，他盯着阿富汗上空血红的晨曦。这些年来，他一直看着那不断扩大的风暴在逼近。美国中情局要花上好几个月好几百万美元才能确认"9·11"事件背后的主谋；而这个不识字的男子，住在巴基斯坦最偏远的村落，没有网络，甚至没有电话，却本能地立刻知道了问题的源头。

"你们纽约村子的问题是从那边来的，"他说，"从基地组织的魔鬼来的。"他朝阿富汗方向吐了口唾沫，"本·拉登。"

巨大的苏制MI－17军用直升机在早上八点钟准时抵达。巴希尔麾下的军官伊利阿斯·米尔札上校在旋翼还没停止时就跳了下来，对着一行美国人敬礼："葛瑞格医生，麦克考恩先生，长官，伊利阿斯报到。"随即，MI－17直升机上跳下一队军人，围在美国客人周围，形成一个保护圈。

伊利阿斯个子很高，身手矫捷，就像好莱坞的荧幕英雄。他一头黑发，脸型棱角分明，曾在巴基斯坦最精良的战斗飞行队伍服役，若不是鬓角的白发，看起来就像个年轻人。伊利阿斯也是瓦济里人，当他得知自己族人如何对待摩顿森的时候，就下定决心再不让他的美国朋友受任何伤害。

费瑟·贝格举起手对着安拉进行"都阿"——表达感谢的祷告，感谢真主派军队保护美国客人。贝格没带行李，也不知道大家要去哪里，就跟着麦克考恩一家和摩顿森爬上了直升机，他心里只有一个想法：保护他们。

飞机升空后，机上的美国人轮流用摩顿森的卫星电话联系家人，电池只能撑四十五分钟，所以大家的通话都尽量简短。从塔拉和麦克考恩的妻子凯伦口中，他们获悉了恐怖袭击的细节。

摩顿森拼命把耳机往耳朵里塞，眯着眼透过直升机小小的舷窗看着外面的群山，努力让电话天线朝南，朝着卫星的运行方向，好听清妻子的声音。

塔拉听到摩顿森的声音，激动得喜极而泣，在让人发疯的静电干扰和讯号传送延迟中，她告诉摩顿森自己有多爱他。"我知道你和第二个家的家人在一起，而且他们会保证你的安全。"她对着话筒大声喊，"亲爱的，赶快把工作完成，然后回家，回到我身边吧！"

飞行工程师向摩顿森道歉，说机上的专用耳塞不够，递给他一副黄色塑料耳塞让他保护耳朵。摩顿森塞好耳塞，把脸贴在飞机舷窗上，在他们下面，亨札河谷陡峭的梯田仿佛一条疯狂的被子，缀满深浅浓淡的各种绿色，披挂在岩石嶙峋的山麓上。

从空中往下看，要解决巴基斯坦缺水的问题似乎很简单。从终年积雪的罗加波西山脉断裂下来的冰川出发，溪流带着融雪往下流淌，再下去就是缺水的村庄。摩顿森眯起眼，想象水沿着灌溉渠流淌到每个村落的梯田。从这个高度来看，要想让每个距离遥远的村落得到滋养，似乎只要画几条直线，把冰川融雪导引到村里去就行了。

但要解决极端主义的问题就没那么简单。在这个高度看不到村里的毛拉们反对教育女孩，也看不到地方政治人物对妇女职训中心的干扰，以及对建造学校的阻碍。极端分子让极端主义在贫穷的河谷里像恶性肿瘤一样疯狂滋生。

MI－17在香格里拉降落。香格里拉位于斯卡都西边的湖畔，离城市约有一个小时的车程，是巴基斯坦将领们喜爱的豪华钓鱼度假村。麦克考恩整个下午和晚上都坐在电视前，透过卫星天线传送来的模糊影像，呆呆地看着CNN不断重播银色机身径直栽向曼哈顿市中心，建筑物像被鱼雷袭击的舰艇轰然沉入尘灰之中。

当天稍晚，白沙瓦的宗教学校"正义学识大学"的学生们向《纽约时报》记者夸耀，他们是如何庆祝这个消息的。所有学生在学校里欢呼奔跑，把两根手指戳入掌心——这是老师教导他们在"安拉的旨意"得到施行时必做的动作。

麦克考恩曾在美国空军战略司令部服役，支援载运核弹的B－52轰炸机进行空中加油，因此对于阿富汗即将面临的命运，他有着准确的推论与了解。"我跟拉姆斯菲尔德、赖斯、鲍威尔都认识，我清楚美国很快就会发动战争。"麦克考恩说，"如果基地组织真是幕后主谋，美国随时可能把阿富汗炸成平地。"

"我不知道穆沙拉夫会选哪一条路，我们极有可能变成人质，所以必须尽快离开。"麦克考恩接着分析。

摩顿森从来没有如此清楚地意识到全力发展教育的迫切性。焦急的乔治·麦克考恩尝试着各种方法，想尽快离开巴基斯坦：请他的商业伙伴在印度边界接他，或是安排飞机到中国去。但任何办法都行不通，因为所有海关都已封锁，国际航班也全面停飞。最后他还不小心把卫星电话的电池烧坏了。

"乔治，你现在是在地球上最安全的地方了。"摩顿森说，"这些人会用生命保护你。既然你哪儿都去不了，为什么不按原计划行事，等着我们把你送上飞机呢？"

第二天，巴希尔准将一面想办法把麦克考恩一家人送回美国，一面安排直升机载他们去乔戈里峰游览放松情绪。摩顿森再一次把脸贴近飞机舱窗，看到科尔飞学校从远远的下方掠过。翠绿的农田间，学校黄色弯月般的建筑微微闪着亮光，仿佛希望的光芒。这些年来，每个秋天回美国之前，摩顿森都会回到科尔飞找哈吉·阿里喝杯茶，这已成了他的习惯。看着科尔飞，摩顿森暗忖一把客人安全送走，就尽快去看哈吉·阿里。

9月14日，星期五，摩顿森和麦克考恩一行人坐了一小时的吉普车到达库阿尔都村，紧跟其后的是长长的护卫车队。地球另一端发生的恐怖事件已经传遍了巴尔蒂斯坦。

"似乎巴基斯坦北部的每一位政治人物，警方、军队代表还有宗教领袖，都来了。"摩顿森回忆。

其实库阿尔都的学校早在几年前就完工了，而且早已开学上课，但常嘎吉一直拖延，要等场面够盛大才肯办正式的落成典礼。

学校的院子里挤满了人，许多人到处乱转，嘎吱嘎吱嚼着杏桃仁，根本没把注意力放到学校上。当天的重头戏也确实不是学校，而是担任特别贵宾致辞的萨耶·阿巴斯。整个伊斯兰世界都陷入危机的时刻，对巴尔蒂斯坦的民众来说，最高宗教领袖的每一句话都像是救命稻草。

"以安拉全能的主、施恩者、慈悲者的名，"萨耶·阿巴斯首先祝福会众，"愿平安与你们同在。"

从人群后面望过去，讲台上的萨耶·阿巴斯仿佛是穿着黑色斗篷浮在人头上。

"此时我们聚在一起，这是全能安拉的安排。"他接着说，"今天将是孩子们永远记得的一天，而你们应告诉你们的孩子和你们的孙子，今天，在文盲的黑暗之中，终于出现了教育明亮的光芒。"

"今天，当我们为这所学校举办落成典礼的同时，我们也和美国一起哭泣，与受苦的人民同感悲伤。"他扶了扶厚重的眼镜，"那些对无辜者、妇女和孩子犯下邪恶罪行的人，让几千位妻子变成寡妇、孩子变成孤儿的人，并不是以伊斯兰的名义做这些事。在全能安拉的恩典中，愿公平正义降临在他们身上。"

"对于这场悲剧，我谦卑地请求麦克考恩先生和葛瑞格医生先生的宽恕。而各位，我的兄弟，请保护并拥抱我们当中的这两位美国弟兄，不要让他们受到任何伤害，请尽你一切所有完成这个任务。"

两位先生从半个世界外的地方来到这里，让我们的孩子看见教育的光芒。我们为什么不能让自己的孩子受教育呢？父亲与家长们啊，我恳求你们尽所有努力，保证让你们的孩子都接受教育。否则，他们只会像田野上吃草的羊，任凭大自然和变化得让人害怕的世界支配摆布。"

萨耶·阿巴斯停了下来，思索着接下来要说的话。整个会场静默无声。

"我请求美国人民看我们的内心，"阿巴斯继续说，声音中带着明显的激动，"我们绝大部分人都不是恐怖分子，而是善良单纯的人民。我们的土地被贫困打击，因为我们没有教育；但是今天，又一盏知识的烛火点燃了。当我们发现自己身处黑暗之中时，以全能安拉的名，愿这烛火能带领我们走出黑暗。"

"那是场不可思议的演说。"摩顿森回忆，"当萨耶·阿巴斯讲话结束，所有会众都在流泪。我真希望那些认为'伊斯兰'等同于'恐怖主义'的美国人能在现场。伊斯兰的核心教义是公义、包容和慈善，萨耶·阿巴斯的话充分代表了伊斯兰信仰的中心思想。"

典礼结束，库阿尔都的许多寡妇排队向摩顿森和麦克考恩表达慰问，她们拿着一个个的鸡蛋，请两位美国人务必把她们的一点心意带回去，给那些遥远的姐妹们——那些住在纽约村里的寡妇。

摩顿森小心翼翼地保护着满捧的鸡蛋，慢步走向吉普车，心里想的全是被劫飞机上的孩子，还有他自己的孩子。走在丢得满地的杏桃仁壳上，穿过身旁祝福的群众，他甚至没办法挥手道别。摩顿森想：而今，世界变得如此脆弱。

第二天，伊利阿斯上校用直升机把一行人护送到伊斯兰堡，飞机在总统穆沙拉夫的专用停机坪上降落，因为那里的安检最严密。几个美国人坐在保护严密的候机室里，旁边是从没用过的大理石壁炉，上面挂着一位将军的油画。

巴希尔准将亲自驾驶法国云雀直升机降落在机坪上。这款直升机比他们经常使用的美国休伊直升机可靠，因此被巴基斯坦军队冠以"法国好运"的昵称。

"老鹰降落了。"伊利阿斯说。头顶微秃的巴希尔站在机坪柏油路上，挥手要大家过去。

云雀直升机紧紧靠着一重又一重的山麓飞行。当伊斯兰堡最显著的地标——费瑟清真寺——被抛在身后时，他们就差不多抵达拉合尔了。摩顿森目送着清真寺的四座尖塔和能容纳七千人的帐篷状巨型祈祷厅在身后隐去。准将把法国云雀停在拉合尔国际机场的跑道正中间，五十米远处是新加坡航空的一架波音747，它将载着麦克考恩一家离开这个即将变成战区的地方。

麦克考恩拥抱了摩顿森和费瑟·贝格，在巴希尔的护送下登机。由于巴希尔安排飞机等麦克考恩一家抵达后再起飞，他也为起飞延误向机上乘客致歉，然后一直待在机上，直到即将起飞才离开。

"我时常回想起这一切。"麦克考恩说，"巴基斯坦的每个人对我们都好得不得了。那时身处这个'可怕的伊斯兰国家'，不知道会发生什么事，结果我们在那里没有遇到任何不好的事——坏事发生在我离开之后。"

飞抵新加坡后，麦克考恩得了急性肠炎，在莱佛士饭店躺了一个星期，因为吃了新加坡航空公司头等舱的食物。

摩顿森回到北方去探望哈吉·阿里。他先搭军用运输机回斯卡都，然后在贝格的保护下，坐在吉普车后座一路睡到布劳渡河谷。

远远站在桥对岸的人群看起来有点不对劲儿。等摩顿森走到摇晃的桥上，扫视岩架最右边的位置时，他几乎窒息了。岩架的最高处，哈吉·阿里每次站的位置，空荡荡的。塔瓦哈证实了这个噩耗。

父亲过世后，塔瓦哈剃光了头发，蓄起胡子为父亲守孝。蓄胡子的塔瓦哈看起来更像他父亲了。就在前一年秋天，摩顿森来跟哈吉·阿里喝茶时，发现老村长心烦意乱——整个夏天，他的妻子莎奇娜因为严重胃痛躺在床上，用巴尔蒂人的耐性忍受着病痛。最后，不肯下山就医的莎奇娜过世了。

之后，哈吉·阿里陪摩顿森到科尔飞的墓地，上了年纪的哈吉·阿里吃力地跪下，抚摸着莎奇娜墓上简单的石碑。她的墓地和所有人的一样，都面向麦加的方向。哈吉·阿里起身时，眼眶已经湿了。"没有她，我什么都不是。"他告诉他的美国儿子，"什么都不是。"

"那是相当了不起的赞美。"摩顿森说，"许多人对他们的妻子也有同样的感觉，但很少有人有勇气说出来。"

然后哈吉·阿里把手放在摩顿森肩头，他的身体还在颤抖，摩顿森以为他还在哭——但他马上就听到了哈吉·阿里独特的笑声，那嚼了几十年"纳斯瓦"烟草造成的沙哑嗓音，摩顿森绝不会听错。

"很快，有一天你会到这里来找我，然后发现我也被种进地下了。"哈吉·阿里笑着说。

"我不明白，哈吉·阿里说自己有一天会死，这有什么好笑的。"几年之后，摩顿森提到这位长者，声音里仍带着明显的悲伤。他拥抱着曾经教他许多人生功课的导师，请求他再教自己最后一课。

"当那一天到来时，我该做什么？"

哈吉·阿里注视着"科尔飞乔戈里峰"的峰顶，斟酌着该说的话，"聆听风的声音。"他说。

在塔瓦哈陪同下，摩顿森来到老村长的新坟前，吊唁致敬。按塔瓦哈的说法，哈吉·阿里享年80岁。"没有永存的人或事物。"摩顿森心想，"即使我们这么努力，仍然没有什么可以永恒不变。"

摩顿森自己的父亲只活到48岁，摩顿森还有太多问题来不及问他，他就已经不在了。现在，这位无可取代的巴尔蒂老人，这位填补他失去父亲的空虚、教他许多功课的老人，正躺在妻子身旁慢慢腐朽。

摩顿森站起身，想象哈吉·阿里在这种时候会说什么。在这个历史上的黑暗时刻，当你珍爱的人都像鸡蛋一样脆弱——你该做什么？

"聆听风的声音。"

摩顿森照他的话做了，仔仔细细聆听着风声。他听见风往下吹进了布劳渡河谷，带着雪花和秋天已死的流言。当风鞭打着人类赖以生存的脆弱岩架，在风的骚动中，在巍峨的山脉上，孩子们音乐般的颤音从科尔飞学校的庭院里传来了。摩顿森顿时醒悟，伸手抹去热泪。"想着他们。"他告诉自己，"永远想着他们。"

二十　和塔利班喝茶

用核弹把他们全杀光。

——蒙大拿波兹曼一辆福特卡车窗户上的贴纸

"走，我们去看猴儿戏。"苏利曼说。

摩顿森和贝格搭乘巴基斯坦航空的波音 737 班机从斯卡都飞抵伊斯兰堡，苏利曼开着中亚协会租的丰田轿车到机场迎接他们。摩顿森坐在后座，靠在苏利曼特别安装的花边椅套上，费瑟·贝格则坐在他的霰弹枪上。

"去看什么？"摩顿森问。

"等会儿你就知道了。"苏利曼笑着说。比起先前他开的那辆破烂出租车，这辆丰田汽车简直堪比法拉利。他们行驶在联结伊斯兰堡和拉瓦尔品第的道路上，穿梭在缓慢移动的车流中，苏利曼单手开车，另一只手忙着拨弄他的最新战利品——索尼手机，通知"甜蜜之家"宾馆的经理他的客人会晚一点到，让他们保留房间。

车子接近"蓝区"，也就是伊斯兰堡的外交特区。棋盘状的街道上林立着政府机关、外国大使馆和国际饭店。路面上有警察设的临时路障。苏利曼停下车子，拿出证件接受检查，摩顿森也把脸凑到窗边让他们看。伊斯兰堡的草坪绿得让人惊奇，路旁的护道树也异常繁茂，在这个漫天沙尘气候干燥的国家，这些绿意暗示着某种更强大的力量改变了大自然。看到摩顿森的外国脸，警察挥手示意他们通过。

伊斯兰堡建于 1960 至 1970 年间，是一座专为巴基斯坦富商显贵建造的大都会。公路两旁是时尚亮丽的商店，最新的日本电子产品、肯德基炸鸡和必胜客比萨，应有尽有。

这座城市的心脏是五星级的万豪酒店，这座豪华城堡用坚固的水泥墙把贫穷阻隔在外，一百五十名荷枪警卫穿着淡蓝色的制服，专门负责检查有没有闲杂人等躲在灌木丛后面。入夜后，警卫们点燃手中的烟，看起来就像是万绿丛中的点点萤火。

苏利曼把车开到水泥墙边，看到两只"萤火虫"端着 M3 步枪走过来，先用带长杆的镜子探看车底，再检查后备厢内的物品，最后才把铁门打开让他们进去。

"只有事情紧急的时候，我才会到万豪酒店去。"摩顿森说，"他们的传真机不会突然坏掉，网络速度也很快。如果我的访客是第一次到巴基斯坦，我通常直接把他们带到万豪酒店，让他们有点时间适应，不至于一下子被文化差异弄晕。"

当摩顿森通过金属探测器的检查，又让两名穿西装、戴耳机的保安人员迅速检查过他身上那件胀鼓鼓的背心后，完全被里面的情景弄晕了。酒店大厅平时总是空荡荡的，顶多有位钢琴师在弹奏，或有几位商业人士零零落落坐在沙发上，悄声打着手机。但现在却是满屋子的人——靠着咖啡因赶稿的记者。全世界的新闻媒体都到了。

"像不像马戏团的猴儿戏。"苏利曼骄傲地笑了。不管眼睛往哪里看，摩顿森都会看到摄影机和各大媒体的标识：CNN，BBC，NBC，ABC，还有半岛电视台。摩顿森奋力杀出一条生路，掩耳经过一位正用德语对着卫星电话狂吼的摄影师，终于挤到咖啡厅入口。而咖啡厅和大厅之间仅隔着一排香草盆栽。

通常，摩顿森在饭店自助餐厅用餐时，至少会有五名服务生正闲着，争相帮他倒矿泉水。这会儿，摩顿森看到每张桌边都有人。

"看来，我们这个小角落突然间变得有趣了。"摩顿森转过身，看到金发的加拿大记者凯西·甘农穿着剪裁保守的夏瓦儿卡米兹，正冲着他微笑。凯西是美联社驻伊斯兰堡办公室的主任，在巴基斯坦已经很长时间了，此刻她也在等位子。摩顿森跟她拥抱致意。

"这儿变成这样有多久了？"他大声问，试图盖过德国摄影师的吼叫。

"好几天了。"凯西说，"等炸弹掉下来，他们就会叫价一天一千美元了。"

“现在是多少钱?”

“从一百五十涨到三百二十，还在往上飙。”凯西说，“这儿的生意从来没这么好过。新闻记者都在屋顶上拍视频，光是在那里拍摄，每组新闻团队每天就要付给酒店五百美元。”

摩顿森摇摇头。他从不花钱在万豪酒店过夜。中亚协会的存款日渐微薄，进行中的项目经费都见了底，他只能选择苏利曼介绍的“甜蜜之家”宾馆。

“甜蜜之家”坐落在尼泊尔大使馆附近一处蔓草丛生的地方，原本是栋别墅，但盖到一半儿，前任屋主经费不足，只好放弃。那里的房间虽然供水不稳定，地毯上满是烟头儿烫出来的洞，但一个晚上只要十二美元。

“葛瑞格医生，凯西女士，到这儿来。”一位认识他们的服务生小声说，“那边有一桌快要好了，但是我怕这些……”他搜索着适当的词句，“外国人……会冲过去先坐下来。”

凯西最令人敬佩的优点，就是她的勇敢无畏。她的蓝眼睛带着挑战的眼神能看穿一切。有一次，一名塔利班边界守卫对她的护照吹毛求疵，企图阻止她进入阿富汗。他百般寻找着借口，最后还是被她的坚持打败，惊叹地说：“你很坚强，只有一个词可以形容你这样的人——‘男人’。”

凯西说她并不觉得那是赞美。

他们的桌子就在堆满食物的自助餐台旁边。在铺着粉红桌布的餐桌上，凯西为摩顿森讲述了他不在伊斯兰堡期间，这些小丑儿耍把戏的情形。

“真是可悲。”她说，“对此地一无所知的生手记者，穿着防弹衣在屋顶拍画面，然后装出一副惊恐的样子，城边人们常带孩子去玩儿的马加拉山，到了报道里却成了战区。大部分人根本不想到离国界近一点的地方去，只会拼命在这里赶新闻，而且从来不加求证。真想去的人运气又不好，塔利班刚刚下令不准任何记者进入阿富汗。”

“你想进去吗?”摩顿森问。

“我刚从喀布尔回来。我正跟纽约的编辑打电话时，第二架飞机刚好撞上了双子大楼，我赶紧发了几条短讯，才在他们的‘护送’下离开。”

“塔利班打算怎么做呢?”

“很难说。我听说他们召开了协商会议，决定把本·拉登交出来，但最后一分钟的时候，奥马尔推翻了大家的决议，说他会用生命保护本·拉登。那些死硬派准备顽抗到底。"她扮了个鬼脸，"不过，这帮家伙就走运了。"她冲挤成一团的记者们抬了抬下巴。

"你打算什么时候再过去？"摩顿森问。

"守规矩也能进得去的时候。"她回答，"我才不像那些装牛仔的家伙一样，穿着从头到脚包得紧紧的'布卡'混进去。我听说塔利班已经抓住了两个偷渡进去的法国记者。"

苏利曼和贝格从自助餐台回来，各端着一大盘丰盛的咖哩羊肉，苏利曼手上还多了份儿点心，满满一碗粉红色的果冻松糕。"好吃吗？"摩顿森问，嘴巴正忙的苏利曼点了点头算是回答。摩顿森起身先挖了几口苏利曼的松糕，粉红色乳脂的味道让他想起了小时候在东非吃的英式甜点。

每次餐厅供应羊肉的时候，苏利曼就会吃得特别起劲儿。苏利曼来自旁遮普平原的小村庄多克鲁那，有六个兄弟姐妹。只有在很特别的日子，餐桌上才有羊肉，而且就算有羊肉，排行老四的他也经常吃不到。

苏利曼很快吃完盘子里的羊肉，又端着盘子站起身，准备进行第二回合。

接下来的一周，摩顿森晚上睡在"甜蜜之家"；但只要醒着，就泡在万豪酒店拼命工作。他比那些人早来白沙瓦五年，某方面来说，他早已经在风暴中心扎下了根。既然全世界的媒体都来他家门口扎营，他就要好好利用机会宣传中亚协会。

恐怖袭击发生几天后，除巴基斯坦外，仅有的两个跟塔利班尚有外交关系的国家——沙特阿拉伯和阿联酋——都宣布与塔利班断交。阿富汗早已对外封锁，巴基斯坦成了塔利班唯一的对外窗口。每天下午，塔利班外交人员都在大使馆前的草地上举行冗长的记者招待会，那儿离万豪酒店只有两公里路，过去出租车跑一趟只要八十美分，现在对记者们开的价码是一趟十美元。

塔利班记者招待会刚结束，联合国随即在万豪酒店进行阿富汗最新状况通报，被太阳晒得头昏脑涨的记者们又涌回有空调的酒店。

记者们得知摩顿森对巴基斯坦有深入了解，而且算是最熟悉偏远边界地区的外国人之一，便纷纷企图收买摩顿森，希望他安排他们进入阿富汗。

"记者们彼此间竞争的程度，一点儿也不亚于他们希望美国赶快攻打阿富汗的期待。"摩顿森说，"CNN 和 BBC 联合对付 ABC 和 CBS。巴基斯坦的特约记者则会跑进大厅，说塔利班军队击落了一架美国飞机，大家都在等待的战争就要开始了云云。"

"NBC 的制作人和记者在万豪酒店的中餐厅请我吃饭，说想通过我进一步了解巴基斯坦。但他们和别的记者一样，其实是想进入阿富汗。如果我能设法把他们带进去，他们会给我超过一年薪水的钱。他们说完了就左顾右盼，然后用几乎听不见的声音说，'不要让 CNN 或 CBS 知道。'"

摩顿森忙碌着，接受一个又一个记者的采访，为整日往返万豪酒店和塔利班大使馆之间的记者们提供其他方面的素材。

"我努力解释冲突的根本原因，比如教育结构的畸形，瓦哈比宗教学校的兴起。"摩顿森说，"但这些内容几乎全被剪掉了，因为他们想要的只有我提到塔利班最高领导人时的声音和画面，以便在战争气氛升高的时候，把塔利班领导人塑造成人人喊打的坏蛋形象。"

每天晚上像定时闹钟一样，在伊斯兰堡的塔利班代表们会走进万豪酒店大厅，他们头缠黑色头巾，身穿黑色长袍，在咖啡厅里等位子——他们也是来看猴儿戏的。

"他们在那里坐一晚上，只点一壶绿茶。"摩顿森说，"因为那是菜单上最便宜的东西，塔利班付给他们的薪水根本吃不起一顿二十美元的自助餐。我一直在想，如果哪位记者愿意请他们所有人吃顿晚饭，一定能换来相当重要的新闻故事，不过我从没看到有人这么做。"

最后，倒是摩顿森自己陪他们坐下来了。巴基斯坦《国家报》负责喀喇昆仑登山新闻的记者亚胜·穆斯塔法，经常跟待在斯卡都的摩顿森联络，以取得登山界的最新消息。穆斯塔法恰好认识塔利班大使毛拉·阿都·沙兰·扎耶夫。一天晚上，他在酒店餐厅把扎耶夫介绍给摩顿森认识。

在穆斯塔法的陪同下，摩顿森和四位塔利班官员同席而坐，身边是毛拉·扎耶夫大使。头顶的天花板挂着手写的西班牙文标语"加油！加油！加油！"万豪酒店的外国客人每晚都在餐厅用餐，因而酒店会用不同风格作主题，那天晚上刚好轮到墨西哥之夜。

一位留着卷曲胡须的巴基斯坦侍者，稍嫌尴尬地戴着巨大的墨西哥帽，走过来问他们要用自助餐，还是墨西哥馅饼晚餐。

"只要茶。"扎耶夫用乌尔都语说。

"扎耶夫属于塔利班领导官员中少数受过正式教育，而且对西方文化有些了解的人。"摩顿森说，"他的孩子跟我的小孩年纪差不多，所以我们聊了好一会儿孩子的话题。我对塔利班官员有关教育孩子尤其是女孩子的看法很好奇，所以特别询问了这个问题，结果他回避主题，只空泛地说教育很重要。"

侍者端着盛茶具的银盘回来，帮客人们倒茶，摩顿森趁机用帕施图语和其他塔利班官员聊天，问候他们的家人是否健康，他们回答一切都很好。一个突然闪过的念头令他不寒而栗：或许再过几个星期，他们的回答就完全不同了。

侍者倒茶时，墨西哥斗篷的披肩不停滑落到茶壶上，他索性把它塞进围在胸前的假弹药带里。

摩顿森看看侍者，再看看四位缠着黑色头巾、神色严肃的大胡子男人，想象着他们几个人使用真实武器的经验，忍不住想知道饭店为什么设计这样的服装。

"塔利班官员大概弄不清楚侍者跟一旁偷听我们对话的外国记者相比，究竟谁更荒唐吧。"摩顿森说。

话题转到了即将爆发的战争，摩顿森了解到，毛拉·扎耶夫的处境其实非常困难。他住在伊斯兰堡的"蓝区"，跟外面世界接触较多，知道战争即将来临。但身在喀布尔和坎大哈的塔利班高官们却不是那么了解世俗。毛拉·奥马尔是塔利班政权的最高领导人，像他身边大多数的死硬派一样只接受过宗教学校的教育，按照阿哈玛·拉希德的说法，塔利班的教育部长甚至没受过正式教育。

"为了阿富汗，我们也许应该把本·拉登交出来。"扎耶夫一边对摩顿森说，一边挥手要侍者把账单拿过来。"奥马尔认为我们还有时间跟美国谈判，避免这场战争。"他发现自己失言了，立刻装回强悍的样子，虚张声势地粗声宣告，"如果受到攻击，我们会奋战到最后一刻。"

奥马尔的确以为他还能跟美国继续谈判，直到美国的巡航导弹把他的个人住宅夷为平地，他才知道一切为时已晚。由于未曾跟华盛顿建立正式的沟通渠道，据称这位塔利班领导人一拖再拖之后，终于在十月份连续两次用卫星电话拨打白宫公开给民众的电话号码，要和布什坐下来协商。但可想而知，美国总统连回都没回他的电话。

摩顿森不情愿地离开万豪酒店，回到"甜蜜之家"继续工作。美国大使馆一通又一通地打来电话，警告他巴基斯坦已经不再安全。但他必须回到白沙瓦外围的难民营，眼看战争已经无法避免，他必须去看看那里能不能容纳更多的难民。他跟贝格和苏利曼会合后，一行人驱车前往白沙瓦附近的阿富汗边境。

《丹佛邮报》的一位记者布鲁斯·芬利，不想成天待在没有真正新闻的万豪酒店，希望跟他们一起去白沙瓦。四人一起探视了桑夏图难民营，在那里，中亚协会资助的近一百名老师正在极度艰难的环境中努力教育孩子。

芬利写了一篇文章报道他们的采访经过。摩顿森督促芬利提醒读者，不要以为穆斯林都让人害怕，那些和家人躲在难民营的孩子也是受害者，也值得人们同情。

"这些人不是恐怖分子，不是坏人。"摩顿森认为，把"9·11"的错误归咎于所有穆斯林，"只会使无辜的人民陷入惊恐。"

"唯一能击败恐怖主义的办法，是让存在恐怖主义的国家和人民学会尊重和爱护美国人。"摩顿森下了结论，"前提是我们也同样尊重和爱护这里的人。想想看，造就一位对社会有贡献的公民跟造就一名恐怖分子，两者的差别在哪里？关键在于教育。"

芬利回伊斯兰堡赶着发新闻，摩顿森则试着接近阿富汗边界，看看会发生什么情况。一个十几岁的塔利班哨兵打开一扇绿色金属门，用怀疑的眼神检查摩顿森的护照，旁边的年轻士兵们则对一行人挥舞着 AK-47。苏利曼眼珠骨碌碌转着，一边打量那些枪，一边摇头晃脑地教训这些孩子，应该对长辈有礼貌。但几个星期来准备开战的紧张，让边界守军的情绪濒临爆发，他们根本不理会苏利曼。

眼圈涂着厚厚黑色"苏马"油彩的哨兵眯缝着眼，仔细检查摩顿森的护照。看到阿富汗驻伦敦大使馆的手写签证，他咕哝了一声。

"这是二等签证。"哨兵撕下了摩顿森护照中的一页，整份文件立刻失效。"你到伊斯兰堡去申请一等签证，塔利班签证。"他把枪从肩上摘下来，挥手要摩顿森走开。

位于伊斯兰堡的美国大使馆拒绝给摩顿森发新护照，因为他原来的护照
受到了"可疑的破坏"。处理申请的使馆官员说，他可以发一份有效期为十
天的临时护照，好让摩顿森返回美国，等他回美国后再去申请新护照。但是
摩顿森原本打算在巴基斯坦多待一个月，因此他决定改飞加德满都，据说那
里的美国大使馆比较乐意照顾民众。

摩顿森充满希望地排队申请，领事人员一开始很客气，但听了摩顿森的
说明，脸上顿时飘过一丝阴云。摩顿森不禁担心起来。官员翻着护照中的巴
基斯坦签证，还有"北方联盟"潦草的手写阿富汗签证，心头的疑问越来
越多，最后只好去请示他的长官。

那人还没回来，摩顿森就已经猜到了答案。"明天回来重新面谈。"他
紧张地说，不敢看摩顿森的眼睛。"但你的护照得先留在这里。"

第二天早上，一队海军陆战队员"护送"摩顿森走过加德满都的美国
大使馆草坪，从领事办公室走到大使馆主建筑，把他留在一间会议室里，离
去时还把房门锁上了。

摩顿森一个人在房里坐了四十五分钟，陪伴他的只有一面美国国旗，还
有十个月前宣誓就职的总统乔治·布什的肖像。

"我知道他们想干什么。"摩顿森说，"这就跟三流警匪片里的情节一
样。肯定有人在监视我，看我会不会有做贼心虚的举动，所以我只是微笑，
对着布什总统的画像敬礼，然后就坐在那里等。"

终于，三名西装革履的男子开门进屋，拉开摩顿森对面的椅子坐了
下来。

"他们用的名字都是那种大路货，就像鲍伯、比尔、彼得之类的名字，
自我介绍时一直面带笑容，但很明显是装出来的，一看就知道是中情局的
人。"摩顿森说。

为首的男子递了张名片给摩顿森，他的名字下面印着"东南亚政治-
军事大使随员"。

"你的问题都可以解决。"他脸上带着令人放松警惕的笑容，从口袋里
掏出一支笔，再把笔记本放好——就像士兵把子弹夹卡进枪匣一样。"但
是，你为什么要去巴基斯坦？现在那里很危险，我们正在劝所有美国公民

离开。"

"我知道。但是那里有我的工作，两天前我才离开伊斯兰堡。"

三个人埋头在笔记本上记录。"你在那里做什么工作？"大使随员问。

"我已经在那里工作八年了。"摩顿森说，"而且回美国之前，我还得在那里工作一个月。"

"什么样的工作？"

"在巴基斯坦北部地区建设学校，大部分是为了让女孩子念书。"

"你现在经营多少所学校？"

"说不太准。"

"为什么？"

"是这样的，这个数字一直在变。如果所有工程赶在今年秋天顺利完成，我们就能完成第二十二和第二十三所学校的建设。但实际情况是，我们也无法事先确定。很多时候如果政府的学校教室不够，或是现有学生太多，我们会帮他们加盖教室。还有，很多政府或其他慈善机构建的学校，已经好几个月甚至好几年没给老师发薪水了，我们也会把他们纳入资助对象。我们还付钱请老师在没有学校的阿富汗难民营给学生上课，所以学校数字每个星期都会变化。我这样算是回答了你的问题吗？"

三名男子打量着笔记本，他们原本预期的是简单明了的答案，显然结果并非如此。

"你现在总共有多少学生？"

"很难统计。"

"为什么很难统计？"

"你有没有去过巴基斯坦北部的村庄？"

"你是什么意思？"

"嗯，现在是秋收的时候，大部分家庭需要孩子到田里帮忙，所以父母会要求他们暂时休学。在冬季，尤其是非常寒冷的年份，他们可能会把学校关闭几个月，因为没钱维持学校的供暖。然后在春天，有些学生——"

"给个大概的数目。"带头的男子打断摩顿森。

"大概一万到一万五千名。"

三支笔一齐挥舞，把这个难得的明确数字记在纸上。

"你有工作地的地图吗？"

"在巴基斯坦。"摩顿森说。

其中一名男子拿起电话，几分钟后，一幅地图被送进会议室。

"这个靠近克什米尔的地方叫……"

"巴尔蒂斯坦。"摩顿森说。

"这些人是……"

"什叶派，和伊朗一样。"三支停顿的笔又开始飞舞。

"这些接近阿富汗的地区……你盖学校的地方叫做西北什么？"

"西北边境省。"摩顿森说。

"他们那里主要是逊尼派穆斯林，基本上和阿富汗的普什图人一样？"

"嗯，在低地大部分人是普什图人，但也有不少以实玛利派和一些什叶派。在山上，很多部落都有自己的习俗，科瓦尔族、科希斯坦族、辛纳族、托尔瓦利、卡拉米，甚至还有个信奉万物有灵的部落叫卡拉什——他们住在离我画的这个点再远一点的孤立河谷里，如果地图再好一点的话，应该会标出那个叫做齐托尔的地方。"

带头的男子吁了口气。越是深入探讨巴基斯坦的政治，简单的标签越会往下细分，没完没了。他把笔和笔记本滑给对面的摩顿森。"写下你在巴基斯坦所有联络人的姓名和电话。"他说。

"我要打电话给我的律师。"摩顿森说。

"我并不是不愿意合作，这些人的工作很重要，尤其是在'9·11'之后。"摩顿森事后回忆，"但我也知道无辜的人搅进去之后的下场。如果这些家伙真像我认为的那样，是为中情局工作，那我就绝不能让任何一个巴基斯坦人以为我在跟他们合作，不然下回我再到巴基斯坦就死定了。"

"打电话给你的律师。"大使随员打开上了锁的门，把笔记本放回西装口袋时，脸上终于露出松了口气的神情。"明早九点来这里，九点整。"

第二天早上，摩顿森难得地准时坐在会议桌前，这一次，房里只有他和昨天那个自称大使随员的人。

"让我们先把几件事情搞清楚。"大使随员说，"你知道我是谁？"

"我知道你是谁。"

"如果你没跟我说实话你知道会有什么结果？"

"我知道会有什么结果。"

"好。你的学生当中有没有恐怖分子?"

"我不可能知道。"摩顿森说,"我有几千几万个学生。"

"本·拉登在哪里?"

"什么?"

"你听见我问的什么了。知道奥萨马·本·拉登在哪里吗?"

摩顿森努力不让自己笑出声,努力不让脸上出现笑容——虽然这个问题十分荒谬。

"我希望我永远不知道。"摩顿森用极为严肃的口气说。

加德满都使馆勉强批给摩顿森为期一年的临时护照,他顺利返回了伊斯兰堡。回到"甜蜜之家"时,经理递给他一大叠美国大使馆的电话留言。摩顿森踏着破旧的粉红地毯走回房间,一边翻看留言:大使馆警告的语气一天比一天急切,最近的留言更是接近歇斯底里——他们要所有美国民众立刻撤离这个"对美国公民来说,地球上最危险的地方"。摩顿森把背包丢在床上,让苏利曼帮他订最近一班飞往斯卡都的机票。

查理·薛曼斯基是最敬佩摩顿森的登山界人士之一。在美国记者丹尼尔·皮尔被绑架斩首之前两个月,他把在"9·11"事件之后回到巴基斯坦的摩顿森,比喻成奋不顾身冲进世贸大楼的救火员。

"如果日后葛瑞格获得诺贝尔奖,我希望奥斯陆的评委们能够特别指出这一点。"薛曼斯基说,"葛瑞格这个家伙就是不肯放弃,悄悄回到战区,去跟造成恐怖主义的真正原因奋战。就像那些救火英雄一样,当每个人都疯狂往外逃时,他们却跑进燃烧的高楼去救人。"

接下来的一个月,美国的炸弹和巡航导弹开始猛烈打击西边的阿富汗,摩顿森在巴基斯坦北部四处奔走,努力确保中亚协会的所有计划在寒冬来临前如期完成。

"有时在晚上,我和贝格两个人开着车,听见军机从头上飞过,照理美国飞机是不该飞过巴基斯坦领空的。然后整个西边地平线就像是着了火一样。贝格只要看到本·拉登的照片就会吐唾沫,但一想到导弹可能会炸到无辜的人,他又会不寒而栗,赶快举起手做祷告,祈求安拉免除他们无谓的苦难。"

2001年10月29日，贝格陪着摩顿森前往白沙瓦国际机场。到了出境的安检门，只有乘客可以进入，摩顿森便把背包从贝格手中接了过来，却看到保镖满眼泪水。费瑟·贝格曾立誓，无论摩顿森在巴基斯坦的任何地方，他都会保护他，时刻都准备着为他牺牲生命。

"贝格，怎么了？"摩顿森拍了拍保镖宽厚的肩膀。

"你的国家现在在打仗。"贝格说，"我该怎么办？我该怎么保护你？"

从白沙瓦飞往利亚德的班机上，头等舱几乎全空，空中小姐殷勤地请他往前坐。摩顿森看着窗外，阿富汗上空不时闪烁着致命的火光。

机长宣布他们已经飞到阿拉伯海上空。隔着走道，摩顿森看见一位大胡子男子正用高倍望远镜往窗外看。当海上船只的灯光正好位于飞机正下方时，他和身旁一位包着头巾的男子热烈讨论起来，然后从夏瓦儿卡米兹口袋里掏出卫星电话，急忙跑向盥洗室——想必是去打电话。

"在飞机下方那片漆黑中航行的，"摩顿森说，"就是拥有全世界最先进科技的海军武装力量，它正对着阿富汗发射战斗机和巡航导弹。我不喜欢塔利班，更不用提基地组织，但我必须承认他们很聪明。没有卫星，没有空军，连最原始的雷达都被破坏了，他们竟然能想到用最平常的民航班机追踪第五舰队的位置。如果我们以为单靠军事科技就能赢得这场战争，必将因此付出很多学费。"

由于持临时护照和巴基斯坦签证入境，摩顿森被美国海关盘查了整整一个小时。飞机先从丹佛入关，再转机回波兹曼，他回到家那天刚好是万圣节。走在丹佛国际机场，他发现每一条走道、每一座拱门上都插满了国旗，那些到处爆炸的红、白、蓝让他以为自己记错了日子。他用手机打电话给塔拉，向她询问国旗的事。

"怎么回事，塔拉，这里看起来好像国庆节一样。"

"亲爱的，欢迎来到新的美国。"她说。

那天晚上，摩顿森因为时差睡不着，他不想吵醒塔拉，便悄悄起身溜到地下室，去处理堆积成山的信件。他在万豪酒店接受的采访，他陪布鲁斯·芬利到难民营采访的故事，还有他寄给《西雅图邮讯报》专栏记者乔·康奈利的一封电子邮件——请求大家对不幸陷入战火的无辜穆斯林抱有同情之心——当他还在巴基斯坦的时候，这些讯息被美国多家媒体争相报道。

摩顿森一再请求美国民众，不要把所有穆斯林混为一谈，铲除恐怖主义要多管齐下——不要只是丢炸弹——触动了这个刚宣战的国家敏感的神经。摩顿森打开一封又一封的信，生平第一次，里面尽是仇恨的言语。

一封邮戳显示寄自丹佛但没有寄信人地址的信上说："我希望我们的导弹会掉到你头上，因为你做的事抵消了我们军队的努力。"

另一封从明尼苏达州寄来的未署名信件，则用蜘蛛般的字迹直接攻击摩顿森。信的开头写着："我们的上帝会看到，你这个叛国者要付出沉重的代价。"接着又警告摩顿森："比起我们英勇的士兵们，你会遭受更残酷的痛苦。"

摩顿森打开几十几百封类似的未署名信件，最后沮丧得根本看不下去了。

"那个晚上，自从在巴基斯坦工作以来，我头一次有了放弃的念头。"他说，"当美国同胞们寄来这样的信时，我忍不住想，是不是该放弃了。"

摩顿森想到睡在楼上的家人，开始担心起他们的安全。"在那里（巴基斯坦）我的确需要冒一些险，有时候根本没有选择。但让在家里的塔拉和阿蜜拉、开伯尔受到威胁，我完全接受不了。"

摩顿森煮了壶咖啡，继续读信，发现也有少数人赞美他的努力。在国家面临这么多危机时，这些支持的信给了他很多鼓励，毕竟还是有部分美国人听懂了他的讯息。

第二天下午，还没来得及和家人好好聚聚，摩顿森又离开了家，应邀到西雅图演讲。因《进入空气稀薄地带》一书而声名大噪的作家强·克拉库尔，为中亚协会在西雅图举办的募捐活动致开场词，并成为中亚协会最主要的支持者。

克拉库尔郑重地向公众介绍了摩顿森。《西雅图邮讯报》记者约翰·马歇尔说，这位深居简出的作家难得同意出席公开场合，但他想让更多人知道摩顿森的工作。

摩顿森穿着夏瓦儿卡米兹，抵达坐落在西雅图"第一山"顶部，宛如古雅典神庙的市政厅。摩顿森迟到了十五分钟，他惊讶地打量着大厅：位子全坐满了，还有更多人挤在大厅入口，争相朝讲台望来。他赶快跑到位子上坐好。

"各位花了二十五美元买门票，这不是个小数目。但今晚我不会解读我的任何一本作品。"人群安静下来后，克拉库尔说，"我要阅读的是和世界现况更直接相关的作品，还要说说葛瑞格的工作与日俱增的重要性。"

他首先念了一段叶慈的名诗《第二度降临》。

"事物分崩离析，中心无法维系。"克拉库尔用轻柔的声音诵念，"仅有混乱，漫溢世间。暗色血潮，四处漫延。纯真之礼，已然沉没。最好之人全无信念，最坏者却充满狂热激情。"

克拉库尔念完最后一句诗，整座大厅陷入静默，静得仿佛空无一人。克拉库尔又读了一大段从《纽约时报》上摘录的文章，那篇报道讨论了白沙瓦的童工问题，特别论述了困苦的经济环境，如何把孩子们变成极端主义吸收的对象。

"等到克拉库尔介绍我的时候，全场观众，包括我在内，都已泪流满面。"摩顿森回忆。

克拉库尔介绍摩顿森上台："虽然最坏的人可能充满狂热激情，但是我相信，最好的人却不会失去信念。最好的证明，就是坐在我身后的这位大个儿。葛瑞格用一点点钱完成的事情，已经接近奇迹。如果我们能复制五十个葛瑞格，那我丝毫不怀疑，恐怖主义很快就会彻底成为过去。可惜，我们只有一个葛瑞格。请大家和我一起欢迎葛瑞格·摩顿森先生。"

摩顿森拥抱克拉库尔，感谢他的介绍。乔戈里峰出现在他身后的大屏幕上。在这么多世界知名登山家面前放映他的失败——放大投射到屏幕上的失败，但为什么，他却觉得人生仿佛攀上了全新的高峰？

二十一　拉姆斯菲尔德的鞋

今天在喀布尔，把胡子刮得干干净净的男人们揉着他们的脸颊，一位刚把白胡子修剪整齐的老人在街上跳舞，用小录音机在耳畔播放音乐。塔利班，一个禁止音乐、命令男人都要留胡子的政权，已经垮台。

——凯西·甘农　2001 年 11 月 13 号　美联社报道

波音 727 在一万米高空平稳飞行，飞行员们走马灯一般轮换着，每十分钟就有一位飞行员起身，让另一位接手。阿富汗阿里安娜航空公司的八位飞行员列队坐在机舱前排，在轮到他们开飞机之前耐心地喝茶抽烟。阿里安娜航空公司原本有八架波音飞机，其中七架已被导弹和迫击炮击毁，这趟从迪拜到喀布尔的航程虽说只有两小时四十五分钟，却是唯一能给飞行员们增加一点宝贵飞行时间的机会。

摩顿森的位子在机舱正中间，自打飞机离开迪拜，每两分钟就有一位不同的空姐跑过来，给他的塑料杯续满可乐。他把鼻子贴在磨损的窗户上，仔细研究着下方这个经常进入他梦境的国家——阿富汗。

飞机由南往北飞往喀布尔。当值飞行员从广播里宣布他们正经过坎大哈上空，摩顿森坐直了身，让坏掉的椅背竖直，想仔细看看前塔利班政权的老巢。但隔着一万米的高差，他只能看到一条公路横亘于棕色山麓间的广阔平原上，还有几个像是建筑物的影子。也许，这就是美国国防部长拉姆斯菲尔德说阿富汗缺乏适合的攻击对象的原因。

但美国的导弹，无论是智能型还是笨蛋型，已经像狂雨一样落在这片焦土上。摩顿森在地下室的电脑上浏览过一些照片——美国士兵攻占了塔利班最高领导人奥马尔位于坎大哈的家，他们坐在他那张华丽的巴伐利亚风格大床上，展示他们从床底下找到的钢制柜子，里面装满了一叠叠的百元美钞。

　　一开始摩顿森也赞成攻打阿富汗，但他很快读到了民众死伤不断增加的报道，加上从电话中听到阿富汗难民营无辜儿童的死亡数字，他的态度开始转变。中亚协会在难民营的工作人员告诉他，由于美军集束炸弹的黄色荚舱和美国人道主义飞机投掷的黄色食品罐很像，孩子们经常误以为是食品罐而在捡拾时被炸死。

　　"为什么五角大楼的官员能给我们基地组织、塔利班成员的具体死亡人数，却对民众伤亡情况一问三不知？"摩顿森在 2001 年 12 月 8 日写了封信给《华盛顿邮报》。"更让人害怕的是，在拉姆斯菲尔德主持的记者招待会上，媒体们连这个问题都不肯问。"

　　每天凌晨两点，摩顿森就会醒过来，一动不动地躺在塔拉身边，努力把无辜死伤民众的影像从脑子里抹去，试着让自己再回到睡梦中。但黑暗中，孩子们的脸庞渐渐清晰，逼他不得不起床到地下室，打电话到巴基斯坦了解最新情况。通过巴基斯坦军中的朋友，他得知毛拉·扎耶夫，那位曾跟他在万豪酒店喝过茶的塔利班大使已被美军逮捕，戴上头套、手铐，送进了古巴猪猡湾的境外监狱。

　　"那年冬天，每次拆信就好像玩俄罗斯轮盘赌。"摩顿森说，"几封鼓励的信和一些捐款之后，接下来的信必定会说上帝一定会让帮助穆斯林的我死得很痛苦。"摩顿森采取了一些保护家人的措施，并重新申请了不对外公开的电话号码。邮差知道了这些威胁信件后，开始把没写寄信人地址的信过滤出来交给联邦调查局，因为当时大家都担心炭疽邮包。

　　给予摩顿森最大鼓励的信，来自西雅图的年长慈善家佩慈·柯林斯，她多年来经常给中亚协会捐款。来信中写道："我还记得二次大战时同样的愚行。那时候我们也仇恨所有日本人，没有任何正当理由就把他们关起来。这些可怕的仇恨信件更应该激励你站起来，告诉美国人你所认识的穆斯林。你代表的正是美国人的善良和勇气。起来，不要害怕，去传播你的和平讯息，这是最好的机会。"

　　虽然心系远在半个地球外的世界，摩顿森还是按柯林斯的建议，安排各种演讲，举办能够聚集民众的各项活动。从十二月到一月，他克服面对广大群众时的紧张，在西雅图"极致体验"旗舰店、明尼阿波利斯的赞助活动上、蒙大拿的全州图书馆员会议上，还有曼哈顿的"探险家俱乐部"进行演讲。

但到场人数并不多。在波兹曼南部"大天空滑雪区"的私人俱乐部里，摩顿森走进狭小的地下室，尽管壁炉旁摆满了椅子，却只有六个人等着听他演讲。

摩顿森注意到有位三十多岁的美丽女子蜷在扶椅上，格外专心地聆听他的演说。演讲结束后，摩顿森正在卷投影屏，女子走上前来自我介绍。"我叫玛丽·波诺，确切地说是国会众议员玛丽·波诺，我代表棕榈泉的共和党党员。你这一个小时的演讲让我学到的东西，比我在国会山庄听过的所有简报加起来还多。我们安排你到那里去演讲。"波诺把她的名片递给摩顿森，请他在国会新会期开始后打电话给她，到时候可以安排他到华盛顿进行演讲。

又换了一位飞行员，波音727开始朝一片高山环绕的沙尘盆地俯冲，那里就是喀布尔机场。紧张的空姐们开始祷告，祈求安拉让她们平安降落。飞机在洛革山附近转弯，摩顿森清楚地看见被烧黑的老式苏制坦克外壳——不是掩藏在山洞洞口附近，就是散落在路旁。对现代的激光制导武器而言，要锁定这些坦克进行攻击实在太容易了。

几个月来，摩顿森一直在关注此地的动态。凯西·甘农跟他在万豪酒店见过面后，又勇敢地回到阿富汗首都进行采访。从她的电子邮件中，摩顿森得知北方联盟的坦克正往南挺进，美国轰炸机集中轰炸喀布尔最繁华的地段"宾客街"，而胆怯的塔利班则开始撤退。他还从凯西的信中得知，2001年11月13日，当禁止音乐的塔利班政权终于瓦解，喀布尔民众纷纷走上街跳舞，拿出藏匿已久的收音机和卡带大声播放音乐。

现在已经是2002年2月中旬。虽然在远处的怀特山脉仍有激烈冲突，但摩顿森也从飞机上看到美军地面部队正在清理部分地区的抵抗力量，他认为在北方联盟和美军盟友控制下的喀布尔应该足够安全，打算前往一看。

走往航站楼的路上，摩顿森看见一组扫雷人员，坐在装甲推土机里清理机场跑道边缘地区，他不由得质疑自己此行是否明智。几架被炸毁的飞机残骸仍留在原地，漆黑的尾翼宛如警告的旗帜；躺在坑坑洞洞跑道上已经烧焦的机身，像是解体的巨大鲸鱼骨架。

机场航站楼旁，一辆烧得焦黑的车整个儿翻了过来，看底盘应该是辆大众甲壳虫。车子在强劲的风中轻轻晃动，引擎和座舱被拆得一干二净。

没有灯光的入境厅里，只有一位海关人员坐在桌前，凭屋顶破洞透下来的光检查摩顿森的护照。满意之后，他懒洋洋地盖了章，挥手示意摩顿森通过。

每次抵达巴基斯坦时都会有人接机，摩顿森早已习惯了。每当他走出伊斯兰堡机场，映入眼帘的总是苏利曼笑嘻嘻的脸。在斯卡都，费瑟·贝格还直接进到停机坪上，因此摩顿森一踏上地面，贝格就能执行保护勤务。但此刻在喀布尔机场外，他发现自己孑然一身，周围是一群急着拉客的出租车司机。他选了最不积极抢生意的一位司机，把背包塞进后备箱，跟着司机钻进了车。

和大部分喀布尔居民一样，战争也造成了阿布杜拉·拉赫曼身体上的残疾：有一天他开车时，路肩一颗地雷刚好爆炸，导致他严重灼伤——眼睑没了，右半边脸完全拉平紧绷，双手严重烧伤，连方向盘都握不紧。尽管如此，凭熟练的驾驶技巧他还是能应付喀布尔混乱的路况。

另一方面，阿布杜拉也和大部分喀布尔居民一样，得身兼数职才能养活家人。除了开出租车，他还在喀布尔的军医图书馆兼差，薪水是一个月一块两角美金。他负责看守三个上锁柜子里发霉的精装书——在除了《古兰经》什么书都烧光的前塔利班政权统治下，这些书能保留下来十分难得。阿布杜拉把摩顿森载到他未来一个星期的家——弹痕累累的"喀布尔和平宾馆"。

在没电没自来水的小房间里，摩顿森隔着窗棂往外看，看"巴格一耶一巴拉"街旁成排的受损房舍，以及瘸着腿走在街上的受伤民众。摩顿森想拟出个行动计划，但这就像要看清街上穿着深蓝"布卡"，把自己从头到脚包起来的妇女一样——实在太难了。

抵达阿富汗之前，摩顿森有个大致的想法：租辆车直接到北边去找当初请他帮忙的那些骑马人。但很明显，连喀布尔都还不太安全，此时盲目跑到乡间无疑是找死。半夜，他在没有暖气的房间里冻得发抖，还经常听到自动武器的交战声。塔利班残余势力从山区射向城市的火箭弹的爆炸声，回响在喀布尔各地。

阿布杜拉把摩顿森介绍给他的朋友哈什玛图拉，那是一位英俊的年轻人。哈什（他要朋友这样叫他）曾经是塔利班士兵，后来因伤得以退役。

"就像很多塔利班的士兵一样，哈什只是理论上支持圣战而已。"摩顿森解释说，"他是个聪明的孩子，希望自己成为电信公司的技术人员，而不是塔利班士兵。问题是他没有机会。从宗教学校毕业时，塔利班给他三百元美金要他加入队伍，他把钱寄给在霍斯特的母亲，然后去报到，接受军事训练。"

北方联盟的火箭弹击中了哈什驻守的战壕，他因此受了伤，退役下来。四个月后，哈什背上的伤口仍然会渗出脓水，呼吸稍微一急促，受损的肺部就会发出哮鸣声。但令他欣喜若狂的是，再也不用遵守塔利班严格的规定，于是他把胡子剃干净了。在摩顿森帮他处理伤口，进行完整的抗生素治疗后，哈什就把这个他见过的唯一的美国人当成了朋友。

喀布尔所有的学校，几乎都和这座城市一样，在战争中严重受损。政府方面正式宣布将在晚春重新开放学校。摩顿森告诉哈什和阿布杜拉，他想看看喀布尔的学校，于是一行人坐上阿布杜拉的黄色丰田车去找学校。结果他们发现，喀布尔一百五十九所学校中只有两成勉强还能让学生上课。换言之，要想收容城市里的三十万名学生，学校得开很多班级，早晚都开课，并且利用户外场地，否则就只好在几乎变成瓦砾堆的危房里上课。

杜尔哈尼高中就是典型的例子。穿着灰蓝色"布卡"的校长乌兹拉·费札德告诉摩顿森，一旦重新开放，这栋建于苏联时代、严重损毁的校舍就得设法收容四千五百名学生，九十名老师必须每天三班制轮班教学。禁止女性受教育的塔利班政权被推翻后，许多先前躲起来的女孩子现在都会出来上学，所以入学人数还会增加。

"乌兹拉的话震撼人心。"摩顿森说，"我眼前站着的是一位坚强、骄傲的女性，试图完成不可能的任务。她的学校围墙全成了碎石堆，屋顶也掉下来了，但她还是每天到学校工作，努力让学校恢复正常，因为她相信教育是解决阿富汗问题的唯一方法。"

摩顿森想去喀布尔市政府为中亚协会办理登记手续，以便盖学校时申请各种正式许可。但这座城市不仅电力和电话系统失灵，政府的行政系统也严重损坏。

"阿布杜拉带着我从一个部门跑到另一个部门，政府机关里都没人。所以我决定直接回巴基斯坦收集建材，然后立即着手支援。"

摩顿森在喀布尔待了一个星期，搭乘红十字会的专机飞回白沙瓦，前往桑夏图难民营，察看老师们是否都领到了中亚协会发的薪水。摩顿森心想，到过阿富汗之后，巴基斯坦的问题就显得容易多了。从桑夏图难民营到边境时，他停下车想给坐在路边几袋马铃薯上的小孩儿照相。透过相机取景窗，他发现孩子们脸上都带着他在喀布尔常见到的恐惧。摩顿森放下相机，上前用帕施图语问他们有没有什么需要。

最大的孩子叫阿哈玛，大约十三岁，看到有同情他们的大人，明显松了口气。阿哈玛说，就在一个星期前，他父亲从白沙瓦买了一车马铃薯，准备带回贾拉拉巴德附近的小村庄去卖，结果和其他十五个人一起，被美国飞机扔下来的导弹炸死了。

阿哈玛带着两个弟弟回到白沙瓦，又买了一车马铃薯准备回家乡去卖。一个认识他父亲的摊贩可怜他们，给了他们折扣，还安排他们搭车回村里，他母亲和妹妹都还在那里为父亲守孝。

阿哈玛谈到父亲的死时神情茫然，没有什么情绪反应。摩顿森认为，这孩子受到了严重的心理创伤。

摩顿森也以自己的方式经历了创伤。苏利曼把他从白沙瓦机场接到"甜蜜之家"后，他连续失眠了三个晚上，不停回想在阿富汗看到的情形。看到喀布尔和难民营的悲惨境况后，他期待着尽快回到斯卡都。但愿它还是熟悉的老样子。但当他打电话给帕尔维，询问当地学校的最新状况时，却发现事实和他期望的全然不同。

帕尔维说，北部最有权势的毛拉之一阿嘎·穆巴拉克手下的恶棍，几天前破坏了中亚协会最新的学校计划——一所男女同校的学校。一开始他们想把学校烧掉，但由于木头屋梁和窗框都还没安装上，所以学校只是被烧黑了，没有其他损失。于是这帮人又拿着大锤猛砸，直到学校的墙——辛苦挖凿的石头和灰泥砌成的石砖墙——变成一堆堆碎石头。

摩顿森赶到斯卡都，准备针对喜玛斯尔村的学校召开紧急会议，却发现更多的坏消息在等着他。阿嘎·穆巴拉克发出了"法特瓦"禁令，禁止摩顿森在巴基斯坦工作。

在印度饭店二楼的私人餐室里，摩顿森和他的核心支持者们在放着茶和甜饼干的桌边开会。帕尔维叹着气，"这个毛拉和喜玛斯尔村的村议会接触，说如果想让他同意盖学校，他们得付钱。村议会拒绝了，他就把学校毁了，而且发出了'法特瓦'禁令。"

"我简直气炸了。"摩顿森说，"我想立刻把军中的朋友集合起来把穆巴拉克的村子给拆了，好好吓吓他，让他不敢再来找麻烦。"

帕尔维则建议采用一劳永逸的办法。

"如果你用军队把这个土匪的家包围起来，他什么事都会答应你，但等军队一撤走，他就又会变卦了。"帕尔维说，"我们得把这件事在法庭上一次解决掉。宗教法庭。"

凭这些年来的经验摩顿森知道，帕尔维的建议总是十分可靠。帕尔维会同摩顿森的老友麦迪·阿里，一起向斯卡都的伊斯兰法庭投诉，因为喜玛斯尔村的学校就是村长麦迪·阿里带头建造的。帕尔维建议摩顿森不要介入法律诉讼的事情，继续开展帮助阿富汗的重要工作。

摩顿森随即从斯卡都打电话给美国的理事会，报告他在阿富汗看到的情况，希望他们同意他购买一些物资运到喀布尔。出人意料的是，茱莉亚·柏格曼想飞到巴基斯坦来，陪他一起从白沙瓦开车去喀布尔。

"她非常勇敢。"摩顿森说，"我们要走的路沿途战火未熄，但我无法劝退柏格曼，她知道阿富汗妇女在塔利班统治下所受的苦，急着想去帮忙。"

2002年4月，金发的柏格曼穿着夏瓦儿卡米兹，和摩顿森一起越过兰迪科塔尔边防站，爬进苏利曼的朋友摩尼尔安排的货车，准备前往喀布尔。车子后座和货箱塞满了他们在白沙瓦买的建材。苏利曼没有护照不能跟去，很生自己的气，连声催摩尼尔叮嘱司机小心驾驶。普什图族的摩尼尔靠在车边，用手掐着同是普什图族的司机的后颈。"我发誓，"他说，"如果这位先生和夫人出了什么事，我会亲手杀了你。"

"让我们惊讶的是，整个边境竟然完全开放。"摩顿森说，"我没看到任何守卫，本·拉登完全可以带着一百名士兵大刺刺走进巴基斯坦。"

到喀布尔只有三百多公里的路，他们却花了十一个小时。"一路上，到处都是烧毁炸坏的坦克和军车，跟美丽的风景形成强烈对比。"柏格曼描述，"红红白白的罂粟花到处盛开，远方白雪覆盖的山峰让乡间显得格外宁静。"

"我们到贾拉拉巴德的时候，就停下来在史宾加尔饭店喝茶吃面包。"摩顿森说，"贾拉拉巴德曾是塔利班的指挥总部，看起来就像是二战时被轰炸后的德累斯顿。美国空军的B-52轰炸机对这地方进行过地毯式轰炸，周围人眼中强烈的恨意让我想到，不知有多少美国炸弹掉在无辜百姓的身上，就像我遇见的那个孩子的父亲。"

安全抵达喀布尔后，摩顿森把柏格曼安顿在城里唯一还能运转的洲际饭店。洲际饭店位于喀布尔高处，从那里看整座城市，一览无遗。被炸坏的窗户暂时用白色塑料布盖着，服务员每天会送热水到房间里让房客洗漱。

在哈什与阿布杜拉的陪伴下，一行人访问了喀布尔不堪重负的教育系统。他们还到阿富汗最好的医学院"喀布尔医学院"去捐赠医学书籍。马萨诸塞州马布尔黑德的金姆·楚代尔，请摩顿森帮她把丈夫留下的医学书籍带到喀布尔，因为她相信教育是解决暴力危机的关键。"9·11"当天金姆的丈夫飞往加州，准备参加医学会议，他搭乘的联航175号班机撞上纽约世贸大楼的南楼，在空中化为灰烬。

在没有暖气、没有屋顶的教室里，五百名学生正在认真上课。他们对赠书之举充满感激，因为必修的高级解剖课，全校只剩下十本教材，五百名未来的医生（四百七十名男生，三十名女生）不得不轮流把书带回家，影印甚至手抄必要的章节和插图。

虽然学生们读得这么辛苦，但比起几个月前，情况已经改善了很多。小儿科医生纳兹尔·阿布都说，塔利班统治喀布尔的时候，禁止所有附有插图的书籍，一旦找到就公开烧毁。在上课时"道德监察局"的督察就站在教室后头，确保教授不在黑板上画任何解剖图示。

"连最基本的医疗器械都没有。"阿布都医生说，"我们成了只会读教科书的医生。我们没钱买血压计和听诊器。身为一名医生，我这辈子连显微镜都没用过。"

阿布杜拉用结痂的双手驾着车子，绕过满地的弹坑，前往喀布尔西边由八十个村庄组成的迈丹城镇。摩顿森知道，大部分抵达阿富汗的外国援助都只能留在喀布尔，所以他更关心阿富汗的偏远地区。但迈丹城夏哈布定中学的三百名学生所需要的，不光是他们从出租车上卸下的铅笔和笔记本。

夏哈布定的老师在生锈的货柜厢里给低年级男生上课。高年级有九名男生，他们的教室是一辆履带被坦克炮轰掉，烧得焦黑的装甲运输车。摩顿森他们小心翼翼地从射击口爬进去，学生为他们展示了自己收到的礼物——瑞典救援人员送的排球。"瑞典人有长长的金发，样子很像山羊！"一个有着明亮眼睛的男孩用流利的英文对摩顿森说，虱子在他的小平头上来回跳着。

最让摩顿森心痛的，是学校的女孩子们得在没有任何遮蔽物的户外上课。

"八十名女学生被迫待在户外。她们很认真，但风不是把沙子吹到她们的眼睛里，就是把黑板吹翻。"有了新的笔记本和铅笔她们都很高兴，紧紧抓住不让风吹走。

摩顿森一行走回出租车时，四架载有地狱火导弹的美军攻击直升机从他们上方不到二十米的地方掠过，她们的黑板被旋翼的劲风卷起，在岩石地上摔得粉碎。

"不管我们走到哪里，都能看见美国军机和直升机。"茱莉亚·柏格曼说。

第二天，摩顿森带柏格曼去见杜尔哈尼高中的校长乌兹拉·费札德，准备把援建学校的建材物资运过去，正好看见学生们从木头梯子爬进二楼的教室。在炮击中幸存的二楼教室，楼梯全毁，学生只好用木头做了个临时楼梯。又见摩顿森，乌兹拉很高兴，邀请他们到她家里去喝茶。

乌兹拉的丈夫在对抗苏联的战争中牺牲了，她就住在学校的单身宿舍里，过着修女般的生活。塔利班统治期间，她逃到北方的塔卢坎，在城市沦陷后偷偷给女孩子们上课。现在她回到了喀布尔，公开倡导女性教育。把唯一一扇窗户的粗麻布窗帘拉上后，她把将自己从头到脚包起来的"布卡"脱下来，挂在一件折得整整齐齐的羊毛毯上，这是她仅有的财产。然后她蹲在一个小酒精炉前煮茶。

"在我的国家，女人们会问，既然塔利班已经不在了，为什么阿富汗的妇女还要穿'布卡'？"柏格曼问。

"我是个保守的人。"乌兹拉说，"这种衣服适合我，穿着它比较有安全

224

感。其实，我坚持要求女学生上市场时必须穿'布卡'，就是怕有人找借口干扰她们读书。"

"自由惯了的美国女人都想知道，当你们必须透过那块小小的纱窗往外看的时候，会不会觉得受压迫了？"柏格曼继续问。

摩顿森第一次看到了乌兹拉的微笑。令他惊讶的是，经历了这么多艰难困苦，已经50岁的她依然美丽。"我们阿富汗女人是透过教育看到光亮的，"乌兹拉回答，"而不是透过布料上的纱窗。"

乌兹拉把泡好的绿茶端给客人，一边抱歉地说她没有糖。"有一件事我想请你们帮忙。"客人们都喝过茶之后，乌兹拉说，"美国人把塔利班赶走后，一直告诉我们薪水很快会发下来，但现在已经五个月了，大家都还没收到。您能不能帮我问问美国方面的人，看他们知不知道这是怎么回事？"

摩顿森先用中亚协会的钱付给乌兹拉四十美元，又给没收到薪水的九十位老师每人二十美元。把柏格曼安全地送上联合国飞往伊斯兰堡的包机后，他开始调查老师们薪水的下落。他往快倒塌的财政部一连跑了三次，在空荡荡的部局会室间来回奔走，最后终于见到了阿富汗的财政次长。他问为什么老师们领不到薪水时，次长无奈地两手一摊。

"他告诉我，布什总统承诺的援助经费中，实际到达阿富汗的只有不到四分之一，而且又从原本就不足的经费中抽出六百八十万美金，'重新分配'到巴林、科威特和卡塔尔，用于修建军用机场跑道、扩建军事补给站，每个人都知道美国很快就要打伊拉克了。"

摩顿森先搭乘阿里安娜公司的波音727班机赶到迪拜，转英航班机飞伦敦，再转机抵达华盛顿，怒气冲冲地直奔自己国家的政府。

"我们错过了弥补伤害的最好机会。飞往华盛顿的路上，我几乎坐不住了。"摩顿森说，"如果我们连最简单的事——让乌兹拉这样的英雄拿到他们一个月四十美元的薪水——都做不到，我们怎么可能完成击败恐怖主义的艰难任务？"

国会议员玛丽·波诺给予的帮助让摩顿森十分感动。

"我刚抵达华盛顿时，根本不知道该怎么办，就好像被丢在阿富汗的偏远村庄，对当地习俗一无所知。"摩顿森说，"玛丽·波诺陪了我一整天，告诉我这里的运作方式。当她带我穿过办公室去往国会山庄的通道时，几十位众议员正要去投票，她向每个人介绍我，说：'你得认识这个人，这是葛瑞格·摩顿森，他是真正的美国英雄。'弄得我脸都红了。"

波诺在国会山庄一间公开会议室为摩顿森安排了一场报告，并把活动公告发给每一位国会议员，邀请他们"来见见一位在巴基斯坦和阿富汗建造女子学校，对抗恐怖主义的美国人"。

"自从听过葛瑞格的演说后，我想，这是我应该尽的一点力量。"波诺说，"我每天会碰到很多口口声声要行善却光说不练的人，但葛瑞格是真在做这些事。我是他的仰慕者，他和家人做出的牺牲是平凡人难以想象的，他代表了美国最美好的一面，我希望更多人有机会认识他。"

摩顿森把最近又用胶布修理过的旧幻灯机架好，转身面对满屋子的国会议员和高级官员。他穿着仅有的一套棕色格子西装，脚上是旧鹿皮雪靴，这一刻他恨不得自己面对的是两百张空椅子。但一想到乌兹拉的问题、老师们薪水的下落，他又鼓起了勇气，开始放映第一张幻灯片。摩顿森先放映巴基斯坦对比鲜明的自然美景和困苦贫穷，逐渐讲到乌兹拉的薪水问题，以及美国对阿富汗的援助承诺，忍不住越说越气。

一位从加州来的共和党国会议员打断了他，"帮孩子盖学校没问题，也是好事，但我们国家最需要的是安全，没有安全，做这些有什么用？"

摩顿森胸中又燃起了从喀布尔一路狂烧至此的怒火，他深深吸了一口气。"我做这些事不是为了对抗恐怖分子。"摩顿森知道自己必须斟酌用词，以免被踹出国会山庄。"我做这些是因为我关心那些孩子。对抗恐怖主义在我的排序表上只能排在第七八位。但在那里工作让我明白一件事：恐怖主义不是凭空出现的，不是某些巴基斯坦人或阿富汗人突然决定仇恨美国人。恐怖主义出现是因为孩子们缺乏有希望的未来；缺乏选择生，而不是选择死的理由。"

在阿富汗看到的伤痛景象鞭策着摩顿森，让原本怯场的他滔滔不绝。谈到巴基斯坦穷困的公立学校时，他说"极端主义宗教学校"像癌细胞一样到处蔓延，那些宗教极端派教长用皮箱装着几十亿美元的现金到这些地区援助"圣战工厂"。在他雄辩滔滔时，会议室也安静下来，只听得见刷刷的书写声。

演讲结束了，摩顿森开始收拾东西，这时一位从纽约来的国会助理上前自我介绍。"太棒了，"她说，"为什么我从来没在新闻或是国会简报中听过这些东西？你应该写本书。"

"我没有时间写书。"摩顿森回答。

"你应该尽量找时间。"她说。

"你不信可以去问我妻子，我经常连睡觉的时间都找不到。"

做完报告后，摩顿森走在国会山庄前的大草坪上，往波多马克河的方向漫步，不知道方才他想传达的讯息，有没有人听进去。他走过越战纪念碑、林肯纪念堂，只见成群的游客在草坪上漫步，等着时间抚平这个国家的创伤。

几个月之后，摩顿森又来到波多马克河边。一位了解摩顿森工作性质的海军将领捐了一千美元给中亚协会，并邀他到五角大楼演讲。

走在发亮的大理石走道上，摩顿森在将军陪同下前往国防部长办公室。

"我记得最清楚的，就是一路上，碰到的人都不看我们的眼睛。"摩顿森说，"几乎人人腋下都夹着笔记本电脑，每个人都走得很快，像火箭一样冲向下一个任务，没人有时间看我一眼。我也在军队服过役，但这里和我所了解的军队完全不一样，这里根本是'电脑部队'。"

摩顿森走进国防部长办公室时，居然没人请他落座。在巴基斯坦和高级官员会面，无论多短暂匆忙，官员们至少会请客人坐下喝杯茶。穿着新西装的摩顿森尴尬地站着，不知道该说些什么或做什么。

"我们只停留了一分钟，将军向部长介绍了我而已。"摩顿森说，"我很希望能告诉你，当天我跟拉姆斯菲尔德部长说了些什么了不起的话，让他重新思考打击恐怖主义的方法。但事实是，大部分时间我只是盯着他的鞋看。"

"我对名牌没有研究，但看得出来他穿的鞋子非常好，很贵不说，还擦得雪亮。他穿了一套很时髦的灰色西装，好像还擦了古龙香水。我忍不住想，尽管五角大楼也被敌人挟持的飞机攻击过，但我们离真正的战场，离喀布尔那个充满战火和尘土的地方，实在太遥远了。"

再回到那条一点儿也不客气的走道上，他们去往另一间会议室，摩顿森将在那里为高级军官们做报告。他不禁担心，身在五角大楼、远离实际战场的感受，会如何影响这些人的决策。如果他所看到的一切——被无辜炸死的马铃薯小贩的孩子，上课时黑板被吹跑的女孩儿们，被集束炸弹和地雷炸伤、在喀布尔街上一瘸一拐的民众们——都只不过是电脑屏幕上的数字，他对这场战争是否会有不同的态度？

在半满的小型会议室里，摩顿森站在穿着制服和西装的官员们面前，毫无保留地说："我觉得不管我说什么其实都没用，我没办法改变布什政府的战争方式，所以我决定豁出去了。"

"我支持我们在阿富汗的战争。"自我介绍之后，他说，"因为我相信，当我们说要帮助阿富汗重建的时候，我们是认真的。军事胜利只是赢得这场战争的第一阶段，而我担心我们并不愿意进行接下来的工作。"

接着，摩顿森说明了当地传统部落战争的习俗：双方会在开战前协商，讨论彼此能够承受的伤亡人员数，因为胜利方要负责照顾战败方的孤儿寡妇。

"在那里，他们早就习惯了死亡和暴力。但如果你告诉他们，'你的父亲死了我很难过，你的父亲是为了阿富汗的自由成为烈士'，然后给他们一些抚恤金，让他们家人的牺牲成为光荣的事，我想那些人至今都还会支持我们。但最糟糕的事，恰巧也是我们正在做的事，就是忽视无辜的受害者，用一句'附带损害'就交代过去了，甚至都不肯清点死亡人数。当我们忽视受害者的时候，就否认了他们存在的事实，这对伊斯兰世界的人来说是最大的侮辱，为此，我们永远不会被原谅。"

一个小时后，摩顿森再度警告说，极端主义的宗教学校已成为培训"圣战"士兵的温床。他用自己在喀布尔街头曾出现的一个想法作结。

"我不是军事专家，"摩顿森说，"我提出的数字也可能不太准确。但据我所知，到目前为止，我们已经对阿富汗发射了一百四十四枚战斧式巡航导弹。一枚导弹的成本加上激光制导的费用，我想大概是八十四万美元左右。用同样的钱，我们可以盖几十所学校，让一整代人接受教育。各位觉得哪一种方式会让我们变得安全？"

在摩顿森演说之后，一位身着剪裁合身的西服，打扮得像民间人士的男子上前打招呼，但他的军方背景没逃得过摩顿森的眼睛。

"你可以画一张地图，指出极端主义宗教学校的位置吗？"男子问。

“除非我不想活了。”摩顿森回答。

“你可以在每一间极端主义宗教学校旁边盖一所学校吗？”

“像星巴克的策略一样，让‘圣战学校’的生意做不下去？”

“我是说真格的。我们可以提供经费，两百二十万美元如何？你可以用这些钱盖多少所学校？”男子问。

“大概一百所左右。”摩顿森回答。

“那不正是你所希望的吗？”

“那里的人会发现我的钱从哪里来的，然后我的学校就完蛋了。”

“没问题，我们可以把这些钱伪装成一位香港生意人的捐款。”男子翻着一本列有各种军方拨款记录的笔记本，上头有些摩顿森看不懂的外国名字，还有写在最下面的总数：一千五百万、四千七百万、两千七百万。

“你考虑一下，然后打电话给我。”男子在笔记本上写下一些东西后，递给了摩顿森一张名片。

摩顿森的确考虑了，几乎整个 2002 年他都在考虑。他在想一百所学校能够产生多大的效果，接受军方经费又可能导致什么后果。

“我之所以能在伊斯兰教地区有些信誉，就是因为我和政府没有关系。”摩顿森说，“尤其是和军方没有关系。”他最终拒绝了这项提案。

那一年他所有的听众都很踊跃，中亚协会的银行存款明显增加，但也面临前所未有的挑战。中亚协会光维持在巴基斯坦现有学校的开销已经相当吃紧，而他又即将在阿富汗推动新的建校计划，他必须非常谨慎。

摩顿森决定先不接受理事会为他加薪到年薪三万五千美元的好意，在中亚协会的财务状况更稳定之前，他仍然支领原来的两万八千美元。时间从 2002 年进入 2003 年，头条新闻都是伊拉克大规模杀伤性武器和美国即将攻打伊拉克的消息，摩顿森被这些新闻弄得辗转难眠。每当半夜坐在电脑前，他就更加坚定地认为，自己当初没接受军方的钱是正确的。

在“9·11”之后的那段日子里，摩顿森的支持者佩慈·柯林斯督促他勇敢说出真相，为和平奋斗，让美国面临的危机变成他最好的机会。他在美国大陆四处奔走，穿越恐怖袭击留下的纷扰，克服自己的羞怯，尽力传播和平的讯息。但当他第二十七次前往巴基斯坦，再一次和家人分离时，他不禁自问，他想传达的讯息到底有没有人听到？

二十二 "真正的敌人是无知"

如果我们妄想只凭军事武力解决恐怖主义，那我们绝不会比"9·11"之前更安全。如果真的想让下一代安全成长，我们就必须明白，最终要靠课本去赢得这场战争，而不是炸弹。

——《游行》杂志封面故事 2003年4月6日

车子在泥泞道路上颠簸了十个小时后，道路渐渐蜿蜒成巨石间的小径，通往喀喇昆仑山脉高地的山口。侯赛因在路的尽头刹车，乘客一个个爬过塑料布包裹着的炸药箱下车。对摩顿森、侯赛因、阿波和贝格来说，抵达布劳渡河谷最偏远的村子，是回家的轻松。但对凯文·费达可而言，这里却像是地球上最荒僻的地方。

费达可做过《户外》杂志的编辑，后来决定离开办公室，到野外进行实地采访和报道——这会儿他和日籍摄影师桑山照发现，自己真是跑到再"户外"不过的地方来了。

"喀喇昆仑山脉的星空简直不可思议，亮得像一片光团。"三颗流星划过天际，欢迎前来科尔飞的客人。

"科尔飞村长和他两位朋友从悬崖上面沿着弯弯曲曲的路走下来。"费达可说，"他们手提中国造的防风灯笼，带我们穿过吊桥，走进黑暗中。我们仿佛走进了远古时代，靠着微弱的提灯光走在石板和泥巴路上。"

费达可到巴基斯坦来，是为了帮《户外》杂志撰写高山地区的战争故事，报道刊出时的标题是《最冷的战争》。印巴两国在高山边境的冲突已经延续了十九年之久，但从来没有记者真正来此地采访，费达可应该是第一人。

"摩顿森竭尽所能帮助我们。"费达可说,"他帮我向巴基斯坦军方申请采访许可证,把我介绍给每一个人,还安排直升机接送我们。我们在巴基斯坦什么关系都没有,如果没有他,根本不可能把这些事情搞定。摩顿森毫无保留的慷慨协助,是我当记者以来不曾遇到过的。"

那天晚上费达可爬上床,用"闻起来像死羊味儿一样的肮脏羊毛毯"把自己裹起来的时候,他还不知道自己很快就会以意想不到的方式,报答摩顿森的善良相助。

"我早上睁开眼睛时,还以为有人在办嘉年华呢!"费达可描述。

"哈吉·阿里去世前,在房子隔壁盖了一间小屋,那是我在巴尔蒂斯坦的家。"摩顿森说,"塔瓦哈亲手用各种颜色的布料布置房间,铺上毯子和坐垫,还把我在科尔飞的故事画在墙上。那房子后来变成了男人俱乐部,外加非正式的村办事处。"

费达可起床准备喝他的第一杯茶时,村民大会已经快开始了。

"村民们看到摩顿森都相当兴奋,我们还没醒他们就爬了进来,围在附近。"费达可说,"他们把茶杯塞到我们手上,一群人开心得像是疯了,又说又笑又叫。"

"不管是回到科尔飞还是到其他村庄,我都要花几天时间和村民们开会。"摩顿森说,"总是有很多事必须讨论。我得知道学校的情况,有没有什么地方需要修理,学生需不需要新的教材文具,老师们有没有定期收到薪水。除此之外,我们也会碰到其他问题,例如妇女中心需要添置一台缝纫机、给水工程需要换新水管,等等。这些都是中亚协会的日常事务。"

但那天早上,在布劳渡河谷的最后一个村落里,一件不寻常的事发生了。一位美丽果决的年轻女子冲进房里,跨过三十多个盘腿围坐喝茶的男人,勇敢地坐到帮科尔飞盖学校的男子面前,打断了男人们欢乐的会议。

"葛瑞格医生,"嘉涵语气坚定地用巴尔蒂语说,"你答应帮我们村子盖学校,你真的信守承诺了。但在学校盖好的那天,你也答应过我一件事,你还记得吗?"

摩顿森笑了。他每次到中亚协会建的学校时,都会花时间和学生们聊天,特别是女孩子,要她们谈谈未来的目标。一开始陪同的村民总是摇头,不理解一个大人为什么要浪费时间去听孩子——尤其是女孩子的希望和梦想。但渐渐地，村民们习惯了耐心等候，看摩顿森和每个学生握手，问他们将来想做什么，并答应如果他们用功的话，就帮助他们达成目标。嘉涵是科尔飞最优秀的学生之一，摩顿森经常听她描述未来的梦想。

"我说过我的梦想是成为医生，你说会帮助我。"坐在一群男人中的嘉涵说，"嗯，现在这一天到了。你得信守你对我的承诺，我已经准备好开始产妇医护培训了，我需要两万卢比。"

嘉涵打开她准备的申请书，用英文仔细说明她的产妇医护课程。让摩顿森印象深刻的是，她甚至把学费和教科书的费用都仔细地列出来了。

"太棒了，嘉涵，我会找时间仔细看，然后跟你父亲讨论。"

"不行！"嘉涵用英文大声说，然后又换回巴尔蒂语，"你不知道，我下星期就要开学了，我现在就需要钱！"

摩顿森面带微笑看着这位勇敢的女孩儿。她是他第一所学校第一个班级的第一位毕业生，早就完全接受了他希望传达给女孩子的观念——她们可以和男人一样优秀。摩顿森要阿波把钱包递过来，昔日的老厨师拿出一个很不搭调的粉红色双肩背包给他。摩顿森点出两万卢比（约四百美元）给嘉涵的父亲，作为她的学费。

"这是我这辈子见过的最不可思议的事情之一。"费达可说，"在这么保守的伊斯兰村庄，这个少女就这样跑进来硬挤进男人圈里头，她的行为至少打破了六重传统。她是这个有三千人口的村庄里最早受教育的女性，她不怕任何人，直接就坐在摩顿森面前。她交给摩顿森的申请书完全是用英文写的，她希望能有更好的学习环境，将来改善村民的生活。那一刻，从事新闻工作六年来，我第一次无法维持客观的立场。我告诉摩顿森，'你在这里做的事，比我原本要报道的故事重要得多，我必须想办法告诉大家。'"

那年秋天，在高山上采访巴基斯坦及印度士兵两个月后，费达可准备回家好好休息，中途在纽约停留了几天。期间他和老友《游行》杂志的主编拉玛·葛兰姆共进午餐。"葛兰姆问我采访故事写得怎么样，我却开口就说我跟摩顿森在一起时看到的一切，而且一说就停不下来。"费达可回忆。

"那是我听过的最了不起的故事。"葛兰姆说，"我告诉费达可，就算他说的只有一半是真的，我们也要报道。"

第二天，摩顿森地下室办公室的电话响了起来。"老天，那一切都是真

232

的吗?"葛兰姆用密苏里人特有的悠缓腔调问,"你真的做了费达可跟我说的那些事吗?在巴基斯坦?就你一个人?如果你真做了那些事,那你绝对是我心中的英雄。"

摩顿森很容易害羞,那天当然也不例外。"嗯,我想是吧。"他觉得血液全冲到了脸上,"但我不是一个人,有很多人帮忙。"

4月6日,星期天,美军地面部队集结在巴格达外围,准备开展对萨达姆政权的最后一波攻击时,全美国发行了3400万份以摩顿森照片为封面的《游行》杂志,主打标题是"他用课本对抗恐怖主义"。

自"9·11"事件以来,摩顿森一直努力向美国人传递的讯息,现在终于传出去了。费达可的报道以他在科尔飞看到嘉涵冲进男人圈里的故事开场,然后详细解释摩顿森的工作与美国安全之间的关系。

"如果我们妄想只凭军事武力解决恐怖主义,"摩顿森告诉《游行》的读者,"那我们绝不会比'9·11'之前更安全。如果真的想让下一代安全成长,我们就必须明白,最终要靠课本去赢得这场战争,而不是炸弹。"

美国社会原本就对反恐战争有分歧,摩顿森以另一种方式对抗恐怖主义的建议,无疑触到了这个国家最敏感的神经。超过一万八千封信件和电子邮件从美国五十个州以及世界二十多个国家涌来。

"摩顿森的故事造成了热烈的反响,那是我们创刊六十四年之最。"《游行》杂志总编李·克罗维兹说,"我想那是因为大家终于明白,摩顿森是真正的美国英雄。他一个人赤手空拳发起对抗恐怖主义的战争,这跟每个人息息相关,而且用的武器不是枪弹而是学校。到哪里去找比这更完美的故事?"

文章刊出后的几个星期,信件、电话和电子邮件越来越多,几乎要把摩顿森的地下室淹没了。

摩顿森向一位能干的朋友安·贝尔斯多佛求援。这位后来在阿诺·施瓦辛格竞选加州州长时任媒体顾问的自由派民主党员,从华盛顿飞到波兹曼,快刀铁腕地整顿了他的办公室。她先安排内布拉斯加州奥哈马市的一家电话客服公司代他们接听所有电话,然后立即升级中亚协会的网站带宽,以应付惊人的点击量。

故事刊出后的那个周二,摩顿森到邮局去领中亚协会的邮件,发现信箱里塞了八十封信。星期四他又去领信时，这次信箱里只有一张纸条，请他到柜台拿信。

"你就是葛瑞格·摩顿森吧。"邮局局长说，"但愿你是开货车来的。"那天，摩顿森搬了五麻袋信到他的丰田汽车上，第二天又回去搬另外四袋。接下来的三个月里，波兹曼邮局的员工一直为《游行》杂志读者的来信忙碌不停。

在萨达姆的雕像轰然倒下的画面播送到全世界之前，摩顿森的人生就已经永远改变了——潮涌而来的支持，让他只有一个选择，就是接受他在美国人民中间的声望。

"好像全美国都在对我说话，整个民族都在对我说话。"摩顿森说，"最神奇的是，当我读完所有的信，发现只有一封是负面内容。"

各地涌入的支持信件，终于抚平了摩顿森在"9·11"事件之后收到死亡威胁信件的伤痛。

"最让我感动的是，这些信来自各式各样的人，包括基督教团体、穆斯林、印度教徒和犹太教徒。"摩顿森说，"还有马林郡的女同性恋政治组织、亚拉巴马浸信会的青年团契，以及美国空军的将军，几乎你能想得到的团体都有。"

住在费城郊区的13岁男孩杰克·格林斯伯格，读到摩顿森的故事后深受感动，把他在犹太教受诫礼上收到的一千多元的红包全额捐给中亚协会，并且申请前往巴基斯坦担任志愿者。

格林斯伯格说："虽然我是犹太人，但我完全愿意捐钱帮助穆斯林，我们必须一起努力种下和平的种子。"

一位署名苏菲雅的女子，寄了封电子邮件到中亚协会的邮箱："身为出生在美国的穆斯林，我心存感激。谨此献上我最诚恳的尊敬和仰慕，谢谢你。"

许多美国现役军人也写信过来，把摩顿森当成和他们一起在前线打击恐怖主义的同袍。

"身为美国陆军上尉，我曾随第82空降师参与阿富汗战争，见识过中亚农村的生活。"北卡罗来纳州费特维拉的杰森·尼克森在信上写着，"阿富汗的战争是残酷且具毁灭性的，特别是对无辜的老百姓而言。老百姓只想和家人过像样的生活，不应该遭受这些痛苦。中亚协会的学校为当地孩子提供了另一种选择，让他们不再迫于生计而去激进的宗教学校读书，那些激进的宗教学校是传播塔利班原教旨主义的温床。要确保我们未来的安全，再没有比让孩子受教育更好的办法了！中亚协会现在是我捐款赞助的首选对象。"

普通民众也深有同感。当美军部队进驻伊拉克，开展长期拉锯战时，安·贝尔斯多佛也整顿好摩顿森的办公室，回到华盛顿。中亚协会首度脱离赤字边缘，已经有一百多万美元的盈余。

"中亚协会已经好久没有像样的经费了，所以我很想立即回去开始工作。"摩顿森说，"但理事会逼我先做一些改变，他们已经说了好多年，我也觉得是时候了。"

摩顿森在波兹曼大街隔街的一栋普通楼房里，以每月六百美元租了一间小办公室，雇了四名员工，分别负责安排他的演讲行程、编写新闻通讯、维护网站，以及管理中亚协会日益增长的捐款人资料库。此外，十年来薪水总是左手进、右手出的摩顿森，在理事会的坚持下接受了加薪，薪水调整为接近原来的两倍。

摩顿森和家人过了将近十年的拮据日子，家庭收入的增加，让塔拉·毕夏终于松了一口气。但随着各界捐款的涌入，丈夫更频繁地离家实施各项计划，她还是一点儿也快乐不起来。

"先是葛瑞格被绑架，接着是'9·11'，我早就不再劝他别回中亚地区工作了，我知道他还是会去。"塔拉说，"所以我学会活在一种叫做'功能性否认'的情境当中，也就是当他不在时，我不断告诉自己他不会出事。我信任他身边的人，也信任他的智慧，毕竟他已经在那里待了那么久。不过只要有一个宗教极端分子策划一下，就能轻易杀了他。只是当他不在家的时候，我不让自己去想这些。"塔拉的笑容依旧带着明显的紧张。

查理·薛曼斯基预言摩顿森有一天会得诺贝尔奖，他的妻子克莉丝提安·雷汀格则认为，塔拉的冷静坚忍，和摩顿森在海外冒险工作同样伟大。

"多少女人能有这样的意志和眼光，愿意让孩子的父亲在那么危险的地方工作，而且一去好几个月？"雷汀格问，"塔拉不光允许，还支持丈夫的工作，因为她衷心相信摩顿森的使命。如果她不是英雄，那谁是？"

苏利曼是摩顿森的巴基斯坦工作伙伴中，第一个听到这些好消息的人。中亚协会在巴基斯坦的员工，多年来和摩顿森一样辛勤工作，却没有享受到当地人帮外国机构工作应有的各项福利。摩顿森决定同他的团队分享中亚协会的幸运。

摩顿森告诉苏利曼，立即给他加薪，他的年薪由八百美元变成一千六百美元。这些钱可以让苏利曼完成他多年来的梦想：把家人从多克鲁那村接到拉瓦尔品第来，送儿子英姆兰去私立学校念书。苏利曼高兴得合不拢嘴。

自从一起工作以来，这些年两人都胖了不少，苏利曼的头发也几乎全白了。现在有薪水当后盾，他决定向白发宣战。

苏利曼把车开到当地最时髦的购物中心，走进一家美容院，选了服务单上最贵的一项。两个小时后，走出美容院时，苏利曼的满头白发已经染成了深浅不一的橘黄色。

到了斯卡都，摩顿森便在印度饭店的二楼餐厅召开会议，向大家宣布这些好消息。等大家围着两条长桌坐定后，他向大家宣布，阿波、侯赛因、贝格的薪水调整为原来的两倍，从年薪五百美元增加到一千美元。担任中亚协会驻巴基斯坦主任的帕尔维，当时的年薪是两千美元，调整之后为四千美元——这在斯卡都地区算是惊人的高薪，代表着帕尔维对中亚协会不可或缺的卓越贡献。

摩顿森另外给了侯赛因五百美元，让他把多年来翻山越岭的吉普车的引擎好好检修一番。既然现在有足够的经费了，帕尔维建议在斯卡都租一间仓库，买一整批水泥和建材存在仓库里备用。

同六年前第一次在楼下大厅开会时一样，摩顿森又感受到了迫不及待的兴奋。他让伙伴们快速启动二十多项兴建学校、妇女中心和给水工程的计划。就在出发前，他又提出了另一项新计划，"这些年来，我一直担心学生毕业后该怎么办。帕尔维先生，你能不能研究一下，在斯卡都盖一间青年旅馆要多少钱？这样一来，如果我们为最优秀的学生提供奖学金，让他们在斯卡都进修的话，他们就有地方住了。"

"我非常乐意，医生先生。"帕尔维开心地笑着说，这些年来他一直梦想的计划终于能实现了。

"哦，还有一件事。"

"请说，葛瑞格医生。"

"雅思敏将是第一批得到中亚协会奖学金的学生之一，如果她今年秋天要读私立高中，学费需要多少钱？"

15岁的雅思敏是帕尔维的女儿，永远是班上的第一名。很明显，除了父亲卓越才智的遗传，她也继承了他全心投入的精神。

好半天，古拉姆·帕尔维这位全斯卡都最有绅士教养的人，张着嘴惊讶得说不出话来。"我不知道该说什么才好。"最后他终于开口。

"安拉乎艾克拜尔！"阿波大喊起来，拼命挥舞着双手，全桌的人也都大笑欢呼。"多久了……"阿波沙哑地笑着说，"我一直……在等这一天！"

整个2003年，摩顿森的团队充满了激情，像不要命一样奋力工作。涌入的捐款让他们又启动了九项计划，他们到每个工地去探询进度，运送建材，协助解决各种问题。九个项目都进展得很顺利，反倒是中亚协会在穆札佛的家乡哈尔德村庄盖的学校遇到了麻烦。本来这所五间教室的学校办得十分成功，已经由当地政府接管。

1993年帮摩顿森的队友达斯尼在巴托罗冰川上背行李、安全陪他下山的挑夫雅古，是造成学校危机的人。雅古和穆札佛一样都退休了。结束山上的日子后，他希望能担任看守学校的门房。他向地方政府提出请求但未获回应，就用铁链把学校锁了起来，想威胁政府付他薪水。

摩顿森在斯卡都获悉此事，第二天就坐了八个小时的吉普车赶到哈尔德。下车前，摩顿森突然想到个主意，把手伸到司机侯赛因的座位下。

雅古站在被锁住的学校大门前，围观的村民越聚越多，他脸上露出了一丝犹豫的神情。摩顿森走上前，微笑着用右手拍拍雅古的肩膀，然后把藏在身后的左手伸出来——手里是两管炸药。

在礼貌寒暄、问候朋友与家人后，雅古颤抖着问了躲不掉的问题："这是什么？葛瑞格医生先生？"

摩顿森脸上还是挂着微笑，心想这些炸药能清除的也许不只是实际道路上的障碍。"拿着。"摩顿森用巴尔蒂语说着，把炸药塞进雅古颤抖的手中。"我现在得去坎带村察看另一所学校的进度，明天我回来的时候会带一根火柴，如果门还是没开，学生没办法进去上课，我们会在清真寺通知大家到学校集合，然后看着你点燃火药把学校炸掉。"

摩顿森把炸药留在雅古颤抖的双手中，转身走回吉普车。爬上车前，他回头对着老友说："你自己决定啰，明天见。"

第二天下午摩顿森回到哈尔德学校发铅笔和笔记本时，学生们已经快乐地坐在书桌前了。从阿波口中，摩顿森得知穆札佛——他的另一位老友，在摩顿森离开后，给了雅古另外一个选择。

"拿出钥匙把门打开，"穆札佛告诉雅古，"要不然我会亲手把你绑在树上，用葛瑞格医生的炸药轰掉你。"后来摩顿森获悉，村民大会决议罚雅古每天早上帮学校扫地——没有薪水。

但中亚协会在巴基斯坦北部地区遇到的困难，并非都这么容易解决。摩顿森很愿意把炸药送给阿嘎·穆巴拉克，但还是得耐心听从帕尔维的建议，把他摧毁喜玛斯尔村学校的案件交给宗教法庭审理。

在科尔飞学校之后，喜玛斯尔村的学校是摩顿森最在乎的一个计划。摩顿森景仰的美国登山家暨奥林匹克滑雪选手奈德·吉列，1998 年与妻子苏珊在哈拉木什河谷徒步时遇害，哈拉木什河谷就位于喜玛斯尔和亨札河谷之间。吉列的死亡细节，巴基斯坦当局至今没有核实。摩顿森从哈拉木什居民口中得知，几名挑夫曾坚持要吉列夫妇雇用他们，但习惯高山旅行的吉列只带了两个小背包，所以拒绝了他们。其中两名挑夫被拒后深觉难堪，当天晚上就带着猎枪找到吉列夫妇休息的帐篷。

"我猜他们可能只是想抢钱。"摩顿森说，"拿些钱，弥补一下受损的尊严。但很不幸，最后的结果完全失控。"吉列因腹部中弹而死亡，他的妻子腿部受了重伤，幸好保住一命。

"据我所知，奈德·吉列是第一个在巴基斯坦北部遇害的西方人。当他妹妹跟我联系，希望捐钱建学校纪念她哥哥时，我马上全力配合，我想不出比这更有意义的纪念方式了。"

喜玛斯尔的村民们为奈德·吉列学校选择的地点，不仅离吉列当年遭害的山口很近，而且就在毛拉阿嘎·穆巴拉克所在的出创村旁边。

"我们把学校的墙砌好，准备把屋顶放上去的时候，阿嘎·穆巴拉克和他的手下就来阻挠我们的工作。"负责督导喜玛斯尔学校计划的村长麦迪·

238

阿里说。

"穆巴拉克告诉我：'这所异教徒的学校不好，是要把学生变成基督徒的。'我跟他说：'我认识葛瑞格·摩顿森先生很久了，他从来没做过这种事。'但穆巴拉克不听我的，半夜派人带着大锤子来毁掉孩子们的未来。"

那年春夏麦迪和帕尔维一直在跑法院，到最高宗教法庭出庭作证。

"我告诉法官，毛拉阿嘎·穆巴拉克一直朝我们要钱，却从没帮助过孩子。"麦迪·阿里回忆道，"阿嘎·穆巴拉克没资格对葛瑞格医生这样的好人发出'法特瓦'，他自己才应该受全能的安拉制裁。"

2003年8月，宗教法庭做出了最后裁决，完全站在麦迪·阿里和摩顿森这边。法庭宣判穆巴拉克的"法特瓦"无效，并裁定他必须支付被他破坏的八百块石料的费用。

"那是一场让人感怀的胜利。"摩顿森说，"巴基斯坦最保守的什叶派地区的伊斯兰法庭，竟然会保护一个美国人。反观我们，在所谓的司法制度下，不需要任何罪名就能把穆斯林在猪猡湾关押好多年。"

辛苦奋斗了十年，摩顿森终于觉得好运开始降临在他身上。那年夏天，穆罕默德·法利德卡恩被指派担任巴基斯坦北部地区的政务总官。法利德卡恩是瓦济里族人，一上任后便积极对抗当地的贫穷，也因此成为摩顿森的新盟友。

法利德卡恩在他吉尔吉特的办公室——一栋19世纪英国殖民时期的别墅里面，一边喝茶，吃着鳟鱼小黄瓜三明治；一边听取摩顿森的意见。为了支持女性教育，法利德卡恩除了派遣警察确保奈德·吉列学校顺利重建外，还主动提出陪摩顿森到学校主持复校典礼。

摩顿森另一位得力的朋友邦古准将，则用更特别的方式表达他的支持。邦古准将曾经是穆沙拉夫专用直升机的驾驶员，退伍后加入了巴希尔准将的民航公司。此前，他就经常驾着云雀直升机载摩顿森往来于各个偏远地区。

邦古准将按老习惯穿着战斗飞行服，只是把战斗军靴换成了蓝色慢跑鞋，因为这样踩油门的感觉比较好。

那天邦古从一个偏远村庄接摩顿森回来，沿希格尔河谷飞往斯卡都，摩顿森指着喜玛斯尔学校的废墟，提到了他和阿嘎·穆巴拉克间的宿怨。

"他家是哪一间?"邦古边问,边开足了马力。摩顿森指着穆巴拉克的高墙大院,那是普通乡村的毛拉根本住不起的房子。邦古抿紧嘴唇,把手中的飞行控制杆往前推,对着穆巴拉克的房子俯冲。

站在屋顶上的人四散奔逃,飞机像只愤怒的大黄蜂,来回俯冲了十几次,每一次都卷起一大团尘土。邦古还不时把大拇指移到标注"导弹"的红色按钮上。"真可惜,我们没装武器。"他意犹未尽地把机头调回斯卡都的方向。"不过这会让他好好反省反省。"

六个月后,十五架军事直升机从达瑞里河谷上空成队飞过,扫荡对八所政府女子学校进行爆炸攻击的极端分子,那些人是塔利班和基地组织的残余部队,正躲在达瑞里河谷以西三百多公里的地方。这次邦古的飞机真的装上了武器。

2003年秋天,中亚协会在巴基斯坦的各项工作逐渐步入正轨,摩顿森正准备安心离开。巴希尔准将坐在拉瓦尔品第的办公桌前,一边安排摩顿森飞往阿富汗的航班,一边跟他探讨教育对巴基斯坦孩子的重要性,以及他对恐怖主义宣战的成果。

"你知道吗,葛瑞格,我必须感谢你们的总统。"巴希尔在液晶屏电脑上翻看着一页页的班机时刻表。"我们西边的边境问题越来越大,结果是你们总统出钱把问题解决掉。"

说到这里,巴希尔停下来盯着屏幕一角的小视窗,那上面正在直播CNN记者在巴格达的报道。一名伊拉克妇女在瓦砾堆中抱着孩子的尸体哭泣。

公牛般强壮的巴希尔一下子垮在椅子上。"像我这种人,是美国在这个地区最好的盟友。"巴希尔悲伤地摇着头,"然而连我看到这种画面后都想参加'圣战'。美国人怎么会以为这样做能让自己更安全?"巴希尔努力不把怒气转移到面前的大块头美国人身上。"你们的布什总统只做到了一件事:让十亿穆斯林团结起来,在未来两百年内一致对抗美国。"

"本·拉登也有责任。"摩顿森说。

"本·拉登,呸!"巴希尔怒吼,"本·拉登不是巴基斯坦或阿富汗的产物,他是美国为了对抗苏联才制造出来的,而且多亏美国,现在家家户户才都认识他。我是军人,我知道你永远不可能打赢那种'打你一拳,然后逃走躲起来’，让你必须永远保持警戒的人。以美国来说，真正的敌人既不是本·拉登，也不是萨达姆或其他的人，真正的敌人是‘无知’。要击败它的唯一方法是和人民建立关系，用教育和商业带他们进入现代社会，要不然战争将永无止尽。”

巴希尔深吸一口气，又瞄了屏幕上的巴格达一眼，画面上是一群激进的伊拉克年轻人，在路边引爆一颗炸弹之后朝空中挥舞着武器。

“对不起，”他说，“是我太无礼了，你当然明白这一切。我们是不是该用午餐了？”他打开对讲机，让勤务兵把特意从“蓝区”的肯德基帮摩顿森买的炸鸡送进来。

天气转冷，斯卡都的天气相当糟糕。2003 年 10 月，摩顿森回到巴基斯坦进行该年度最后一次探访，虽然天空低云密布，气温很低，他却觉得非常满足，因为接下来他就要前往阿富汗推动中亚协会的新计划了。

摩顿森离开拉瓦尔品第之前，巴希尔准将表示将捐出四十万卢比（相当于六千美元）——在巴基斯坦是相当大的一笔——让中亚协会在他家乡建学校。他的家乡位于白沙瓦东南方，那里到处都是宗教极端分子建的宗教学校。巴希尔还答应号召军中朋友一起捐款，让这场抵抗恐怖主义的战争更有效地开展下去。

此外，摩顿森也在宗教法庭赢得了重大胜利，克服了第二个“法特瓦”，这是一个重要的里程碑。明年春天又将有十所学校完工启用，其中九所是用《游行》杂志读者的捐款兴建的，另一所则是喜玛斯尔村重建的奈德·吉列学校。摩顿森准备前往阿富汗时，中亚协会在喀喇昆仑山脉和印度河谷地区建设的学校已超过四十所，而且数量还在不断增长。由于摩顿森的努力，各地村民们都对石墙里读书的孩子关怀备至。

在车水马龙的斯卡都，塔瓦哈租的一小间土砖房外，一群孩子正在吃草的牛群旁踢足球。嘉涵和泰希拉就住在土砖房里，在两位男性亲戚的监护下彼此照顾，追求她们的梦想。

她们是科尔飞学校毕业的首批女学生，也是第一批拿到中亚协会奖学金前往斯卡都进修的学生。摩顿森离开前一天，他和嘉涵的父亲塔瓦哈一起去探视两个女孩，嘉涵开心地帮他泡茶，就像祖母莎奇娜生前经常做的那样。

241

喝着立顿茶包冲的茶，而不是用茶叶煮的茶，也没有带酸味儿的牦牛奶，摩顿森忍不住想，不知莎奇娜会怎么说，或许她还是比较喜欢"白玉茶"！不过可以肯定的是，她一定会以孙女儿为荣。

在中亚协会的资助下，嘉涵和泰希拉在斯卡都私立女子模范高中读完了所有课程，包括英语语文、乌尔都语文、阿拉伯语文、物理、经济学和历史。

披着洁白无瑕的头巾，穿着凉鞋，泰希拉告诉摩顿森，毕业后她打算回科尔飞陪父亲侯赛因一起教书。

"能有这样的学习机会我很幸运。"她说，"现在我们回到山上，所有人都觉得我们是很时髦的小姐。我想让布劳渡河谷的每个女孩儿都有这样的机会，让生活变得不一样。我能做的就是回到山上去，确保每个女孩子都有这样的机会。"

原本计划在斯卡都接受医护培训后就回科尔飞工作的嘉涵，现在有了更远大的目标。"遇到葛瑞格医生之前，我对教育一点儿概念都没有。"嘉涵边说边帮摩顿森加茶，"但现在我认为教育就像水一样，对生命的所有层面都很重要。"

"那么嫁人的事呢？"摩顿森问，他知道村长的女儿永远都是君子好逑，特别是一位漂亮的 17 岁女孩儿，不过，一位巴尔蒂丈夫可能不会支持年轻妻子的求学梦想。

"别担心，葛瑞格医生。"塔瓦哈用他遗传自哈吉·阿里的沙哑声音说，"这女孩儿把你教的功课学得很好，她已经说得很明白了，在她完成学业之后，我们才讨论她该嫁给哪个适合的男孩儿。我也同意了，就算卖地也会帮她完成学业，以纪念我父亲。"

"将来你打算做什么？"摩顿森问嘉涵。

"你答应不要笑话我。"

"还真不好说。"摩顿森开起了玩笑。

嘉涵深吸了一口气，整理着她的思绪。"我还小的时候，看到穿着干净衣服的先生或女士就会跑开，把自己的脸藏起来。但从科尔飞学校毕业时，我的生命有了很大的改变，我觉得自己头脑清楚，外表也很整洁，可以走到任何人面前跟他们讨论任何事情。"

"现在在斯卡都，我更觉得生活充满了各种可能性。我不想只做一名医护人员，我想成为能干的女人，盖一所医院，成为主管，照顾整个布劳渡河谷妇女的健康。我想成为这个地区有名的女性。"嘉涵用手指缠着紫红丝织头巾的一角，望着窗外思索合适的用词。毛毛细雨中，一个男孩儿正把足球踢向石堆做成的球门。

"我想成为……女强人。"她勇敢地微笑着，仿佛在挑战任何一个说她不行、不可以的男人。

摩顿森没有笑话她。他对着哈吉·阿里勇敢的孙女儿微笑，想象老村长如果能活到今日，脸上一定会露出满意的笑容。当初他们一起种下的种子，如今已结出灿烂的果实。

五百八十封信，一万两千美元，十年的努力，这些辛苦都微不足道。

就为了眼前这一刻。

二十三　把石头变成学校

我们的大地受伤了，她的海洋和湖泊都在生病。
她的河流像流脓的伤口，空气中充满微细的毒物。
无数地狱之火的油烟熏黑了太阳，家乡、亲人、朋友，
四散分离的男人女人，孤寂迷失地漂泊着，
在有毒的太阳下被烤焦……

在令人恐惧、盲目不确定的沙漠中，
有人选择追求权势，有人成为幻觉和欺骗的操弄者。
如果智慧与和谐仍然居住在这个世界，
而不是未打开的书中、已遗失的梦，
它们必然存在于我们的心跳之中。我们的呼喊将从心底发出，
我们呼喊，而我们的声音是受伤大地唯一的声音。
我们的呼喊，是行遍世界的大风。

——《格萨尔王传》

国王坐在靠窗的位子。摩顿森认得他，因为市场上旧版的阿富汗纸币上面印着国王的肖像。在阿富汗航空的波音 737 飞机上，89 岁的查希尔·沙阿正看着窗外那将他流放了近三十年的祖国。此时的他看起来比肖像苍老了太多。

除了国王、他的卫队和几位空中小姐，摩顿森是这架从伊斯兰堡飞往喀布尔的班机上唯一的乘客。查希尔·沙阿的眼神从窗口移开，看见了过道对面的摩顿森。

"愿安拉赐你平安。"摩顿森用阿拉伯语说。

"你也一样，先生。"查希尔·沙阿回答。阿富汗的末代国王流亡罗马，接触了很多不同的文化，立刻辨出了眼前这位穿着摄影师背心的大块头男子是哪里人。"美国人?"他问。

"是的，先生。"摩顿森说。

查希尔·沙阿叹了口气，衰老的声音带着几十年来希望无数次破灭的苍凉。"你是记者吗?"他问。

"不是。我盖学校，让女孩子上学的学校。"

"我能问，你到我的国家做什么吗?"

"我今年春天要盖五六所学校，陛下。我带来了学校的建筑经费。"

"在喀布尔吗?"

"不是，在巴达赫尚省，瓦罕走廊。"

查希尔·沙阿挑了挑眉毛，拍拍身旁的椅子，示意摩顿森坐到他旁边。"你认识那里的什么人吗?"他问。

"说来话长。几年前，几个吉尔吉斯人越过艾尔沙德山口到查普森河谷找我，请我到他们的村子里盖学校，我答应我会去……和他们讨论盖学校的事，但一直到现在才能成行。"

"一个美国人要去瓦罕走廊。"查希尔·沙阿说，"有人告诉我，那里的人帮我盖了一栋打猎的别墅，但我没机会去，太远、太不方便了。现在阿富汗已经没有几个美国人了，一年前这架飞机上坐满了记者和救援人员，现在那些人都在伊拉克，美国把我们忘了。又一次。"

一年前，流亡国外多年的查希尔·沙阿终于飞回喀布尔，欢呼的群众迎接他的归来，以为生活又将回到国王在位时的正常轨道，再没有苏联的压迫统治、腐败的军阀和塔利班，还有他们带来的暴力。查希尔·沙阿 1933 年即位，1973 年他的堂兄穆罕默德·达乌德卡恩篡位，沙阿统治下的阿富汗一直是太平盛世。1964 年，他推动阿富汗立宪，使阿富汗走上民主之路，给予人民投票权，解放妇女，并成立了全国第一所现代大学，聘请外国教授和援助人员，跟他一起为阿富汗的现代化努力。对许多阿富汗人而言，查希尔·沙阿代表了他们理想中的幸福生活。

2003 年秋天，这些希望慢慢破灭了。留在阿富汗的美军大部分都隐形了——不是去追捕本·拉登和他的支持者，就是保护哈米德·卡尔扎伊新政府的安全。阿富汗各地的暴力事件迅速增加，据说塔利班又在重新集结。

"就像我们在苏军撤退后遗弃了抗苏'圣战士'一样，我担心我们又再次遗弃阿富汗。"摩顿森事后说，"据我了解，我们答应提供给阿富汗的援助只有三分之一真正到位。在玛丽·波诺的帮忙下，我和国会负责拨款到阿富汗的人见了面，我把乌兹拉和老师们拿不到薪水的问题告诉他，问他钱为什么没有到达阿富汗。'很困难。'他告诉我，'阿富汗没有中央银行系统，没办法汇款。'但那实在算不上什么理由。我们把现金送给对抗塔利班的军阀们，从来没出过什么问题，我不明白为什么不能用同样的方法修路、建下水道，还有盖学校。如果我们不信守承诺，就清楚表达了一个讯息：美国政府根本不在乎阿富汗人民。"

查希尔·沙阿把戴着宝石戒指的手放在摩顿森手上。"我很高兴至少有一位美国人来了。你想见的那个人在北方，叫萨哈·卡恩，他是个军阀，但他关心人民。"

"我也这么听说过。"摩顿森说。

查希尔·沙阿从条纹长袍下的西装口袋里掏出一张名片，又叫随从把他的手提箱拿来。老国王把大拇指按在印泥盒上，在名片背面留下指纹。"你把这个给卡恩。"他说，"愿安拉与你同在。也请带着我的祝福前去。"

飞机盘旋了好几圈儿才降落在喀布尔机场。阿富汗首都的安全状况并没有比一年前好多少，所以驾驶员格外小心。

但喀布尔的市内交通其实更加恐怖。从机场到"喀布尔和平宾馆"短短的距离，虽然阿布杜拉稳稳控制着丰田汽车的方向盘，还是有四次差点儿出事故。"美国支持的政府，本该完全控制喀布尔的局势。"摩顿森说，"但事实上，阿富汗政府的控制范围几乎到不了城市边界，连交通也管不了。司机完全忽视交通标志，更不理会路边叫喊的警察，基本上想怎么开就怎么开。"

摩顿森的目的地是法扎巴德，阿富汗北部巴达赫尚省最大的城市，他准备把那里作为去乡村修建学校的基地。他至少还得坐两天车才能到那里，一路上交通混乱不说，乡间还有塔利班的游击队。这已经是他第三次到阿富汗了，他必须信守对吉尔吉斯骑马人的承诺。那些人后来在瓦罕走廊做了深入调查，又骑了六天马去祖德卡恩村找费瑟·贝格，告诉他当地有五千两百名儿童没有学上，他们正等着摩顿森去盖学校。

巴希尔准将原本打算用双引擎直升机把摩顿森直接送到法扎巴德去，但卡塔尔负责监管阿富汗领空的美军指挥部拒绝了他的飞行请求。

摩顿森在"喀布尔和平宾馆"没电的房间里生闷气，气自己离开伊斯兰堡之前竟然忘了给笔记本电脑和相机充电。在阿富汗的首都，电力状况相当不可靠，到巴达赫尚之前，他很可能连能用的插座都找不到。

摩顿森打算清晨出发，因为白天赶路比较安全。他要阿布杜拉去租辆不仅能跑山路，还能应付一路弹坑的吉普车。直到晚餐时间阿布杜拉都没回来，摩顿森本想出去找东西吃，最后还是决定躺在窄小的床上先睡一觉。

将近午夜时，他被敲门声惊醒了。在梦里，一颗炸弹刚好掉在房顶上。

阿布杜拉同时带回了好消息和坏消息。他设法租到了一辆苏制吉普车，并且找到一位名叫凯思的塔吉克年轻人随行当翻译，因为他的老搭挡哈什曾是塔利班士兵，不方便到那里去。唯一的问题是，他们的必经之路沙兰隧道将在早上六点钟关闭。

"隧道什么时候再开放？"摩顿森还没有放弃好好睡一晚的期盼。

阿布杜拉耸耸肩，从他烧伤的脸上很难看出表情，但他耸起的肩膀告诉摩顿森，问也是白问。"十二个小时？两天？"他猜着，"谁知道呢？"

摩顿森开始收拾行李。

他们穿过电力中断的喀布尔往北行驶。成群的穿着白袍的男人在整夜点着油灯的茶摊儿间游走，等着搭早班飞机前往沙特阿拉伯。每个穆斯林一生中至少得到麦加朝圣一次，这些正是准备去朝圣的人。昏暗的城市充满着节庆的兴奋，许多人即将开始一生中最重要的旅程。

摩顿森一行人在城市里绕着圈子找加油站，他唯一能记住的一个景象，是阿富汗的前国防部大楼。白天时摩顿森曾路过那里。历经三次战争的空袭，大楼只剩下架子，一副快垮了的样子。此时到了晚上，住在里面的人开起了火，加上炸开的锯齿状空洞和没有玻璃的窗户，大楼看起来像是万圣节的南瓜灯笼。

昏沉中，南瓜灯的"眼睛"隐入摩顿森身后的黑暗，他感觉身体开始飘浮，又仿佛正向五角大楼奔跑着，跑在和拉姆斯菲尔德鞋子一样闪亮的大理石地板上。

沙兰隧道离喀布尔只有一百公里，但老旧的苏制吉普车爬上兴都库什山脉后，速度实在很慢，尽管有遭到袭击的危险，摩顿森还是忍不住又睡了好几个小时，直到车子开进隧道。

摩顿森在半睡半醒之间，感觉车子似乎停了下来。他揉揉眼，但四周黑得什么也看不见。他听见从车前方传来的声音，借着火柴微弱的亮光，他看到阿布杜拉没有表情的伤疤脸出现在凯思忧虑的脸旁。

"我们正到到隧道中间，车子的水箱突然坏了。"摩顿森回忆，"我们刚好在上坡弯道上，从对面来的下坡车辆不到最后一秒就看不到我们，在那里抛锚真是糟透了。"

摩顿森抓过背包，想从里面拿出手电筒，这才想起匆忙打包的时候，把手电筒连同电脑和相机都落在宾馆了。他爬出车外，站到阿布杜拉身边。隧道中的冷风让阿布杜拉几乎划不着火柴，最后他们还是找出了问题：水箱的橡皮管松脱了。

摩顿森还在想他有没有带胶带，一辆苏制卡玛斯大货车忽然从对面冲来，司机急按喇叭，但摩顿森一行人根本来不及闪躲。就在摩顿森以为必死无疑的时候，大货车紧急转回左侧车道，贴着他们身体冲过去，只是把吉普车后视镜刮断了。

"我们走！"摩顿森下了命令，把阿布杜拉和凯思推到隧道墙边。风越来越强，他把手伸出去感知风的方向。一行人贴着隧道墙壁前进。另一辆卡车迎面驶来，车灯照在隧道凹凸不平的岩面上，摩顿森看见一处他认为是门的暗处，和同伴穿门而出。

"我们一走出去，就是山口顶部的雪地。"摩顿森说，"借着月光，我们看东西很清楚，我正在想我们是在山口左边还是右边，准备还往下走。"

然后摩顿森看到了第一块红色的石头。皑皑白雪中，摩顿森差点儿忽视那块石头，一旦看到，他立刻知道白色雪地下布满了地雷。

阿富汗是世界上地雷最多的国家，几十年来三四支不同的军队埋下了几百万颗地雷，多到没人知道究竟哪些地方是雷区。直到有牛羊或孩子不幸踩上地雷，排雷小组才会先把这个地区的石头漆上红色，过几个月有空时再慢慢清理。

凯思看到身边到处都是红色的石头，不禁惊慌起来。摩顿森抓住小伙子的手，怕他紧张之下乱跑。

有被地雷炸伤的惨痛经历的阿布杜拉开口了："慢慢来，慢慢来。"他把脚从雪地中抽回。"我们得回里面去。"

"我们回到隧道里的话，八成会被撞死。"摩顿森说，"但继续前进却铁定活不了。"凯思整个人都僵住了，摩顿森带着他慢慢走回隧道的黑暗中。

"如果后来不是有一辆往上爬的卡车，真不知我们会有什么下场。"摩顿森说，"但是感谢上帝，接着过来的是一辆上坡的卡车。我跳到车前挥手，请司机停下来。"

摩顿森、凯思和另外五个男人挤在贝德福德卡车的驾驶室里，阿布杜拉坐在吉普车里控制方向盘，让卡车慢慢拖着它往上爬。"他们是一伙儿走私贩。"摩顿森说，"车上装了几十台全新的冰箱，要运到马扎里沙里夫去。车子严重超载，移动的速度很慢，但我并不担心。"

凯思紧张地打量着那些人，用英文跟摩顿森小声说："这些是坏人。小偷。"

"我要凯思安静下来。"摩顿森回忆，"我绞尽脑汁地想，该如何运用过去十多年在巴基斯坦的经验处理当时的情况。我决定信任那些人，开始跟他们闲话家常。几分钟之后，大家都放松下来了，尤其是在他们请我们吃葡萄之后，连凯思都觉得他们没问题了。"

等他们爬上隧道最高处，摩顿森一边狼吞虎咽地嚼着多汁的葡萄，一边看着贝德福德排出的黑烟把他们租来的白色吉普车喷黑，才突然想到这些葡萄是他自昨天早餐后吃的第一餐。

卡车一直开到坡顶，三个人谢过这群人的搭救，还有他们美味的葡萄。摩顿森和凯思爬回吉普车，筋疲力竭地倒在座位上。好在蓄电池还有电，虽然引擎没发动，但车灯还能发出微微的亮光。在阿布杜拉稳稳的控制下，车子静悄悄地在隧道中滑行，滑向尽头处的阳光。

隧道东侧的潘杰希尔峡谷称得上是"死亡之谷"。峡谷中只有一条绝壁道路，守在山头的马苏德"圣战士"游击队可以轻易向侵入河谷的士兵发射火箭弹。但对摩顿森来说，在被日光染出紫晕的雪峰衬托下，隧道外的河谷看起来像是世外桃源。

"太高兴了，我们居然能活着开出隧道看到阳光，所以紧紧抱着阿布杜拉，弄得他差点儿撞车。"阿布杜拉把车停在一块大石头前，一行人爬出车子开始修车。在阳光的帮助下，他们很快就找到了问题：水箱有一段约两米长的水管得换。经验丰富的阿布杜拉把备用内胎切了一段下来，包在受损的水管外面，用摩顿森从背包里翻出来的胶布粘好。

用宝贵的矿泉水喂饱水箱后，他们又再度上路北行。那个月刚好是伊斯兰教的斋戒月，所以阿布杜拉开得很快，希望能在禁食正式开始前赶到茶摊吃早餐，但等他们抵达第一个村落保力库姆利时，所有餐厅都已经休息了。摩顿森随身带了一些花生当干粮，正好派上用场，饿坏了的凯思和阿布杜拉猛吃花生，直到太阳把河谷东边的山壁照得一片光亮。

吃完早餐，阿布杜拉到附近去看有没有人愿意卖给他们汽油，找到卖家后就把吉普车开进一间土砖房的院子里，停在一个生锈的大桶子旁。一位背几乎驼成九十度的老人拄着拐杖慢慢走出来，虚弱的手花了两分钟才拧开油桶盖，接着又吃力地转着油桶的曲柄，好把汽油抽上来。阿布杜拉看到老人辛苦的样子，立刻跳过去接手。

阿布杜拉装汽油的时候，摩顿森通过凯思的翻译，开始和说达利语的老人聊天。"以前我住在舒马里平原上。"名叫穆罕默德的老人说，"从前我们的土地是天堂，住在喀布尔的人周末会到我们村附近的乡间别墅度假，就连查希尔·沙阿国王——愿他的名被祝福——在附近都有一处王宫。我的花园里有各种树木，我还种了葡萄和西瓜。"老人张着几乎没牙的嘴，回忆着消逝的快乐时光。

"后来塔利班来了，家乡就不能待了。为了家人的安全，我把家搬到了沙兰的北边。去年春天，我到家乡，想看看我的房子还在不在，但一开始我根本找不到。我在那里出生，在那里住了七十年，我竟然认不出自己的村子，因为所有的房子都被烧毁，庄稼也都枯死了。后来我认出了我家杏桃树树干的形状——它分叉的样子就像人的手——终于找到了自己的家。"回想当时的景象，穆罕默德愤怒地喘着粗气。

"杀人炸房子这种事，在战争时总会发生。但这是为什么？"穆罕默德的问题也许只为了表达心中的哀痛，并不期待任何答案。"为什么塔利班连我们的土地也要伤害?"

一路上的景象让摩顿森越来越明白，在阿富汗的无尽杀戮，不只让老百姓受苦，也对战士们造成了可怕的伤害。他们又经过一台丢弃在路旁的苏制T-51坦克。坦克的整个炮塔都被轰掉了，变成了孩子们爬上爬下玩战争游戏的道具。

他们又经过一处墓园，当年在苏联攻击直升机的密集炮火下，所有石碑都变成了焦黑的残骸。在冷战期间，美国中情局不知提供了多少毒刺导弹，帮助"圣战士"游击队对抗苏联——而其中一位游击队领袖，就是今天的奥萨马·本·拉登。

还不到黄昏，他们已经过了汗阿巴德和昆都士，马上就要抵达塔卢坎，他们准备在那里稍做停留，在晚祷后好好吃今天的第一顿饭。摩顿森正在考虑是要阿布杜拉晚饭后继续赶路，还是等天亮安全后再走。突然，五十米外响起一阵枪声，阿布杜拉急踩刹车。

阿布杜拉迅速挂上倒车挡，加足油门让车子倒开，想远离暮色中越来越明显的曳光弹尾迹，但车子后面也响起了枪声。阿布杜拉再次踩下刹车。"走!"这回换成阿布杜拉下令，他把凯思和摩顿森推出车门，拉进路旁的水沟，用爪子似的手把两人往渗着臭水的地上按，然后举起双手做"都阿"祷告，祈求安拉的护佑。

"我们正好开进了两帮鸦片走私贩子的交战区。"摩顿森回忆，"当时正是运鸦片的季节，每年的那段时间都会发生小规模的械斗，抢夺运货驴队的控制权。走私贩用AK-47在我们头上交火，那声音听起来很恐怖，从曳光弹的红光中我看到凯思已经吓呆了。阿布杜拉则气得要命，他是个真正的普什图男子汉，一直趴在那里念叨，怪自己让他的客人陷入危险中。"

摩顿森俯卧在湿冷的泥巴中，拼命想该用什么办法脱险，其实他们什么都做不了。又有几个枪手加入了战斗，他们头上交叉的火力更加猛烈，子弹呼啸着撕裂空气。"后来我完全不去想该怎么逃，开始想我的孩子。"摩顿森说，"我想象塔拉会怎么跟他们解释我的死，孩子们能不能理解我所做的事——我不是要离开他们，我只是想在这里帮助那些和他们一样的孩子。我相信塔拉会让他们理解的。想想这些我感觉好多了。"

一辆驶近的卡车大灯照亮狭窄的道路，让蹲在两旁的走私贩一个个原形毕露，只得暂时停火找掩护。阿布杜拉见这辆车好像要往塔卢坎方向走，立刻跳到路中央，挥手要车子停下来。卡车又老又破，受损的悬吊系统让整辆车往一边倾斜，满车都是刚剥下的羊皮，正准备送到皮革工厂去。摩顿森老远就闻到了浓重的臊味儿。

两旁的枪声零零落落地响着，阿布杜拉跑到驾驶室窗户旁，喊躲在水沟里的凯思来帮忙翻译。凯思用颤抖的声音讲着达利语，要司机帮忙载一位外国人一程。阿布杜拉喊摩顿森过来，拼命挥手示意卡车后面的货舱。按照二十年前在军队中练出的方法，摩顿森躬下身子，跑出之字形路线，尽量缩小目标。他一跳上车，阿布杜拉立刻用羊皮把他盖住，把摩顿森整个儿压在湿臭的皮子底下。

"你和凯思怎么办？"

"安拉会照顾我们。"阿布杜拉说，"这些人要对付的不是我们。我们等他们停火，然后开吉普车回喀布尔。"摩顿森真心希望他的朋友说得没错，阿布杜拉用弯爪般的手拍了拍卡车的后挡板，车子的引擎重新发动。

烂羊皮的气味儿让摩顿森捏起了鼻子，卡车吃力地加快了速度。他们离开大约半公里时，走私贩的枪战又开始了，曳光弹在空中划出椭圆形的光弧。对一个星期后才能回喀布尔的摩顿森来说，那光弧仿佛是个问号，一个关于他的朋友们能不能活下去的问号。

卡车行经塔卢坎，继续往法扎巴德前进，摩顿森再次错过了晚饭。起初车上的羊皮腥味儿让他完全没有了食欲，但随着时间的流逝，他慢慢恢复了需要进食的本能。想到花生时，他才惊觉背包还留在吉普车上。摩顿森立刻坐起来摸索背心口袋，直到摸到护照和美钞，一颗心才放下，但马上又悬了起来——国王的名片也在背包里。摩顿森叹了口气。现在已经无能为力了，他只能接受没有介绍，必须直接去找军阀卡恩的事实。他用围巾把口鼻包起来，看着星空下的景色。

"只我一个人，沾了满身的泥巴和羊血，行李不在身边，也不会说当地语言；还有，我几天没好好吃一顿饭了。但是，不知为什么，我却不觉得惨。"摩顿森回忆，"我觉得自己好像又回到了多年前，带着学校建材坐在贝德福德卡车里，一路开上峡谷开到科尔飞，完全不知道接下去会发生什么事。对接下来的几天，我只有大概的计划，也不知道能不能成功，但是你知道吗？那种感觉并不坏。"

到了法扎巴德后，司机让摩顿森在"乌利亚饭店"下车。正是运送鸦片的季节，饭店所有房间都住满了，睡眼惺忪的门房给了摩顿森一条毯子，让他和另外三十几个男人睡在过道地板上。饭店没有自来水，摩顿森急着把一身腥臭冲掉，于是他走到门外，把刚好停在饭店旁边的洒水车龙头拧开，让冰冷的水柱直接冲洗衣服和裹在里面的身体。

"我连把自己弄干都省了。"摩顿森说，"用毯子把自己整个儿包起来，然后倒在走道上。那里是你能想到的最糟的睡觉的地方，旁边不是衣衫褴褛的鸦片走私贩，就是失业的游击队员。但一路惊险之后，我睡得跟在五星级饭店里一样香。"

凌晨四点不到，门房把睡满了过道的男人叫起来吃早餐。在斋戒月，穆斯林晨祷后就不能进食，饿过头儿的摩顿森一点儿食欲都没有，却也跟着吞下了一整天分量的食物，一盘咖喱豆和四张硬梆梆的"恰巴帝"。

在破晓前的霜露中，法扎巴德四周的乡间让摩顿森想起了巴尔蒂斯坦。即将升起的太阳照拂着北边的大帕米尔山脉，让摩顿森误以为回到了他在地球上的第二个家。其实这两个地方的差别很明显。虽然这里的妇女也会用"布卡"把自己整个儿包起来，但街上可以看到许多女性出入公开场所。前苏联国家的地缘影响显而易见：成群的持枪车臣人用斯拉夫口音说话，郑重其事地走向清真寺准备晨祷。

法扎巴德没有什么自然资源，主要经济来源是鸦片贸易。从巴达赫尚的罂粟田收成的生鸦片，大批运到法扎巴德附近的精炼工厂炼成海洛因，然后由中亚运到车臣，再走私到莫斯科。塔利班垮台后，阿富汗北部地区的罂粟种植再度盛行。

根据人权观察组织的研究报告，阿富汗的鸦片产量在塔利班统治期间几乎为零，但在2003年底已经接近四千吨，全球三分之二的海洛因原料都产自这里。毒品收入主要掌控在分据各地的军阀手中。由此他们得以招募士兵，建立军力强大的私人部队。

离喀布尔最远的巴达赫尚省，归军阀萨哈·卡恩掌管。摩顿森几年前就听说过他的故事，他的人民兴奋地谈论他的英勇功绩。像所有军阀一样，卡恩对所有经过他土地的鸦片驴车队征收过路费，但和他们不同的是，他用这些钱照顾人民。他帮以前的抗苏"圣战"士兵建了一个市场，给每个人一小笔贷款让他们做小生意。卡恩的敌人惧怕他的程度，就和他的人民爱戴他的程度一样，他对待敌人从不手软。

"9·11"事件发生时在祖德卡恩村保护摩顿森一行人的沙尔法拉兹，曾经担任过巴基斯坦突击队员。他在瓦罕走廊参与过走私，也亲眼见过卡恩本人。"他是好人吗？是，是好人，但也是危险的人。"沙尔法拉兹说，"如果他的敌人不肯投降归顺他，卡恩会用两台吉普车把敌人活活分尸，就是这种方式让他占据了巴达赫尚省。"

那天下午，摩顿森换了些当地货币，又租了辆吉普车，雇了愿意开车带他去卡恩总部的一对父子。虔诚的父子希望尽快出发，因为路上要花两个小时，他们希望及时赶到当地做晚祷。

"我现在就可以出发。"摩顿森说。

"你的行李呢？"能说几句英文的男孩问。

摩顿森耸了耸肩膀，爬进吉普车。

"到巴拉克总部的路程不会超过一百二十公里，"摩顿森回忆，"但我们开了三个小时。山路在河流上方的岩架上慢慢爬升，穿过峡谷，这让我想起了巴尔蒂斯坦。那辆车不错，美国造的所谓越野车只能到市场买菜，或带孩子去踢足球，在那种地方你得有辆苏式吉普车才应付得了。"

离巴拉克还有二十分钟的路程时，峡谷豁然开朗，变成山丘间的翠绿田野。每一寸耕地上都种了罂粟。"要不是那些罂粟，我们真像行驶在希格尔的河口，马上就可以回科尔飞。我忽然意识到我们离巴基斯坦有多近，感觉就像马上回到家人身边一样。"

到了巴拉克，摩顿森回家的感觉更强烈了。被兴都库什山脉的白雪山峰环绕的巴拉克，是进入瓦罕走廊的通道，一想到瓦罕东边的祖德卡恩村有许多好友，摩顿森的心中油然升起一股暖意。

司机和他儿子把车开到巴拉克的市场，准备打听卡恩的住处。在那里，当地种植罂粟的人们和巴尔蒂人一样穷困。摊子上的食物都很简单，种类和数量也很少，来来去去驮着重物的瘦驴子，一头头都是营养不良的模样。摩顿森从许多资料中读到，塔利班统治时期巴达赫尚省几乎和世界完全隔离，但他没想到这些人这么穷。

一辆白色吉普车朝他们开了过来。摩顿森招手要他们停下，心想在巴拉克能开得起车子的人应该认得卡恩。

吉普车上坐满了眼神凶恶的士兵。开车的中年男子下了车，他眼神锐利，黑胡子修剪得整整齐齐。

"我在找萨哈·卡恩。"摩顿森用凯思教他的一点点达利语说。

"他就在这儿。"那个人用英文回答。

"哪里？"

"我就是。"

在巴拉克黄褐色的山麓下，摩顿森站在卡恩家的屋顶上，紧张地绕着椅子踱步，等卡恩晚祷回来。卡恩的生活很简单，但象征他权力的物件随处可见。屋顶上旗杆似的大功率无线电发射天线，说明卡恩并不排斥现代化。几个卫星讯号接受器对准南方的天空。临近房舍的屋顶上，卡恩的狙击手们不时从瞄准镜里监视着他。

往东南方望去，可以看到巴基斯坦的雪峰，他想象费瑟·贝格就在山下保护着自己，那些狙击手吓不倒他。从贝格开始，摩顿森继续想那些关心他的朋友，从一所学校到另一所学校，从一个村庄到另一个村庄，一路到亨札河谷、吉尔吉特，然后跨过峡谷再到斯卡都，再到现在所站的屋顶，他告诉自己他并不孤单。

太阳快下山时，几百名男子从巴拉克外观质朴的清真寺鱼贯而出，清真寺的建筑呈碉堡状，看起来就像兵营。卡恩是最后走出来的，他还在和村里的毛拉讨论事情，最后跟毛拉拥抱道别，转身朝他家屋顶上的外国人走来。

"萨哈·卡恩一个人上来了，除了翻译官没带任何守卫。我知道狙击手时刻注意着我的一举一动，但我很欣赏卡恩的方式。"摩顿森回忆，"就像在市场的时候一样，他愿意亲自解决问题。"

"很抱歉现在不能招待你喝茶。"卡恩通过他英文流利的翻译官说，"但是再过一会儿，"他指指西边渐渐没入岩壁的太阳，"你想吃什么都行。"

"没关系。"摩顿森说，"我到这儿来是为了和你谈事情，能见到你，我已经很荣幸了。"

　　"一个美国人大老远从喀布尔来，想和我谈什么呢?"卡恩拉了拉棕色的羊毛长袍，长袍上鲜红的刺绣代表了他的地位。

　　摩顿森把他的故事讲给卡恩听，从吉尔吉斯的骑马人开始说起，一直说到昨晚的枪战，他躲在羊皮下逃脱的经过。让摩顿森吓一跳的是，卡恩竟然开心地大叫起来，热情拥抱他。

　　"对了! 对了! 葛瑞格医生! 我手下的阿都·拉希德将军跟我提到过你，这真是太难以想象了。"卡恩兴奋地走来走去，"你看看，我连顿晚餐都没安排，也没通知村子欢迎你，真要请你原谅。"

　　摩顿森也笑起来，这趟恐怖的旅程，一路之上的紧张，这会儿全消失了。卡恩从长袍下的摄影背心里拿出卫星电话，要他的部属准备盛宴。然后他和摩顿森两人在屋顶上踱着步子，讨论建造学校的具体地点。

　　卡恩对瓦罕走廊的熟悉程度堪比百科全书，他提了五个急需学校的村庄，又计算了整个地区没有学上的女孩儿人数，数字大得完全出乎摩顿森的意料。卡恩说，光在法扎巴德就有五千名女生在男孩儿高中旁边的田里上课，更不要说没有书读的女孩儿之多，而整个巴达赫尚省的情况都一样。卡恩又开始列举长长的需求清单，长得足够摩顿森忙上几十年。

　　太阳西沉之后，卡恩一手搭在摩顿森肩上，一手指着山头，"我们和美国人在那边的山里一起对抗过苏联人，许多人给过我们无数承诺，但杀戮结束后，从没有人信守承诺回来帮助我们。"

　　"看看这里，看看这些山。"卡恩指着从巴拉克边缘开始升起的一座座山峰，它们就像是间隔不一的墓碑，当落日逐渐隐没，又仿佛一支朝向夜色前进的死者大军。"有太多的人死在山里，你看到的每一块石头，都是我英勇的烈士弟兄，他们为对抗苏联人和塔利班而牺牲。我们不能让他们的牺牲毫无意义。"卡恩转头对着摩顿森说，"我们必须把石头变成学校。"

　　摩顿森一直很怀疑人在死亡的瞬间，一生经历会在眼前重现的说法。但是那一瞬间，看着卡恩乌黑的眼睛，想到自己面临的抉择，摩顿森未来的生命仿佛全在眼前展开。

　　这个高山环绕的屋顶，就是他新的人生分界点。如果他选择走向这个男人，走向这些石头，他就能清楚地看到前方的道路，比起多年前某个遥远的日子，他无意中从科尔飞开始的十多年曲折旅程还要清楚。

在这条路上他得学习新的语言，也会犯下无数错误，直到最终适应新的习俗不再逾矩，每一年他将会有好几个月不能和家人在一起。摩顿森看见一幅阳光灿烂的风景，里面有杳无人迹的雪地，也有他无法想象的危险，宛如雷雨乌云一路跟随。他看见自己崭新的生命，像童年的乞力马扎罗山一样清楚，像梦中萦绕的乔戈里峰一样耀眼。

摩顿森把手搭在萨哈·卡恩肩上，正像多年以前，他把手搭在一位叫哈吉·阿里的长者肩上一样。那一刻，不是屋上仍在监视他的狙击手，也不是眼前余晖照耀下的烈士之石——而是内心，让他决定攀登那新的山峰。

如果您被《三杯茶》的故事感动

如果您被《三杯茶》的故事感动，也想付出一些心力，以下是一些您可以帮忙的方式：

1. 到本书的网站 www. threecupsoftea. com，那里有更多资讯、书评和活动，跟大家一起集思广益吧。如果您要购买英文版，可以直接在网站上购买，所有收入的7%将成为巴基斯坦及阿富汗地区的女子教育奖学金。

2. 把《三杯茶》推荐给您的朋友、同事、读书会、妇女团体、社会团体、清真寺、大学或是高中；或是介绍给任何关心教育、登山探险、文化交流的团体。

3. 请看看您的图书馆里有没有《三杯茶》这本书，如果没有，请捐这本书给图书馆，或者建议图书馆添购本书。

4. 在网上书店或是博客上写书评。您的直接推荐能帮助这本书的传播。

5. 请您当地的报纸编辑或电台考虑介绍这本书。

6. "捐一分钱给和平"（www. penniesforpeace. org）是特别针对学校儿童推出的活动，请您当地的学校参加这个活动、参与改变世界的行动，从捐一块钱、一支铅笔开始。

7. 如果您愿意支持我们推动教育和识字阅读的工作，特别是帮助女孩子们，您可以向我们的组织捐款：Central Asia Institute, P. O. Box 7209, Bozeman, MT 59771。我们的电话是 1-406-585-7841，网址是 www. ikat. org。在巴基斯坦或阿富汗，一个孩子一个月的教育费用是一美元（约合人民币七元），一支铅笔的费用是一美分（不到人民币一角），一位老师一天的薪水是一美元。

8. 如果需要联络《三杯茶》的相关事宜，请将电子邮件寄至 info@ threecupsoftea. com 或拨打电话 406 – 585 – 7841。

其他详尽资料，请联系中亚协会（CAI）

Central Asia Institute
P. O. Box 7209
Bozeman，MT 59771
406 – 585 – 7841
www. ikat. org